O SEGREDO DE
ROSE GOLD

STEPHANIE WROBEL

O SEGREDO DE ROSE GOLD

Tradução
Ryta Vinagre

1ª edição
Rio de Janeiro-RJ / Campinas-SP, 2020

VERUS
EDITORA

Editora
Raïssa Castro
Coordenadora editorial
Ana Paula Gomes
Copidesque
Lígia Alves

Revisão
Raquel Tersi
Diagramação
Beatriz Carvalho
Júlia Moreira

Título original
The Recovery of Rose Gold

ISBN: 978-85-7686-847-7

Copyright © Stephanie Wrobel, 2020
Todos os direitos reservados.

Tradução © Verus Editora, 2020
Direitos reservados em língua portuguesa, no Brasil, por Verus Editora. Nenhuma parte desta obra pode ser reproduzida ou transmitida por qualquer forma e/ou quaisquer meios (eletrônico ou mecânico, incluindo fotocópia e gravação) ou arquivada em qualquer sistema ou banco de dados sem permissão escrita da editora.

Verus Editora Ltda.
Rua Benedicto Aristides Ribeiro, 41, Jd. Santa Genebra II, Campinas/SP, 13084-753
Fone/Fax: (19) 3249-0001 | www.veruseditora.com.br

CIP-BRASIL. CATALOGAÇÃO NA FONTE
SINDICATO NACIONAL DOS EDITORES DE LIVROS, RJ

W941s

Wrobel, Stephanie
  O segredo de Rose Gold / Stephanie Wrobel ; tradução Ryta Vinagre. - 1. ed. - Campinas [SP] : Verus, 2020.
  308 p. ; 23 cm.

Tradução de: The Recovery of Rose Gold
ISBN 978-85-7686-847-7

1. Ficção americana. I. Vinagre, Ryta. II. Título.

20-66177

CDD: 813
CDU: 82-3(73)

Meri Gleice Rodrigues de Souza - Bibliotecária - CRB-7/6439

Revisado conforme o novo acordo ortográfico.

Seja um leitor preferencial Record.
Cadastre-se no site www.record.com.br e receba informações sobre nossos lançamentos e nossas promoções.

Atendimento e venda direta ao leitor:
sac@record.com.br

A meus pais,
Ron e Kathy Wrobel

1
PATTY

Dia da soltura

Minha filha não precisava testemunhar contra mim. Ela decidiu isso. Foi culpa de Rose Gold eu ter ido parar na prisão, mas ela não é a única responsável. Se tivermos de apontar dedos, os meus miram o promotor e sua imaginação hiperativa, o júri crédulo e os repórteres sanguinários. Todos clamaram por justiça.

O que eles queriam era uma matéria, uma história.

(Peguem a pipoca, gente, porque eles escreveram uma.)

Era uma vez, disseram eles, uma péssima mãe que deu à luz uma filha. A filha parecia ser muito doente e tinha todo tipo de problemas. Usava uma sonda gástrica, o cabelo caía aos tufos e era tão fraca que precisava de uma cadeira de rodas para se locomover. Durante dezoito anos nenhum médico conseguiu descobrir o que havia de errado com ela.

E então apareceram dois policiais para salvar a filha. E eis que a saúde da menina estava perfeita — a doente era a mãe má. O promotor disse a todos que a mãe envenenou a filha durante anos. Por culpa da mãe, a garota não parava de vomitar e sofria de desnutrição. Maus-tratos infantis com agravante, foi como ele chamou. A mãe precisava ser castigada.

Depois que ela foi presa, a imprensa mergulhou feito um abutre, ávida para tirar proveito de uma família sendo desfeita. As manchetes clamavam pelo sangue de "Patty Peçonhenta", uma mestra da manipulação de cinquenta e poucos anos. Todos os amigos da mãe engoliram as mentiras. Arrogantes andavam por toda a Terra; cada advogado, policial e vizinho tinha certeza de ser o salvador da menina. Colocaram a mãe na prisão e jogaram a chave fora. Foi feita justiça e a maioria deles viveu feliz para sempre. Fim.

Mas onde estavam os advogados quando a mãe limpava o vômito da filha do carpete pela milésima vez? Onde estavam os policiais quando a mãe se debruçava sobre livros de medicina toda noite? Onde estavam os vizinhos quando a menina gritava pela mãe antes de o sol nascer?

Mate esta charada para mim: Se passei duas décadas maltratando minha filha, por que ela se ofereceu para vir me buscar hoje?

Connolly se aproxima de minha cela ao meio-dia em ponto, como prometeu.

— Está pronta, Watts?

Saio de minha cama dura e visto o uniforme cáqui áspero.

— Sim, senhor.

Me tornei uma mulher que pia.

O carcereiro barrigudo saca um aro grande de chaves e assovia ao abrir minha porta. Sou a detenta preferida de Connolly.

Paro junto à cama de minha companheira de cela, sem querer fazer cena. Mas Alicia já está sentada, encostada na parede e abraçando os joelhos. Ela ergue os olhos a mim e cai aos prantos, parece ter muito menos que seus vinte anos.

— Shh, shh. — Eu me abaixo e envolvo a menina nos braços. Tento dar uma espiada em seus pulsos enfaixados, mas ela me pega. — Continue passando a pomada e trocando esses curativos. Nada de infecções — digo, mexendo as sobrancelhas para ela.

Alicia sorri, as lágrimas mancham seu rosto. Ela soluça.

— Sim, enfermeira Watts.

Procuro não me envaidecer. Fui auxiliar de enfermagem diplomada por doze anos.

— Menina boazinha. A Díaz vai andar com você hoje. Trinta minutos. Ordens médicas. — Sorrio também, acariciando o cabelo de Alicia. Seus soluços pararam.

— Vai escrever para mim?

Faço que sim com a cabeça.

— E você pode me ligar sempre que quiser. — Apertando sua mão, eu me levanto e vou até Connolly, que esteve pacientemente esperando. Paro na soleira e olho para Alicia, fazendo uma anotação mental para lhe mandar uma carta quando chegar em casa. — Uma hora de cada vez.

Alicia acena timidamente.

— Boa sorte lá fora.

Connolly e eu vamos para a seção de Admissão e Soltura. Minhas companheiras detentas gritam suas despedidas.

— Mantenha contato, ouviu bem?

— Vamos sentir sua falta, mamãe.

— Fique longe de problemas, Skeeto. (Abreviatura para "Mosquito", um apelido dado como um insulto, mas tomado como um elogio. Os mosquitos nunca desistem.)

Dei a elas meu melhor aceno de rainha Elizabeth, mas me contive e não mandei beijos. É melhor tratar disso com seriedade. Connolly e eu voltamos a andar.

No corredor, Stevens quase passa por cima de mim. Ela tem uma estranha semelhança com um buldogue — atarracada e parruda, os maxilares agitados, sabe-se que baba de vez em quando. Ela resmunga para mim.

— Já vai tarde.

Stevens permaneceu no comando até eu chegar aqui. Jamais foi uma defensora da abordagem mosca-no-mel: ela é puro vinagre. Mas a força bruta e as táticas de intimidação só funcionam até certo ponto e não chegam a lugar algum com uma mulher do meu tamanho. Foi fácil usurpar sua posição. Até entendo por que ela me odeia.

Mexo os dedos para ela, toda provocante.

— Tenha uma vida gloriosa, Stevens.

— Não envenene mais nenhuma garotinha — ela rosna.

Não tenho a opção do estrangulamento, então a mato com a gentileza. Abro um sorriso, a epítome da serenidade, e acompanho Connolly.

O Centro de Admissão e Soltura é desinteressante: um corredor longo com piso de concreto, paredes brancas demais e salas com janelas de vidros grossos. No final do corredor fica uma pequena área de escritório com mesas, computadores e scanners. Podia ser uma empresa de contabilidade, se todos os contadores usassem distintivos e armas.

Na recepção, a cadeira do funcionário está virada para o rádio. Toca um novo programa. *Depois de um breve intervalo*, diz o repórter, *temos a história de um bebê desaparecido em Indiana. E também: doces podem dar câncer? A seguir, na WXAM*. Não assisti, não ouvi, não li as notícias desde meu julgamento. A imprensa destruiu meu bom nome. Graças a eles, minha filha ficou quatro anos sem falar comigo.

Fulmino o rádio com os olhos. A cadeira gira para mim, e percebo que conheço o funcionário sentado ali. No íntimo, eu me refiro àquele careca musculoso como Seu Liberado. Conheci-o cinco anos atrás. Ele deu em cima de mim o dia inteiro, perguntando que perfume eu usava, enquanto eu o repudiava. Fingi serenidade, mas por dentro estava numa gangorra entre a fúria e a injustiça de meu veredito e o medo dos cinco anos seguintes. Até agora, não o tinha visto de novo.

— Patty Watts? — diz ele, desligando o rádio.

Faço que sim com a cabeça.

— Eu me lembro de você. — Ele sorri.

Seu Liberado pega um formulário na gaveta da mesa, depois desaparece no depósito. Após alguns minutos, volta com uma pequena caixa de papelão. E me entrega uma folha de papel.

— Preciso que você verifique a lista de inventário e assine embaixo para confirmar que está saindo com tudo o que trouxe para cá.

Abro a caixa e olho o conteúdo antes de apor minha assinatura.

— Agora pode vestir suas roupas de sair — diz Seu Liberado, gesticulando para o banheiro e dando uma piscadela para mim quando Connelly não está olhando. Inclino a cabeça e me afasto, agarrada à caixa de papelão.

Em um reservado, tiro o casaco com DEPTO. CORRECIONAL estampado nas costas e enfio na caixa. Depois de cinco anos de comida de presídio, meus jeans preferidos, com o misericordioso elástico na cintura, está meio largo. Visto minha camiseta do Garfield e um moletom vermelho bordado com as iniciais de minha faculdade comunitária, a GCC. As meias velhas estão duras de suor, mas ainda são melhores do que o par de lã áspera que estive calçando. Calço os tênis brancos e noto um último objeto no fundo da caixa. Pego o pingente em formato de coração e penso em colocar no bolso, mas em vez disso fecho a corrente em torno do pescoço. É melhor que ela me veja usando seu presente da infância.

Saio do banheiro e entrego a caixa vazia a Seu Liberado.

— Trate de se cuidar direito. — Ele dá outra piscadela.

Connolly e eu andamos pelo corredor iluminado com lâmpadas fluorescentes do Prédio de Admissão para o estacionamento.

— Alguém vem buscá-la, Watts?

— Sim, senhor. Minha carona deve chegar logo. — Tenho o cuidado de não dizer quem é a carona: embora Rose Gold já esteja com vinte e três anos, algumas pessoas ainda a imaginam como uma garotinha doente. Algumas pessoas não exultariam ao ver nosso reencontro. Para elas, não importa que eu tenha ficado acordada a noite toda monitorando seus sinais vitais durante cada dia de hospitalização. Elas não sabem da profundidade do amor desta mãe.

Paramos à porta. A ponta de meus dedos formiga quando alcança a barra de empurrar.

Connolly coça o bigode de Tom Selleck.

— Aquela receita de pierogi fez um baita sucesso com os meus sogros.

Bato palmas.

— Eu te disse que faria.

Connolly hesita.

— A Martha ficou impressionada. Ela não dormiu no sofá ontem à noite.

— Passinhos miúdos, senhor. Ela está voltando. Continue lendo aquele livro. — Nos últimos meses, estive treinando o carcereiro com *As cinco linguagens do amor*.

Connolly sorri e, por um segundo, parece perdido.

— Não fique todo emotivo agora — brinco, dando um tapinha em seu ombro.

Ele assente.

— Boa sorte aí fora, Patty. Não vamos nos ver de novo, está bem?

— O plano é esse. — Eu o vejo se afastar, seus sapatos tamanho palhaço batem no linóleo. Ele leva o corpanzil até uma sala e fecha a porta, e então não resta nada para olhar além de um silêncio arrepiante. De repente, o Departamento Correcional de Illinois terminou comigo.

Procuro ignorar a batida louca no peito. Abrindo a porta, vou para o sol ofuscante do lado de fora, de certo modo esperando que soe um alarme ou que se acenda uma luz vermelha. Mas é fácil assim mesmo? Entrar em um prédio, sair de um prédio, ninguém liga. Posso ir a um cinema ou igreja, ou ao circo. Posso ficar presa em uma tempestade sem guarda-chuva ou ser assaltada a mão armada. Estou livre, e qualquer coisa pode me acontecer. Estendo os dedos e me admiro na brisa deste dia fresco de novembro. Protejo os olhos e os corro pelo estacionamento, procurando pela velha van Chevy. Mas tem um mar de sedãs. Não tem ninguém.

Ela deve chegar a qualquer minuto.

Sento-me no banco frágil, de cara feia quando o plástico protesta sob meu peso. Depois de vários minutos lutando para me colocar confortável, eu me levanto. Volto a andar de um lado a outro.

Ao longe, minha van marrom entra na longa rua de mão única que leva ao Prédio de Admissões. Enquanto se aproxima devagar, faço o máximo para alisar quaisquer amarrotados e endireitar meu moletom. Dou um pigarro, como se estivesse prestes a falar, mas só o que faço é olhar fixamente. Quando a van chega ao estacionamento, consigo distinguir os ombros estreitos e o cabelo castanho-alourado de minha garotinha.

Observo Rose Gold dar a ré no estacionamento. Ela desliga o motor e se encosta no apoio de cabeça. Imagino-a de olhos fechados por um minuto. As pontas do cabelo na altura do peito sobem e descem a cada respiração ingênua. Rose Gold queria ter cabelo comprido desde que era criança, e agora tem.

Li em algum lugar que a média das pessoas tem cem mil fios de cabelo — mais para quem é louro, menos para os ruivos. Me pergunto quantos fios são necessários para encher um punho. Imagino puxando minha filha para um abraço caloroso, torcendo suas mechas entre os dedos. Sempre disse que ela ficava melhor de cabeça raspada. A gente fica muito menos vulnerável assim — não há nada para agarrar.

As filhas nunca dão ouvidos às mães.

Quando ela levanta a cabeça, seus olhos encontram os meus. Ela ergue o braço e acena como a Rainha do Baile em um carro alegórico. Meu próprio braço plana no ar e espelha seu entusiasmo. Vejo os contornos de uma cadeirinha na segunda fileira da van. Meu neto deve estar afivelado ali.

Dou um passo do meio-fio para minha família. Já faz quase vinte e cinco anos que tive meu último bebê. Em segundos, os dedinhos dele estarão entrelaçados nos meus.

2
ROSE GOLD

Cinco anos antes, novembro de 2012

À s vezes ainda não consigo acreditar que me deixaram ler o que eu quisesse. Passo as mãos nas fotos brilhantes da revista. Um casal impecável de mãos dadas em uma praia. Um adolescente despenteado entrando em um carro. Uma mãe radiante embalando a filha ao atravessar as ruas de Nova York. Todas essas pessoas eram famosas. Eu sabia que a mãe era uma artista chamada Beyoncé, mas não reconheci os outros. Estou certa de que a maioria dos que têm dezoito anos reconheceria.

— Rose Gold?

Tomei um susto. Meu gerente, Scott, estava parado diante de mim.

— Estamos perto de abrir — disse ele. — Pode deixar a revista de lado?

Assenti. Scott continuou andando. Será que deveria ter me desculpado? Ele estava zangado comigo ou só fazia seu trabalho? Posso ser advertida por isso? Eu devia respeitar a autoridade. Também devia ser mais inteligente que eles. Mamãe sempre foi.

Olhei para o exemplar da *Chit Chat* que tinha nas mãos. Estive procurando menções a ela no tabloide. Durante seu julgamento, escreveram três matérias sobre nós. Agora, em seu primeiro dia no presídio, eles não têm nada a dizer. Nem os jornais de circulação nacional. A prisão de minha mãe não passou de um artigo chamativo em nosso jornal local, o *Deadwick Daily*.

Devolvi a revista à estante. Scott começou a bater palmas ao andar pela loja, gritando: "Um sorriso faz parte do uniforme, pessoal". Olhei para Arnie no Caixa Dois. Ele revirou os olhos. Será que o irritei? E se ele nunca mais falar comigo? E se ele contar a todos os nossos colegas que eu era esquisita? Virei a cara.

O segurança destrancou as portas da Gadget World. Não havia ninguém esperando do lado de fora. As manhãs de domingo eram tranquilas. Liguei a luz de meu caixa. O "5" grande e amarelo não se acendeu. Mamãe sempre disse que uma lâmpada queimada significa que algo de ruim vai acontecer.

Os tremores no estômago pioraram. No último ano, tive pavor de qualquer grande dia de seu julgamento: os argumentos de abertura, meu testemunho, o veredito, a sentença. Mas os repórteres não se importavam que "Patty Peçonhenta" estivesse atrás das grades. Ninguém, além de mim, se lembrava de que era seu primeiro dia na prisão. Ela ainda estaria livre se eu não tivesse subido àquele banco de testemunhas. Não falo com ela desde a prisão.

Tentei imaginar minha mãe — um e sessenta e sete e corpulenta — em um macacão laranja. E se os guardas a machucarem? E se ela irritar a presidiária errada? E se ela adoecer com aquela comida? Eu sabia que devia ficar feliz com essas possibilidades. Sabia que devia odiar mamãe, porque as pessoas sempre me perguntavam se eu odiava.

Não queria imaginá-la no presente, coberta de hematomas arroxeados, empalidecendo por falta de sol. Queria lembrar a mãe com quem fui criada, a mulher de ombros largos e braços grossos que sabia sovar massa de pão em minutos. Seu cabelo era curto e quase preto, graças a uma tintura barata. Tinha as bochechas rechonchudas, um nariz esnobe e um largo sorriso que iluminava o rosto. Eu adorava o sorriso de mamãe porque gostava de ver seus dentes: brancos, retos e bonitos, uma boca organizada como as gavetas dela. Mas eram seus olhos verde-azulados e claros que conquistavam uma pessoa. Eles ouviam, eles se solidarizavam. Eles eram gentis e confiáveis sem que ela pronunciasse uma palavra que fosse. Quando a mão carnuda de minha mãe envolvia a sua e ela apontava aqueles olhos verde-azulados para você, pode ter certeza de que você não se sentiria só.

— Rose Gold, não é?

Tomei outro susto. Um sósia do príncipe da Disney parado diante de mim. Eu o reconheci. Ele vinha o tempo todo para comprar games.

O adolescente apontou para meu crachá.

— Tá legal, foi trapaça minha. Meu nome é Brandon — disse ele.

Olhei para Brandon fixamente, com medo de que qualquer coisa que eu dissesse o fizesse ir embora. Ele sustentou meu olhar — tinha alguma coisa no meu rosto? Peguei suas compras na esteira: um game com um soldado segurando uma arma na capa e quatro sacos de M&M's de amendoim.

Brandon ainda falava.

— Eu estudo na Escola Deadwick.

Ele era mais novo que eu. Eu tinha dezoito e meu diploma do ensino médio.

— Tudo bem — falei. Eu deveria dizer outra coisa. Por que alguém tão lindo como Brandon falava comigo, aliás?

— Você foi da EEMD?

Cocei o nariz para que minha mão cobrisse os dentes.

— Fui educada em casa.

— Que legal. — Brandon sorriu para os próprios pés. — Eu estava pensando se você queria sair comigo.

— Para onde? — perguntei, desnorteada.

Ele riu.

— Tipo um encontro.

Passei os olhos pela loja vazia. Brandon ficou parado ali, com as mãos nos bolsos, esperando uma resposta. Pensei em Phil, meu namorado virtual.

— Não sei.

— Ah, vamos — disse Brandon. — Prometo que não mordo.

Ele se curvou para o balcão quando disse isso. Nossos rostos ficaram a uns trinta centímetros de distância. Sardas mínimas pontilhavam seu nariz. Ele tinha cheiro de sabonete masculino. Meu coração agora saltitava. Enfim eu podia conseguir meu primeiro beijo. Será que contava como traição se você não conhecesse pessoalmente seu namorado virtual?

Brandon piscou para mim, depois fechou os olhos. Como era assim tão fácil para ele? Eu devia fechar os olhos também. Mas e se errasse a boca de Brandon e beijasse o nariz? De olhos abertos, então. Era para usar a língua? As revistas diziam que às vezes se usa a língua. Mas não os dentes. Nunca os dentes.

Meus dentes.

Eu não podia deixar que ele chegasse tão perto dos meus dentes. Além do mais, Scott podia nos ver. Nossos rostos agora estavam a centímetros. Eu tinha me curvado para o balcão sem perceber. Ia fazer uma besteira. Não estava preparada. Joguei a cabeça para trás.

— Não é uma boa hora — falei em voz baixa.

Ele abriu os olhos e virou a cabeça de lado.

— O que você disse?

— Eu disse que não é uma boa hora. — Prendi a respiração.

Ele gesticulou com desdém.

— Eu nem sugeri uma hora. Você fica ocupada o tempo todo?

Eu nunca ficava ocupada, mas essa não era a resposta certa. Estalei os dedos e tentei engolir. Minha garganta estava seca.

Brandon ergueu as sobrancelhas.

— Vai me fazer implorar?

Imaginei passar as próximas quarenta e oito horas revivendo cada palavra desta conversa. Eu precisava sair antes de estragar tudo. Meti atrás da orelha uma mecha de cabelo — curto e oleoso.

— Desculpe — falei com sua camiseta.

Brandon deu um passo para trás. As faces dele ficaram cor-de-rosa. Vi a metamorfose de seu sorriso para um esgar. Devo ter falado a coisa errada. Eu me retraí, esperando.

— Está ocupada fingindo que precisa de uma cadeira de rodas?

Minha boca se abriu. E eu a cobri com a mão.

— E acha que pode esconder seus dentes? Eles são um nojo, porra. *Você é um nojo* — Brandon falou num silvo.

Não chore, não chore, não chore, não chore.

— Eu só te convidei para sair porque meu amigo apostou comigo — disse ele. Na deixa, um garoto extasiado sai de trás do Caixa Dois. As lágrimas se acumulavam em meus olhos.

— Tipo *você me rejeitar?* — Brandon fez uma careta e saiu com sua sacola plástica da Gadget World. O amigo bateu um high-five nele. A primeira lágrima gorda escapou e rolou pela minha face.

Assim que eles partiram, saí a passo acelerado do caixa, ignorando a encarada de Arnie. Pensei em Malévola e Jafar e Cruela Cruel e Scar e no Capitão Gancho: no final, os vilões sempre perdiam.

A copa estava vazia. Fechei a porta e a tranquei.

Não chorava tanto desde que ouvi o veredito de minha mãe, dois meses antes.

Depois do trabalho, dirigi cautelosamente a van amassada de minha mãe pelos catorze quilômetros até meu apartamento. Tinha conseguido a carteira de habilitação também dois meses antes, com a ajuda da ex-melhor amiga de mamãe, Mary Stone, que me matriculara em um curso de direção, depois me levara ao Departamento de Veículos Automotivos para a prova escrita e o teste de volante. O funcionário do DVA disse que eu era a primeira pessoa a ter uma pontuação perfeita naquele mês. Às vezes entro na van e dirijo em círculos pelo quarteirão, só porque posso.

Estacionei na frente do meu prédio. Depois que consegui o emprego de caixa na Gadget World, a sra. Stone também me ajudou a procurar aluguéis baratos em Deadwick. O Sheridan Apartments era um prédio decadente de quatro andares — a sra. Stone disse que foi construído quando ela era criança. Às vezes eu recebia a visita de camundongos, mas o aluguel custava menos de quatrocentos dólares por mês. A sra. Stone disse que era um bom começo para mim. Eu não sabia o que estava começando.

Tranquei as portas do carro e fui para o prédio. Meu telefone vibrou no bolso enquanto eu andava pela calçada de concreto, era Phil. Fiz questão de pensar em Brandon ao pisar em cada rachadura.

> Um chat hoje à noite?

> Sim, por favor, dia difícil.

> O que aconteceu?

Dentro de casa, tirei os sapatos e fui direto para a balança do banheiro. Desde que saí da casa de mamãe, nove meses atrás, havia engordado uns quinze quilos. Recentemente, meu peso tinha se estabilizado. Olhei para baixo. Ainda quarenta e seis quilos.

Evitei o espelho ao sair do banheiro. Não tinha energia para passar por toda a rotina. (Passo Um: verificar se as tiras de branqueamento estão funcionando. Eu classificava cada dente em uma escala de um a dez, depois registrava a pontuação de cada dente em um caderninho, assim podia acompanhar as melhorias. Passo Dois: usar uma fita métrica de tecido para verificar o quanto o cabelo tinha crescido. Tentei cápsulas de óleo de peixe, Biotina e vitaminas, mas nada dava certo: meu cabelo ainda não crescia mais rápido. Passo Três: examinar a mim mesma da cabeça aos pés, cada parte do corpo, e catalogar as coisas de que não gostava. Eu mantinha um inventário mental, assim sabia o que precisava ser trabalhado.) Procurava não fazer a rotina mais de uma vez por dia e a evitava por inteiro nos dias ruins, como este. Apaguei a luz do banheiro. Estava com fome.

Na cozinha, joguei no micro-ondas um jantar de macarrão com queijo congelado Tex-Mex e me recostei na bancada. Li a descrição da refeição na caixa e me perguntei que gosto teria *chouriço*. Depois de me mudar para minha própria casa, eu vivia principalmente de cereais matinais e refeições congeladas. Tinha tentado aprender a cozinhar sozinha, mas sempre entendia mal o tempo de preparo — queimava os legumes ou cozinhava demais o arroz. Sentia falta de ter alguém por perto para preparar minhas refeições, mesmo quando eram shakes de nutrição, como o PediaSure. Às vezes acendia pequenas velas votivas, como mamãe costumava fazer para deixar o jantar elegante.

O micro-ondas bipou e eu peguei o macarrão com queijo. Ainda de pé junto da bancada, abri a embalagem plástica e joguei a massa com delicadeza na boca, pressionando na língua os dentes frios do garfo. O macarrão enroscado e coberto de queijo picante escorregou suavemente pela garganta, confiante em seu percurso de mão única. Triturei farinha de rosca entre os molares. Depois senti o tempero — chouriço era forte! Meus olhos lacrimejaram. Arrepios pipocaram pelos braços. Nunca ia me cansar de todos esses novos sabores.

Abri a geladeira e peguei uma refeição Lunchables — esta tinha bolachas, fatias de peru e pedaços de cheddar — e achocolatado. Pensei em beber direto da caixa, até que imaginei o rio de lava que viria. Então, servi o achocolatado em um copo.

> Um garoto do ensino médio entrou na loja e agiu como um c*zão.

Fiquei emocionada com meu uso despreocupado de c*zão. Nunca tinha tido permissão para usar palavrões.

> Já superei.

> Como foi o seu dia?

Eu sempre tinha a esperança de que estivesse sendo dura comigo mesma. Todos os outros não me achavam tão feia como eu temia. Mas Brandon, sim. Meu corpo esquelético mais parecia o de um garoto de seis anos do que o de uma mulher. Eu não tinha peitos. Meus dentes eram irregulares e cariados. Mesmo depois de engordar quinze quilos, eu ainda era magra demais, ainda não conseguia preencher o assento de um ônibus. Ninguém me considerava bonita, nem mesmo mamãe, que sempre tinha o cuidado de me chamar de uma *linda alma*, mas nunca de bonita. Ela escolhia os piores momentos para ser sincera.

> Lamento pelo babaca.

> Meu dia teve muita neve ;-)

Phil se mudara para o Colorado alguns anos antes, assim não podia mais fazer snowboard com frequência. Ele convencera os pais a deixá-lo morar na cabana dos tios ao pé da montanha em Front Range, uns setenta quilômetros a sudoeste de Denver. Esse traço rebelde, somado a seu interesse romântico por mim, bastou para me atrair. Ele também me ajudou a deduzir o que mamãe fazia comigo e, assim, praticamente salvou minha vida. Nos conhecemos em uma sala de bate-papo para solteiros quando eu tinha dezesseis anos, logo depois de eu convencer mamãe a ter internet, como uma ajuda em meus estudos. Ela só me deixava ficar online trinta minutos por dia, mas eu usava escondido depois que ela dormia, para conversar com Phil. Agora, passados dois anos e meio, trocávamos mensagens de texto diariamente. Mas nada de ligações ou chamadas de vídeo. Eu não era boa em conversas de improviso. Com as mensagens, tinha tempo para preparar minhas respostas. Não podia me arriscar a perdê-lo.

Depois de jogar fora a embalagem vazia do macarrão, levei meu Lunchables para a sala. Me sentei em uma das poltronas reclináveis Barca-Lounger marrons que mamãe comprara anos antes em uma venda de garagem e acionei o apoio para os pés. Empilhei um quadrado de cheddar e uma fatia de peru em cima de uma bolacha, depois parei. Meu estômago estava revirado ou era imaginação minha?

Em voz alta, falei: "Não tem nada de errado com o macarrão".

Peguei os DVDs na mesa lateral: *Alice no País das Maravilhas* e *Pinóquio*. Quando criança, eu só podia ver três filmes — *A Bela Adormecida, Cinderela* e *A Bela e a Fera* —, e assim estava compensando o tempo perdido. Até agora, tinha passado por metade da coleção de filmes da Disney da biblioteca. Nenhum deles conseguia superar meu favorito de todos os tempos, *A pequena sereia* — vi esse trinta vezes. Tentava chegar a trinta e três, para dar sorte.

Mas o que eu queria não era um filme. Examinei a calça cáqui e a blusa azul do uniforme. No dia seguinte estaria vestindo exatamente as mesmas roupas, endireitando a mesma pilha de revistas, reabastecendo o mesmo quiosque para o próximo c*zão que entrasse na Gadget World para me dizer que eu era um nojo.

E se Brandon voltasse à loja? E se eu esbarrasse com ele no posto de gasolina, ou enquanto comprava mantimentos?

Talvez fosse exagero da minha parte. Eu tinha um namorado e um emprego em tempo integral e meu próprio apartamento. Tinha ido ao dentista, que disse que, com algumas extrações e uma ponte, eu podia ter lindos dentes brancos. Desde então, comecei a economizar cinquenta dólares de cada cheque de pagamento para investir em meu novo sorriso. Eu fazia progressos, então o que era a opinião de um cara gato? Brandon não era ninguém para mim.

— Você não é nojenta — falei, enjoada e inquieta. Não acreditava em mim mesma.

Não estava preparada para me mudar para outra cidade. Passei a maior parte da vida na mesma casa, saindo apenas para consultas médicas, visitas a nossos vizinhos e à escola, até que minha mãe me tirou de lá. Embora muita gente em Deadwick me irritasse, pelo menos eram rostos conhecidos. Eu podia aguentar desde que tivesse nossas poltronas marrons, o mercadinho e a sra. Stone — conhecida pelos biscoitos de aveia e seu eterno otimismo — a cinco minutos de distância. Uma mudança era algo grande demais. Mas talvez desse certo uma curta mudança de cenário.

Faça uma lista, sussurrou mamãe. Aqui estavam todas as pessoas que eu sabia que não moravam em Deadwick: mamãe, Alex, que morava em Chicago; e Phil, que estava bem longe, no Colorado. Phil e eu nunca sugerimos nos encontrar. Ficar cara a cara significava o fim das fantasias. Se Phil me conhecesse, talvez me chamasse de nojenta também. Podia até terminar comigo. Ainda assim, o bicho-carpinteiro em minha calcinha não sossegava.

Fiz um rascunho da mensagem por quarenta e cinco minutos antes de decidir pela abordagem mais direta:

> O que você acharia se eu aparecesse para uma visita? :-)

> Preciso sair um pouco de casa.

Os três pontos pairaram, flutuando em minha tela. Ele digitava, digitava e digitava. Puxei uma cutícula. *Não encha balões de esperança.*

> Agora não é um bom momento. Desculpe, gata.

> Quem sabe daqui a alguns meses?

Soltei a respiração que estivera prendendo. Não me atrevia a perguntar por que agora não era um bom momento, e em vez disso fiz outra lista: "Possíveis Motivos para Meu Namorado Não Querer Me Conhecer". Talvez ele tivesse outra namorada. Talvez eu fosse a amante. Talvez não o deixassem namorar. Talvez ele não soubesse fazer snowboard. Talvez fosse mais feio na vida real do que na foto. Talvez, no fundo, soubesse que eu não era a garota linda que ele esperava — embora eu tivesse dado um nome falso para que ele não me encontrasse.

O confronto com Brandon foi o mais perto que cheguei de meu primeiro beijo. Dezoito anos era velha demais para ainda estar à espera — aprendi isso nas páginas da *Seventeen*. Decidi continuar trabalhando em Phil. Ele era minha melhor aposta. Além do mais, se íamos ficar juntos, a certa altura não teríamos de nos conhecer?

Tamborilei os dedos no braço da poltrona, quebrando a cabeça atrás de outra saída. Eu podia ir a Chicago. Durante meses, minha melhor amiga e filha da sra. Stone, Alex, se ofereceu para me mostrar a cidade. A gasolina para uma viagem de três horas não ia custar tanto assim.

No telefone, abri a conversa com Alex.

> Pensei em te fazer uma visita!

Bati na setinha azul e mordi o lábio.

Rolei a tela de nosso chat. Alex não respondera às últimas três mensagens que eu tinha enviado. Eu teria ficado preocupada se ela não estivesse postando nas redes sociais todo dia, detalhando como se divertia com os amigos dela da cidade. Depois dos últimos meses, andei examinando alguns desses sites para entender como funcionavam. Até criei coragem para criar uma conta em um deles, mas ainda não tinha postado nada. Não conseguia decidir por uma foto de perfil.

Olhei os filmes alugados de novo, mas em vez disso coloquei minha cópia de *A pequena sereia* — o único filme que eu possuía — no aparelho de DVD.

Trinta minutos se passaram e Alex ainda não tinha respondido. Pela primeira vez, Scuttle e Sebastian não conseguiram me distrair. Fiquei imaginando a palavra NOJENTA como uma placa de neon flutuando sobre minha cabeça, com duas setas piscando e apontadas para mim. A palavra se tatuou sozinha na minha testa e nas faces, dentro da boca. Puxei até o queixo meu cobertor de fleece com estampa de zebra — o que mamãe fez para mim. A palavra me seguiu até lá, martelava em meus ouvidos. Imaginei que ela vagava pelo sangue nas veias e sacudi a cabeça para me livrar dessas ideias. Eu devia tê-lo ignorado ou continuado a folhear aquela revista.

A revista. Peguei de novo o telefone e rolei por antigos e-mails. Encontrei aquele de Vinny King, o redator da *Chit Chat* que tinha me mandado vários pedidos de entrevista em troca de uns duzentos dólares. Li o e-mail de novo.

A mídia só quer saber de retratar você como uma garotinha fraca e vitimizada. Não está na hora de você botar tudo em pratos limpos?

Na época, eu acreditava no destino. Achava que havia uma razão para tudo o que acontecia.

Quando Vinny King entrou em contato comigo pela primeira vez, eu ainda tinha a sonda gástrica. Acabara de me mudar de nossa casa para a da sra. Stone. O serviço social me recomendara um terapeuta. Repórteres acampavam na frente de cada prédio em que pensavam que eu estaria escondida. Quando testemunhei contra mamãe, eu mal me aguentava. Queria separar publicamente os fatos das mentiras, mas uma entrevista com a velha Rose Gold teria sido um desastre. Eu podia ver as manchetes rindo porque a filha era tão louca quanto a mãe. Elas já tinham sido bem ruins: *MÃE NÃO MOSTRA REMORSO POR QUASE MATAR A FILHA DE FOME.*

Mas isso foi naquela época.

Agora eu era estável. Nada era perfeito, é claro. Por exemplo, talvez eu fosse meio fixada demais em meu peso. Ainda não conseguia ingerir algumas comidas sem ter náuseas, embora eu tivesse certeza de que a doença estava na minha cabeça. Não sabia falar com gente da minha idade. Babacas como Brandon ainda acabavam comigo.

Talvez eu não estivesse preparada para falar das lembranças que fizera, como arranjar um bom emprego no ano anterior. Mas também não podia continuar abusando das pessoas que não sabiam nada a meu respeito, nem podia contar o meu lado da história. A mídia não se interessava mais por mim e mamãe; eu não tinha notícias de Vinny fazia meses. Mas talvez pudesse convencê-lo a me ouvir. Depois podia usar o dinheiro da entrevista no tratamento dos meus dentes. Ou visitar Phil no Colorado.

Alex ainda não tinha respondido a minha mensagem. Na TV, Ariel concordava em abrir mão de sua voz.

Disquei o número de Vinny King antes que pudesse mudar de ideia. O telefone tocou. Olhei para meus sapatos. Os cadarços tinham desamarrado.

Ela estava pensando em mim.

3
PATTY

Atravessei o estacionamento na direção de minha filha. Rose Gold saltou do banco do motorista, seu corpo de um metro e meio nanico no carro grande. Uma mulher de vinte e três anos tinha substituído a adolescente desengonçada que eu criei. Seu cabelo é liso e mole, de um tom embotado em algum lugar entre o louro e o castanho. O nariz pequeno e arrebitado lhe confere a aparência de um ratinho. Ela usa um jeans baggy e um enorme moletom de gola redonda. Corre para mim com aquele mesmo andar na ponta dos pés que sempre teve, como se o concreto estivesse coberto de carvão em brasa. Parece saudável e normal.

A não ser por aqueles dentes.

Seus dentes se projetam da gengiva, um para cada lado, como velhas lápides em um cemitério. Têm uma gama de tons de amarelo, de gemada a mostarda de Dijon. Nas raízes, alguns têm cor de lama; os superiores são irregulares e desiguais. Ela sorri — não, arreganha os dentes — para mim e me faz pensar em uma abóbora de Halloween. Para os outros, seus dentes podem ser horrendos. Para mim, contam uma história. Lembram-me das décadas de ácido gástrico corroendo o esmalte. Aqueles dentes são um testemunho de sua coragem.

Nós nos encontramos no meio do estacionamento. Ela me estende a mão primeiro.

— Você está livre — diz ela.

— Você é mãe — digo.

Nos abraçamos por uns poucos segundos. Conto até cinco, sem querer parecer ansiosa demais ou levantar suspeitas.

— Posso conhecer o menininho?

Rose Gold se afasta do abraço. Me encara, animada, mas o cansaço escapole.

— Claro — diz ela. Eu a acompanho até a van. Ela abre a porta traseira.

Ali está ele, esperando em sua cadeirinha. Olhos inquietos, espernendo: nosso pequeno Adam. Só dois meses de idade.

Por impulso, estendo a mão para seu pé com meia e balbucio para ele. Ele gorgoleja para mim, depois mostra a língua e eu rio, deliciada.

Seguro a fivela de sua cadeirinha, depois lembro qual é o meu lugar. Eu me viro para Rose Gold.

— Posso?

Ela assente. Seus olhos são iguais aos do filho, disparando entre o corpo dele e meu rosto. Abro a fivela do cinto de segurança e o retiro da cadeira.

Aninho o bebê nos braços, baixo o nariz em sua cabeça e inspiro. Não existe nada melhor que o cheiro de um bebezinho. Por um segundo, tenho Rose Gold nos braços de novo. Voltamos para casa e, por alguns minutos, ela não está chorando, nem ofegante, nem tossindo.

— Ele é parecido com você. — Olho para minha filha de lado.

Ela assente pela segunda vez, de olhos fixos no bebê com tanta intensidade que eu sei que não está me ouvindo. Eu reconheceria aquele olhar amoroso em qualquer lugar: ela é apaixonada pelo filho.

Eu me concentro em Adam, que me observa com os olhos castanhos curiosos. Ele mostra a língua de novo e coloca alguns dedos na boca. Todos os bebês parecem vovozinhos enrugados, mas em Adam a combinação funciona. Ele é um bebê lindo. Deus sabe que os Watts não são bonitos, então não vai demorar para a feiura vir atrás dele. Por enquanto ele é uma joia adorável e tudo o que eu esperava ter em um neto. Solto um suspiro.

— Parece que foi ontem que você me visitava aqui com a barriga crescendo — digo, entregando-o a Rose Gold. — Ah, querida, ele é perfeito.

Ela assente e o coloca de volta na cadeirinha.

— Também acho. Uma vez ele dormiu quase a noite toda. — Ela ajeita a manta em volta do corpinho, puxando-a até o queixo do bebê. — Nossa mumiazinha. Ele sorri para nós, as covinhas se formando nas faces rechonchudas. Nós duas sorrimos também, admiradas.

Rose Gold se vira para mim.

— Vamos?

Concordo, assentindo. Ambas nos dirigimos para a porta do motorista. Percebo meu erro e vou para o lado do carona. Comprei esta van quando do Rose Gold engatinhava. Nunca me sentei no banco do carona.

Dentro do carro, Rose Gold tira o moletom e revela uma camiseta branca e puída por baixo. Parece que já perdeu algum peso. Hesito quanto a dizer isso, sabendo que a maioria das mães ficaria exultante ao ouvir uma coisa dessas — estive tentando perder o peso da gravidez por vinte e três anos —, mas me contenho. Comentários sobre emagrecimento nunca foram um elogio no dicionário de Rose Gold.

Ela fica pequena ao volante. Um veículo deste tamanho foi feito para um motorista corpulento, alguém como eu. Ainda assim, ela lida com a van com tranquilidade, sai da vaga e a aponta de volta para a longa rua. Agarra o volante com as mãos em dez para as duas, os nós dos dedos ficam brancos. Eu me pergunto quando foi que tirou a carteira de habilitação. Nunca lhe dei permissão. Me imagino arrancando o volante de minha filha, fazendo a van perder a direção na rua.

Todos nós temos pequenos devaneios como este: e se eu gritasse no meio da reunião? E se eu agarrasse a cara dele e lhe desse um beijo? E se eu pusesse a faca em suas costas, e não na gaveta de talheres? Naturalmente, não os concretizamos. É isso que distingue as pessoas sãs daquelas insanas: saber que a loucura é uma alternativa, mas preferir rejeitá-la.

Noto que o silêncio se prolongou demais.
— Obrigada por vir me pegar.
Rose Gold faz que sim com a cabeça.
— Como se sente aqui fora?
Eu me demoro na pergunta.
— Assustada. Inquieta. Mas, mais do que tudo, fantástica.
— Aposto que sim. — Ela morde o lábio. — E agora? Tem que prestar serviço comunitário, ou fazer terapia, algo assim?

Ah é, até parece que vou prestar serviços à comunidade que me colocou na prisão. Por toda a infância de Rose Gold, fui a vizinha exemplar, tirava o lixo das ruas e jogava bingo com nossos idosos. Se eu quisesse terapia, teria de sair de meu próprio bolso. Primeiro, não tenho dinheiro para isso, e, se tivesse, certamente não usaria para ter algum charlatão enumerando todos os meus defeitos. Uma de minhas companheiras de presídio — uma antiga psiquiatra — me deu alguns conselhos de graça.

Ela sugeriu que eu fizesse uma lista de objetivos para minha volta à sociedade, falou que ficar ocupada ia me deixar com menos tempo para me meter em problemas. Não me dei ao trabalho de contar o quanto estive ocupada nos meses que levaram à minha prisão.

Pensei na seguinte lista:

1. Encontrar um lugar para morar. Minha casa sofreu execução hipotecária depois que fui presa.
2. Arranjar um emprego. Não posso mais trabalhar em um hospital, mas tenho uma jogada promissora com uma velha amiga da prisão. Quando Wanda saiu, criou uma organização sem fins lucrativos para ajudar ex-presidiárias a se recolocarem de pé. Ex-prisioneiras administram a empresa, a Free 2.0. (*E as mulheres que entraram e saíram da prisão várias vezes?*, perguntei. *Ela a chamaria de Free 13.0 para elas?* "Patty", Wanda falou num tom arrastado, "sua cabeça é ao mesmo tempo seu maior trunfo e seu pior obstáculo." As pessoas tendem a descrever minha personalidade usando elogios oblíquos.) Da última vez que ela escreveu, falou algo sobre cuidar remotamente das ligações por telefone.

3. Ajeitar as coisas com Rose Gold. Quando minha filha começou a me visitar, um ano atrás, estava furiosa e queria respostas. Passo a passo, venho reconquistando-a. Logo as coisas vão voltar ao que eram no passado.
4. Convencer amigos e vizinhos de que sou inocente.

A negação é uma estratégia tão boa como qualquer outra. A palavra sugere descuido, uma recusa a enxergar a verdade. Mas existe uma grande diferença entre alguém que não enxerga a verdade e alguém que não conta a verdade. As pessoas são muito mais inclinadas a perdoar se você age como se fosse ingênua. Elas que me chamem de desligada. Que pensem que não diferencio o certo do errado. É a melhor alternativa.

Olho para Rose Gold de banda. Tenho só uma chance de acertar isso.

— Primeiro, preciso de um lugar para ficar — digo, fingindo indiferença.

Ela não reage. Continua de olho em Adam pelo retrovisor.

Eu esperava que ela oferecesse e eu não precisasse pedir. Talvez eu tenha superestimado sua lealdade renovada a mim. Olho pela janela. Agora estamos na rodovia, nada além de milharais por quilômetros em qualquer direção. Construíram aquele presídio onde Judas perdeu as botas. Mantenho a voz despreocupada.

— Achei que talvez eu pudesse passar um tempinho com você. So até me recolocar de pé — acrescento. — Eu sei que você disse que o seu apartamento é minúsculo.

Rose Gold me encara por tanto tempo que tenho medo de que a gente saia da estrada. Depois de um minuto, ela fala.

— Não moro mais naquele apartamento.

Eu me viro para ela, sem entender.

— Comprei uma casa — diz ela, com orgulho. — Não é uma mansão, mas tenho três quartos pequenos, um banheiro e um quintal.

Bingo.

— Bom, se tiver um quarto de hóspedes, eu adoraria passar mais tempo com você. Eu podia cuidar dos pagamentos da hipoteca, quando tiver um emprego. — Quase me ofereço para cuidar de Adam enquanto ela está no trabalho, mas decido ir mais devagar nisso. A surra em meu peito me irrita. Dei um teto a minha filha por dezoito anos. Por que ela não me daria um teto por algum tempo?

— Foi um longo caminho desde que comecei a visitar você na prisão — diz Rose Gold lentamente. — Eu não devia ter caído nas histórias da mídia. Queria ter enfrentado o promotor.

A maré está virando a meu favor, então fico calada, deixo que ela pense que a decisão é dela. Talvez, enfim, eu consiga meu pedido de desculpa.

Ela se vira para mim.

— Mas você não deve passar a vida toda me protegendo do mundo. Não sou mais uma garotinha.

Ignoro a desfeita e concordo com a cabeça. Preciso escolher minhas batalhas. Ela logo vai aprender que o impulso de manter o filho em segurança nunca desaparece, por mais velha que você seja.

— Não quero que as coisas entre nós fiquem ruins, agora que enfim nos entendemos. Se nós experimentarmos isso, se você morar comigo, é minha casa, minhas regras — diz ela, com a voz trêmula. Uma leve brisa podia dizimar sua convicção. — Quero que sejamos inteiramente francas uma com a outra.

Concordo mais uma vez com a cabeça, me esforçando para conter a empolgação.

Ela rói a unha do polegar por alguns segundos.

— Tudo bem, vamos tentar. Você pode ficar com um dos quartos de hóspedes. — Rose Gold sorri para mim. Eu sei que é um sorriso sincero porque ela se esquece de cobrir os dentes.

Não consigo evitar. — Bato palmas com alegria e aperto seu ombro. Como progredimos da discussão a uma mesa em um presídio a dividirmos uma casa de novo? Mas como pude ter duvidado de minha filha? É claro que o sangue do meu sangue vai me aceitar. Pense em todos os sacrifícios que fiz por ela. Pense em tudo o que ela me deve.

— Tem certeza? Não quero abusar.

Ela respira fundo, os olhos jamais deixam o retrovisor.

— Se não der certo, você sempre pode encontrar um lugar só seu. Mas não quero que passe a primeira noite em um hotel vagabundo, ou coisa assim. É quase tão ruim quanto a prisão.

— Ah, querida, eu adoraria ficar com você. E fico feliz por cuidar do Adam, se você precisar de ajuda. — A oferta sai antes que eu consiga impedir.

— Vamos ver como as coisas fluem. — Ela não parece muito alegre, mas me abre um sorriso rápido antes que os olhos voltem ao retrovisor. O que ela procura? Ficou difícil interpretá-la, a minha filha.

Não falamos nada por algum tempo, só ficamos sentadas lado a lado em um silêncio, amigável ou constrangido — passei a maior parte da viagem tentando decidir qual dos dois seria. Quando não suporto mais o silêncio, ligo o rádio. "Eye of the Tiger", do Survivor, está tocando, o que me anima prontamente. Adoro a música dos anos 80. Tamborilo o ritmo no apoio para o braço.

Rose Gold tira a van da rodovia e pega a saída para Deadwick, e meus ombros relaxam. Deadwick, para resumir, é castanha. Tudo sempre está moribundo ali, seja por neve demais ou por não chover o suficiente. E não espero que os cabeças de bagre dos moradores façam uma parada comemorativa quando descobrirem que eu voltei.

Torço para que a casa dela fique na parte mais nova, com as casas geminadas e o edifício. Não se pode dizer que as casas ali sejam grandes ou bonitas, mas pelo menos são bem distantes das antigas lembranças.

Paramos em um sinal vermelho perto do Casey's, o posto de gasolina da cidade. Noto com surpresa que o litro de gasolina custa menos de um dólar. Quando o sinal fica verde, entramos à direita e vamos para o norte — a parte mais velha, então. Que sorte a minha.

Rose Gold reduz a velocidade da van a um arrastar quando pegamos a rua principal. Eu me concentro à frente para não ter a chance de reconhecer alguns rostos compridos e cinzentos ou os olhos pretos brilhantes na calçada. Meus vizinhos — gente que eu pensava fazer parte de meus amigos mais chegados — difamaram meu bom nome para a imprensa durante todo o julgamento: *VIZINHOS DESCREVEM PATTY PEÇONHENTA WATTS COMO "PREDADORA", "MONSTRO".*

Não os vi, nem tive notícias deles desde então.

Estamos no carro há mais de uma hora e não consigo mais ficar de boca fechada. Com a maior despreocupação possível, pergunto:

— Alguma notícia de Phil?

Rose Gold me olha feio.

— Eu te falei que nós terminamos.

— Não sabia que era assim, definitivo. Achei que ele talvez tivesse a decência de ver o filho.

Rose Gold estala os nós dos dedos no volante, a tensão é crescente.

— Não vai começar com o papo de pai caloteiro de novo, vai?

— Claro que não. — Arquivei o discurso que vinha preparando, dividido em seis pontos principais, desde a última visita de Rose Gold.

Minha filha nunca deveria ter sido deixada para se defender sozinha. Alguns anos sem mim, e ela aparece grávida e abandonada. Nossos vizinhos podem resmungar o que quiserem sobre meu jeito controlador, minha maternidade dúbia. Mas eles não entendem o quanto Rose Gold precisa de mim, a sorte dela por ter a mim, aqui, para cuidar da vida por ela. Sei que este navio vai afundar em pouco tempo.

— Talvez todos os Watts sejam condenados a ser péssimos pais. — Rose Gold ironiza. — Você sempre disse que eu estava melhor sem o Grant mesmo.

Ela está. Contei a Rose Gold que o pai teve uma overdose antes de ela nascer, uma desgraça ao mesmo tempo oportuna e afortunada, na minha opinião. É verdade que ela não o conheceu, mas pelo menos pôde imaginar que o pai era um bom sujeito. Ele não era.

— Bom, você não está mais sozinha. Agora tem a mim. — Sorrio, radiante. Cinquenta e oito anos de ânimo: eu mereço uma medalha.

Rose Gold mantém a vigilância pelo retrovisor. Segura o volante com os joelhos e enxuga as palmas das mãos na calça, deixando marcas de suor. Está nervosa por minha causa?

Ela liga a seta e eu percebo como o caminho me é familiar. À direita da rodovia, o trecho longo e reto, outra vez à direita, duas à esquerda. A inquietação se apodera de meu estômago. Voltei a ter dez anos, sentada no banco traseiro depois do treino de natação, morrendo de medo de ir para casa.

— Mãe? — Rose Gold me cutuca. — Você me ouviu? O que quer jantar hoje?

33

Afasto a lembrança.

— Por que não me deixa preparar alguma coisa, querida? — Minha filha se retrai muito ligeiramente. — É o mínimo que posso fazer, com você me hospedando e tudo.

Rose Gold entra mais uma vez à direita e agora estamos a uma rua de distância. Talvez ela tenha cometido um erro. Ela reduz a velocidade da van ao nos aproximarmos do sinal no cruzamento da Evergreen com a Apple. Agarro os apoios para os braços. Gotas de suor se formam na linha do cabelo. Não entro à esquerda, na Apple Street, há décadas. São duas casas para aquele lado, e uma delas está abandonada.

A van morre no sinal. Não quer seguir adiante também. Será que Rose Gold me obriga a esperar, ou estou imaginando coisas? A van e todos dentro dela, até Adam, ficam imóveis.

Rose Gold liga a seta e vira o volante para a esquerda. Não podemos entrar à esquerda: agora o sr. e a sra. Peabody moram na casa.

A van se arrasta pela Apple Street, arborizada, mas sem folhas nesta época do ano. Um buraco se esconde no meio da rua; não estava ali quando eu era criança. Nem o guard-rail no final da rua sem saída — me pergunto, sem pensar, quando foi instalado. Tento entender a situação. Talvez alguém tenha reformado a velha casa dos Thompson. Mas a casa deles já está à vista e é tão imóvel e arruinada como quando eu era criança.

Agora chegamos ao final da subdivisão e paramos na frente do número 201 da Apple Street, um terreno de dois mil metros quadrados com uma casa pequena e térrea no estilo chácara. A construção de tijolinhos castanhos ainda é banal, sem graça, mas bem cuidada com o passar das décadas. Uma cerca alta de madeira circunda a metade dos fundos da propriedade. "Para manter a gentalha de fora", explicara papai, enquanto martelava as estacas da cerca no chão.

Fico boquiaberta para Rose Gold, incapaz de verbalizar a pergunta. Ela para na entrada de carros e aperta o botão do controle preso no para-sol, para abrir a porta da garagem. A porta da garagem para dois carros, em um anexo, começa a se abrir.

— Surpresa — diz ela, numa voz cantarolada. — Comprei a casa em que você foi criada.

Estou chocada demais para formular alguma frase.

— Os Peabody?

— Gerald morreu no ano passado, e Mabel se mudou para uma casa de repouso. Mas nós fizemos um acordo de eles me venderem depois que estivessem prontos para se mudar. Consegui um bom negócio. Muito melhor do que qualquer outra coisa que eu pudesse comprar por aqui. — Rose Gold está orgulhosa de si mesma, como no dia em que aprendeu a amarrar os sapatos. Ela coloca a van na garagem, vazia, sem as ferramentas de jardim e todas as caixas de Budweiser de meu pai.

Sinto náuseas.

— Eu ia esperar algumas semanas para te mostrar, assim podia decorar melhor. Mas talvez agora você possa me ajudar nisso. — Ela baixa a voz e aperta meu ombro como eu apertei o dela. — Já que estamos nos reconciliando e tudo.

Minha mente está nebulosa, como uma sala de paredes acarpetadas. Continuo procurando dicas, mas em vez disso sou consumida por um pensamento: *Não vou entrar aí.*

Rose Gold tira a chave da ignição e abre a porta do carro.

— Eu sabia que você ia ficar surpresa. — Ela sorri, depois sai do carro.

— Você sabe o que aconteceu aqui — digo, ainda em choque. — Por que diabos comprou esta casa?

Rose Gold arregala os olhos.

— Achei que ficaria com a família — diz ela, com seriedade. — Quatro gerações de Watts... Pense na história!

Ela abre a porta traseira e faz ruídos de bebê para Adam. Ele esperneia. Ela o retira da cadeirinha.

— Saudade de você — ela arrulha, abraçando Adam com força em seu corpo. Ele se aninha nela, bocejando.

Ainda estou com o cinto de segurança, a mão paralisada na fivela. Rose Gold leva o filho para a porta lateral da garagem, depois se vira quando nota que não a acompanhei.

— Vem, *mãe*. — Por que ela diz isso desse jeito, com sarcasmo, como se eu não fosse sua verdadeira mãe? — Venha ver o que eu fiz até agora.

Eu devia ter ficado em um hotel. Podia ter ficado na prisão. Os pelos de meus braços se arrepiam. Minha boca está empoeirada. Pressiono a fivela e a alça do cinto de segurança se retrai. Meus dedos procuram a maçaneta. As solas de meus pés encontram o estribo.

— Você vem? — Rose Gold me observa, com Adam aninhado nos braços.

Faço que sim com a cabeça e consigo abrir um sorriso duro, a sempre agradável Patty. Batendo a porta da van, me arrasto da garagem para a casa.

4

ROSE GOLD

Janeiro de 2013

O repórter digitava no telefone enquanto esperava pelos nossos cafés na fila. Vinny King tinha o cabelo penteado para trás, usava um pequeno crucifixo prateado em uma corrente no pescoço e parecia que tinha dormido com as roupas largas. Eu me perguntei se ele acordara atrasado.

Precisamos de dois meses para marcar uma data e nos encontrar em Chicago. Na viagem de carro, eu tinha certeza de que Vinny cancelaria de última hora. Quando cheguei à cafeteria, ainda estava convencida de que a entrevista não ia acontecer. Entretanto, lá estávamos nós, em uma tarde de janeiro gélida, mas ensolarada.

Vinny sugerira uma cafeteria em Bucktown. Tive de procurar no Google onde ficava Bucktown, mas encontrei o caminho. Vi clientes estressados pedirem suas bebidas e saírem. Outros estavam sentados a mesas antigas de madeira e beliscavam os teclados. Tomei café uma vez na vida e detestei, mas Vinny não precisava saber disso. O café era um rito de adultos — só uma criança não tomava. Assim, quando Vinny ofereceu, pedi um Nutella latte. Talvez o chocolate disfarçasse o sabor do café.

Eu tinha concluído que essa entrevista iria bem devido a dois bons presságios a caminho da cafeteria: um bebê com a mão na boca, depois três carros azuis estacionados em fila.

Comecei a prestar atenção nos sinais bons e ruins quando tinha sete anos — primeiro porque mamãe fazia o mesmo, depois porque eu queria um jeito de prever o que ia acontecer comigo. Enquanto esperava na antessala do consultório de um médico, sentia aquele martelar familiar e nervoso no peito. Mas, em vez de ficar sentada ali pensando no medo que tinha, registrava tudo que observava em um caderninho cor-de-rosa.

Homem de tapa-olho, escrevi, observando um velho atravessar a antessala. Trinta minutos depois, meu médico anunciou que eu não precisava de ressonância magnética nenhuma. Um tapa-olho virou um bom presságio.

Dois chapéus cinza, anotei em um estacionamento do hospital. Naquela tarde, o médico mediu meus sinais vitais e disse que eu tinha emagrecido três quilos. Um chapéu cinza significava que algo de ruim vinha pela frente.

Ver o mundo desse jeito me dava certezas em uma época em que eu não tinha controle algum sobre meu corpo e minha saúde. Agora eu sabia que esses sinais não previam nada, mas eram como um cobertorzinho infantil — eu me sentia melhor agarrada a eles.

Vinny veio com duas canecas grandes e as colocou na mesa. O café se derramou pelo lado de uma caneca, caindo na mão dele.

— Merda — ele resmungou.

Eu o encarei.

— Pode pegar uns guardanapos para mim? — pediu Vinny, espetando um dedo no dispensador. Eu me apressei a retirar dois do estojo de metal. Vinny enxugou a mão molhada nos jeans, onde se formava uma mancha escura de café. Pegou os guardanapos em minha mão e passou ali.

Toque de leve, não esfregue, ela repreendeu. *Vê o que acontece quando você não anda com um removedor de manchas?*

Vinny ergueu a cabeça e viu que eu olhava. Baixei os olhos e examinei minha bebida. Alguém tinha desenhado um coração no leite vaporizado. Queria tirar uma foto, mas, quando corri os olhos pela cafeteria, ninguém fotografava o café. Talvez eu não devesse me importar.

— Obrigada pela bebida — falei.

Vinny parou de esfregar os jeans e jogou os guardanapos amassados na mesa. Soltou um suspiro enojado e se sentou de frente para mim, derrotado.

— Comprei uns muffins para você também. — Ele me olhou de cima a baixo. — Sua primeira vez em Chicago?

Assenti.

— Vai ficar muito tempo?

— Só o fim de semana — respondi, cuidando para bloquear a boca com a mão. — Estou visitando uma amiga.

Alex estava na academia quando cheguei naquela manhã, então fui direto para a cafeteria. Mandei mensagens para ela algumas vezes, mas não tive resposta.

— Ela era minha vizinha em Deadwick — expliquei.

O barista colocou um cesto de muffins no meio de nossa mesa. Contei cinco. Vinny soprou o café que lhe restava. Não pegou um muffin, então também não peguei. Imaginei quantos anos ele teria — talvez no início dos quarenta.

— Ela foi a primeira pessoa a falar de minha mãe — eu disse em voz baixa. Tinha tentado fazer muffins no fim de semana anterior, mas não ficaram muito bons. Eu me perguntei se estes seriam melhores. Por baixo da mesa, minha perna saltava como uma mola.

Vinny afastou o cabelo dos olhos com uma sacudida e se sentou um pouco mais reto.

— Por que não começamos pelas suas doenças? — disse ele. — Que diagnóstico você teve? E pode falar um pouco mais alto?

Meus olhos se arregalaram à ideia de eles todos ouvirem.

— Eu fui prematura, nasci dez semanas antes do tempo. Foi assim que começou. — Passei as mãos nas coxas dos jeans, sem olhá-lo nos olhos. — No hospital, tive icterícia, depois pneumonia. Acho que isso foi real... as enfermeiras anotaram nos meus prontuários.

Vinny ainda não tinha tocado nos muffins. Morta de fome, peguei um de mirtilo e coloquei um pedaço na boca. Quase gemi de satisfação. A base era úmida e fofa, a cobertura amanteigada, os mirtilos eram frescos. Mil vezes melhor do que o lote que eu tinha feito em casa. Dei uma mordida deliciada depois de outra, até que me lembrei de que estava no meio de uma história.

Depois que mamãe foi autorizada a me levar para casa, contei a Vinny, tive problemas de apneia do sono. Minha mãe comprou um aparelho de pressão positiva CPAP e remédios. Disse que eu também tinha constantes febres e inflamações na garganta, e aquelas otites medonhas. Um pediatra colocou drenos em meus ouvidos.

Mamãe estava mais preocupada com meus problemas digestivos. Eu não conseguia reter nada — fórmula para bebês, comida de verdade, nada disso. Minguava, quando deveria estar crescendo. Quando meu peso chegou ao décimo percentil, o médico concordou com minha mãe que eu devia ter uma sonda gástrica. Tudo isso antes de fazer dois anos.

Não me lembro de quando minha mãe apareceu com sua teoria do "defeito cromossômico", mas ela se agarrou a isso pelo resto de minha infância. De que outro jeito explicar todos os sintomas bizarros — as dores de cabeça e de estômago, a vertigem, a fadiga quase constante — que não estavam relacionados com nenhuma doença isolada? Um defeito cromossômico parecia grave a ponto de ser devastador, mas vago o bastante para originar qualquer enfermidade.

Mamãe tinha uma solução para tudo. À medida que eu crescia, meu cabelo começou a cair aos tufos — ela o raspou, assim eu não ficaria constrangida pelo cabelo desigual. Como meus problemas de visão não melhoravam, mamãe comprou óculos para mim. Todas as soluções dela criaram a aparência de uma criança cronicamente doente. Que criança de dez anos saudável tem a cabeça raspada e fica mais ou menos confinada a uma cadeira de rodas? Ninguém duvidava de minha doença. Nem eu.

Vinny pensou por um minuto.

— Do quanto disso tudo você se lembra?

Peguei a segunda metade do muffin e dei uma mordida. Quando a maioria das pessoas examinava a própria infância, eu supunha que elas pensassem em biscoitos com chips de chocolate assados no forno na casa da vovó ou a mistura salgada e doce de filtro solar de coco e pele queimada de sol depois de um longo dia de verão. Quando eu pensava em minha infância, sentia cheiro de desinfetante.

— Eu era muito pequena para me lembrar das consultas quando elas começaram — falei —, mas mamãe explicou para mim quando tive idade para entender. Ela disse que não importava quais médicos procurássemos, nenhum deles conseguia imaginar o que havia de errado comigo.

Vinny olhou uma jovem bonita pegar seus pertences e sair da cafeteria. Estaria ele perdendo o interesse pela minha história? E se ele interrompesse a entrevista e eu não conseguisse o dinheiro para os dentes? Peguei um segundo muffin: chips de chocolate. Este bem poderia ser meu almoço grátis.

— O padrão era sempre o mesmo. Mamãe encontrava um novo médico e, antes da consulta, raspava minha cabeça. Dizia que eu podia usar minha peruca na sala de espera, mas precisava tirar no consultório do médico. Que ele precisava ver que eu era doente.

Quando criança, eu detestava mostrar a cabeça raspada. Podia ser confundida com um menino pequeno. Mas nunca considerei seriamente deixar o cabelo crescer. Não consigo me lembrar de como era meu cabelo verdadeiro, mas, segundo as descrições de mamãe, eu não ia querer descobrir.

— Mamãe me falava o que dizer antes que o médico chegasse — continuei. — "Preciso que você seja corajosa. Você precisa dizer ao médico como esteve se sentindo. Sobre as dores de cabeça, a vertigem e os vômitos. Não esconda nada. Se não contar a ele, ele não vai poder te ajudar."

Avancei no muffin de chips de chocolate e contei a Vinny que, quando o médico chegava, eu repetia as palavras que minha mãe usara. Não mentia sobre estar doente — sentia dor todo santo dia. Mas uma criança de quatro anos não sabe o que é fadiga. Tudo que eu sabia de meu corpo vinha de mamãe. Eu confiava nela.

Mamãe ficava irritada com minhas respostas de duas palavras e enfatizava a dor. "São dores de cabeça debilitantes, doutor, e ela sente o tempo todo." Ela repassava todo o meu histórico médico, a começar pela apneia, por ter nascido prematura. Eu ficava sentada em silêncio, me preparando para quando ela chegasse à Rose Gold de dezoito meses. Foi nessa idade que colocaram a sonda gástrica em mim, e mamãe sempre levantava minha blusa para mostrar ao médico. Isso sempre me apavorava.

— Trinta minutos depois, o médico estava pronto para fazer qualquer coisa para calar a boca dela. Ele auscultava meu coração, aferia a pressão e a temperatura. Meus dados eram normais, com exceção do peso, que sempre era muito baixo. Ele propunha fazer alguns exames, e, se não propusesse, mamãe tinha várias ideias em um bloco tamanho ofício na bolsa para dar corda a ele.

— "Já pensou em um perfil metabólico? E uma contagem sanguínea completa?" Ela se inclinava com uma leve piscadela e sussurrava. "Fui auxiliar de enfermagem por doze anos", para que o médico soubesse que não era uma mãe superprotetora comum. Ela sabia do que falava. Mas, então, o médico concordava... "Claro, posso fazer uma contagem sanguínea" e minha mãe batia palmas, toda animada. O que ela mais gostava era de fazer parte da equipe do médico. Só queria que todos trabalhassem juntos para conseguir o melhor tratamento possível para sua garotinha.

Peguei um terceiro muffin e olhei para Vinny. Para minha surpresa, ele estava curvado para a frente, me observando com olhos redondos. Coloquei alguns farelos na boca, constrangida. Ele olhou fixo para minha mão cobrindo a boca enquanto eu mastigava.

Vinny coçou a testa, os olhos nunca deixavam minha boca.

— E o seu pai? Ele não estava na cena, não é? Os autos do julgamento dizem que ele morreu quando você era nova.

Pela primeira vez em não sei quanto tempo, tirei a mão da boca ao falar. Deixei que Vinny visse meus dentes. Ele se aproximou mais e estremeceu, mas também ficou intrigado. Eu tinha a atenção dele.

— Ele morreu antes de eu nascer — falei.

— Do quê?

— Câncer — menti, por um minuto me sentindo culpada, mas também constrangida demais para lhe contar a verdade. Nem acreditava em como a mentira tinha escapulido de minha língua, na rapidez com que Vinny engolira a história. Estava imaginando que mamãe sustentara suas histórias por todos aqueles anos. Ser apanhada mentindo era muito mais fácil do que dizer a verdade.

Vinny baixou a cabeça por um momento, como quem reza pelo meu pai morto. *Não se deixe enganar pelo crucifixo prateado no pescoço dele*, sussurrou mamãe. *Ele nunca rezou um dia que fosse em sua vida de cara de fuinha.* Vinny levantou a cabeça e abriu um aplicativo de gravação no telefone.

— Tudo bem se eu gravar?

Concordei com a cabeça e ele pressionou o botão de gravação. Sorri para ele, um sorriso de boca bem aberta. Vinny estremeceu um pouco, mas nem se deu ao trabalho de esconder a encarada. Ignorei o calor de humilhação no rosto. Ia conseguir o dinheiro para meus dentes, afinal.

— E a família do lado dele? — perguntou Vinny. — Chegou a conhecer algum parente?

Meneei a cabeça em negativa.

— Tudo bem, então sua mãe está dizendo para todo mundo que você é doente, e você e os médicos acreditam nela. Você vai a consultórios médicos o tempo todo. E a vida em casa? Como era?

Escavei o terceiro muffin, começando pelos dentes.

— Ela me tirou da escola no primeiro ano, depois que um garoto foi mau comigo, dizia que estudar em casa seria mais fácil para minha saúde. Eu passava a maior parte do tempo sozinha com ela, até meus dezesseis anos.

— E como sua mãe justificava isso? — perguntou Vinny.

— Ela dizia que eu era doente demais para ficar perto de outras crianças. Meu sistema imunológico fraco não conseguiria resistir aos germes delas. Ela sempre apelava para o defeito cromossômico em mim. Eu tinha muito medo da minha doença para discutir. Então, ficava sentada na minha cadeira, deixava que ela raspasse o meu cabelo e bancava a paciente boazinha.

— Mas você devia sair de vez em quando — disse Vinny.

— Nós saíamos de casa para ir ao médico, tratar de coisas comuns e visitar os vizinhos — falei. — Antes da prisão de mamãe, nossos vizinhos a achavam uma santa. Ela participava de toda arrecadação de alimentos, mutirão de limpeza da rua e rifa. E tudo isso com uma criança doente em casa. "Essa Patty é fantástica, não?", eles diziam. Ela só queria o elogio deles.

Vinny pensou por um momento.

— Você disse que antes dos dezesseis anos não falava com muita gente. O que mudou?

Sorri.
— Consegui ter internet.

Quando expliquei a Vinny como parei mamãe, não sei por que deixei Phil de fora. Falei uma vez em nossa sala de bate-papo que brócolis, peru e batatas lembravam xarope de bordo misturado com algodão-doce. Phil foi a primeira pessoa a me dizer que nenhuma dessas comidas era um doce enjoativo. Descrevi o amargor estranho na língua e na garganta quando eu engolia as refeições de minha mãe, que o formigamento demorava a passar, por mais que eu coçasse. Nada me livrava do sabor — nem enxaguante bucal, chiclete, água, mais comida.

É estranho que a comida do hospital não deixasse você enjoada. Só a comida de sua mãe, disse Phil.

Eu me lembrava desse momento em todos os detalhes, como se estivesse conservado em um globo de neve. Eu tinha dezesseis anos, estava sentada à mesa no quarto de mamãe, onde ela insistira que ficasse nosso computador. Era o meio da noite, a única hora em que eu me atrevia a conversar com Phil. Mamãe roncava alto na cama a pouca distância de mim.

Olhei fixo para a tela do computador, os dedos petrificados no teclado. *Minha doença. Minha mãe. A doença por causa de minha mãe.* A ligação nunca tinha me passado pela cabeça.

Preciso ir dormir, eu disse a Phil. *Obrigada por me ouvir. Bjs.*

Desloguei, mas fiquei acordada a noite toda, seguindo um link depois de outro, como numa caça ao tesouro. O sol começava a nascer quando encontrei: a imagem de um vidrinho marrom com tampa branca e letras azuis. Eu tinha visto o frasco uma vez, quando separava a roupa lavada.

Prendendo a respiração, fui na ponta dos pés até a cômoda de mamãe e abri a gaveta de meias, um centímetro de cada vez. Enterrado no fundo, estava o mesmo vidrinho. As letras em azul diziam *Xarope de Ipeca*.

Corri de volta ao computador e procurei mais informações na página. O xarope de ipeca era usado para provocar vômito em crianças ou animais de estimação, quando tomavam veneno acidentalmente.

Minha mãe estivera me envenenando.

Fiquei consciente de um latejar no peito. Minha mão não sentia o mouse. O tecido da cadeira embaixo das coxas desapareceu. Eu morri de medo de ler mais.

De súbito senti um hálito quente e furioso em minha nuca. Me virei rapidamente na cadeira, esperava que mamãe estivesse pairando acima de mim. O que eu ia dizer? Mas era minha imaginação. Ela ainda estava na cama, o edredom xadrez subia e descia com sua respiração regular. Como era confiante, mesmo dormindo. Nada a deixava acordada à noite. Continuei lendo pelo tempo que me atrevi, depois apaguei o histórico de busca.

Fui para a cama naquela manhã sem ter ideia do que fazer. Entendi que mamãe colocava ipeca em minha comida, mas na época ainda não me ocorria que eu não tinha nenhuma alergia alimentar, nem problemas digestivos. Precisei de mais seis meses para entender que talvez a sonda gástrica nem fosse necessária. Pouco a pouco, percebi que tudo que ela me dizia era mentira: os problemas de visão, o defeito cromossômico, tudo isso.

Na cafeteria, Vinny falava.

— Me deixa entender direito: a única coisa errada com você era a sua mãe colocando ipeca na sua comida? — Ele parecia decepcionado.

— Quando ela me dava comida — observei. — A ipeca explica os vômitos. Meus outros sintomas eram de desnutrição.

— Mas você tinha a sonda gástrica.

— Depois que mamãe foi presa, descobri que ela me alimentava com metade das calorias diárias de que eu precisava.

Vinny soltou um assovio baixo.

— Com o risco de parecer ofensivo... — Ele se interrompeu. — Como é que você não percebeu? Posso entender quando você era criança, mas, com quinze anos, não tinha a menor ideia?

Vinny King era um c*zão. Tive vontade de jogar meu café nojento no colo dele. Já ouvi comentários assim: *Por que você não se levantava da cadeira de rodas? Por que não preparava as próprias refeições? Você sinceramente não sabia que fingia estar doente?* Eram mais críticas que perguntas.

Estreitei os olhos para Vinny.

— O que a mamãe dizia era a verdade. Eu adoecia o tempo todo. Vomitava qualquer comida que ela colocava na minha frente. Eu realmente tive dores de cabeça fortes e vertigens. Nunca tive a oportunidade de fazer minha comida porque ficava fraca demais e ela sempre estava um passo à frente. Se a sua mãe, seus médicos e os seus vizinhos, todos dizem que você é doente, por que você ia questionar? A dor existia. A prova estava no meu prontuário.

Quando eu tinha dez anos, tive dreno no ouvido e sonda gástrica, queda de dentes e a cabeça raspada. Precisei de uma cadeira de rodas. Era alérgica a quase todo alimento do planeta. Tinha medo de câncer, medo de danos cerebrais, medo de tuberculose. Eu disse a Vinny que estive a semanas de uma cateterização cardíaca, o que não era inteiramente a verdade. Meu médico rejeitara a ideia assim que ela saiu pela boca de mamãe. Mas agora Vinny se agarrava a cada palavra minha.

Respirei fundo e continuei.

— Como eu poderia saber que a desnutrição causava queda de cabelo e dificuldades respiratórias? Como eu saberia que os drenos nos ouvidos e as alergias eram inteiramente inventadas, tudo mentira que minha mãe contava antes mesmo que eu soubesse falar? — Pensei em sua traição pela milésima vez e deixei que os olhos se enchessem de lágrimas, ouvi o tom de minha voz subir. — Quando você é criança, existem coisas que não questiona. Esta é a sua mãe. Este é o seu pai. Seu nome é Vinny. Este é o seu aniversário. Quando fez quinze anos, você alguma vez perguntou para os seus pais se o seu aniversário era mesmo o seu aniversário?

Algumas lágrimas rolaram pelo meu rosto. Não era em nada a pessoa fria que eu esperava ser, mas essa versão de mim era ainda melhor, porque era aquela que prendia a atenção de Vinny.

Ele fez uma cara solidária, como uma enfermeira pouco depois de cravar uma agulha em você.

— Tem razão, desculpe. Foi idiotice dizer isso. É como na síndrome de Estocolmo, numa seita ou coisa assim... É impossível para as pessoas de fora entender quem está dentro.

Não falei nada, deixei que um silêncio constrangido caísse entre nós. Queria comer outro muffin, para mostrar meus dentes mais uma vez, mas achei que podia vomitar se desse outra mordida.

Vinny deu um pigarro.

— E os médicos? Você os culpou? Como eles não souberam?

Eu tinha essa parte decorada para o julgamento.

— Os médicos dependem dos pais para entender a saúde de uma criança. Eles supõem que o pai e a mãe queiram o bem da criança e estejam dizendo a verdade. Se um de meus médicos ficava desconfiado depois de alguns meses, nós passávamos para outro consultório. Eu fui a dezenas de médicos por todo o estado. — Passei os dedos no cabelo. — Minha mãe me dizia que nós mudávamos porque os médicos não eram inteligentes para me curar.

Vinny se remexeu na cadeira.

— E como você a deteve?

Comecei a cadeia de acontecimentos que levou à prisão de minha mãe por acidente. Contei a Alex sobre os maus-tratos, não porque achasse que ela fosse chamar a polícia, mas porque quis impressioná-la. Alex tinha namorados — *no plural* —, estava na faculdade em uma cidade grande e fazia desenho industrial. Ela me fascinou a vida inteira. Eu só queria fasciná-la uma vez.

— Tive que tomar providências — falei, em vez disso —, mas eu estava assustada demais para fazer tudo sozinha, então procurei a amiga que já mencionei e ela me ajudou a tomar a atitude certa.

— Alguma chance de você me dizer o nome dessa amiga?

Fiz que não com a cabeça. Alex ia adorar os holofotes, mas essa história era minha, não dela.

— Tá certo.

Vinny e eu conversamos sobre o julgamento. Contei o que ele já saberia pelos noticiários: ninguém de Deadwick testemunharia em defesa de mamãe. Um de meus antigos médicos se apresentou para falar de suas suspeitas de que "algo ruim estava acontecendo". Mas foi meu testemunho que a colocou na prisão.

A manchete do *Deadwick Daily* no dia seguinte esbravejava: *JUIZ AFIRMA QUE PATTY PEÇONHENTA WATTS DEVE PAGAR*. Os repórteres disseram que a deliberação do júri foi a mais rápida da história do condado. Mamãe foi considerada culpada por maus-tratos infantis com agravantes e sentenciada a cinco anos. Não podia entrar em contato comigo sem o meu consentimento. Àquela altura, fazia alguns meses que estava na prisão. Foi o maior período que passamos sem nos falarmos.

Eu queria ir embora da cafeteria e ficar longe de Vinny King. Ele só estava interessado em Rose Gold, o show de horrores. Ainda assim, respondi a suas outras perguntas. Vinny era só o mensageiro. Eu precisava dele para divulgar minha versão da verdade. Sem ele, não teria dinheiro para consertar meus dentes. Já podia ver meu sorriso branco e ofuscante. Os desconhecidos retribuiriam meu sorriso, em vez de se encolher.

Minha soldadinha, disse ela.

— Como você acha que a sua mãe ficou tão... me perdoe pelo meu francês... fodida? Aconteceu alguma coisa quando ela era criança? — Agora Vinny estava se divertindo.

— As suas conjecturas são tão boas quanto as minhas — respondi.

Olhei pela janela da cafeteria. Um pedaço de gelo caiu do telhado e se espatifou na calçada.

Vinny me observava, a língua fazendo ruídos de sucção nos dentes. Em silêncio, eu o desafiei a perguntar o que eu sabia que vinha pela frente.

— A sua mãe parece meio louca. Algum dia você sentiu pena dela?

Todo santo dia, eu queria gritar.

Mas as pessoas não ficam animadas com histórias de perdão. Elas querem ver as pontes queimando. Querem dramas que façam suas vidas parecerem normais. Eu começava a entender isso.

Virei a cabeça da janela para encarar Vinny. Imaginei uma estaca de gelo se enterrando em um daqueles olhos azuis. Um kebab ocular.

— Nem um pouquinho — menti.

5
PATTY

Rose Gold e eu paramos na porta de entrada de minha casa de infância, eu com a garganta segurando um grito. Tirei Adam dela para que minha filha pudesse procurar a chave da casa na bolsa. Segurar o bebê, ver os dedinhos das mãos e dos pés se mexerem, me acalma. Lembro-me do motivo para estar aqui.

Rose Gold suspira de frustração. Procura mais fundo na bolsa. Dou uma espiada em volta enquanto espero. À direita da garagem há uma mata. Quando eu era nova, ela se estendia por quilômetros, mas um centro comercial tinha substituído metade das árvores na época em que me mudei.

Do outro lado da rua fica a casa deplorável dos Thompson. Os dois garotos sempre brincavam com ferro-velho no quintal, o rosto coberto de terra, mesmo de manhã cedo. "Parecem uns bárbaros", minha mãe soltava um muxoxo, observando-os de nossa janela.

Os Thompson me intrigavam porque tinham um cavalo. Nunca vi o cavalo deixar o cercado. Até que um dia ele sumiu. Os Thompson também. Ninguém sabia para onde tinham ido, mas eles não levaram o próprio lixo. Agora o quintal está tomado de mato na altura dos joelhos, pneus sobressalentes e embalagens de fast-food. Acho que ainda é o ponto de encontro dos delinquentes de Deadwick.

Nem acredito que os Peabody nunca tenham incomodado ninguém sobre a limpeza do lugar. Que vista horrível da janela da frente.

Atrás da garagem fica o deque da piscina que meu irmão David, meu pai e eu construímos. Dou alguns passos para o deque. A madeira rachou, a tinta está lascada e o buraco gigantesco no meio do piso ainda está vazio. Papai tinha grandes planos para uma piscina de superfície, mas não teve tempo de terminar o trabalho.

Enfim Rose Gold pega a chave na bolsa, destranca a porta e passa pela soleira, não sem antes tirar Adam de mim.

— Oi, meu lindo. — Ela sorri, embala o bebê, toca suas faces e lhe dá um beijo na testa. Esqueceu-se da mãe. É só com ele que se importa.

Teremos de dar um jeito nisso.

Sigo atrás dela e me vejo cara a cara com minha antiga sala de estar. O revestimento de madeira escura ainda cobre as paredes. O carpete azul-aço está gasto e precisa ser substituído. A mobília é pouca: duas poltronas BarcaLounger marrons, uma mesa de centro e uma TV antiga. As paredes estão nuas — sem fotos de família, nem obras de arte, nada. De algum jeito, o lugar é menos acolhedor agora do que era na minha infância.

— Há quanto tempo você mora aqui? — pergunto. Rose Gold gesticula para que eu a acompanhe pelo corredor até os quartos.

— Alguns meses. Não tive tempo para decorar, com a criança e tudo.

Vamos para o quarto de meus pais. A porta está fechada. Rose Gold a abre.

A primeira coisa que noto é a cor, ou a falta dela. Tudo é branco, das paredes à guarda da cama e à cômoda. Até o berço no canto é feito de madeira branca. Eu poderia apostar meu seio esquerdo como ia encontrar uma combinação de rosa, roxo e verde-mar nas paredes dela. Antigamente eram suas cores preferidas.

Sua cama está arrumada, embora o travesseiro esteja murcho de lado, como se o recheio tivesse sido arrancado. Não existem fotos de Adam, nem minhas, nem de ninguém. Cada superfície é limpa, organizada, desprovida de caráter. O quarto me lembra uma mistura de hospício e convento.

Percebo que Rose Gold espera que eu reaja, então mexo a cabeça.

— Combina com você.

Ela avança pelo corredor e entra no quarto de minha infância.

— Achei que você podia ficar neste.

As paredes tiveram uma pintura esponjada lilás. O único móvel ali dentro é uma cama frágil de solteiro com um lençol branco simples. Imagino que seria irracional esperar que minha filha me desse o quarto principal. Agora estou na casa dela, sou uma hóspede — de longo prazo, se eu agir direitinho.

Acompanho seu olhar para o alto. Pintados no teto, há dois olhos gigantescos, parecem vivos. Dou um grito e um pulo para trás. Os olhos são azuis e lacrimosos, como se estivessem aborrecidos comigo.

Rose Gold ri.

— Aqueles Peabody tinham um senso de humor estranho.

Tenho dificuldade para acreditar que os Peabody foram responsáveis por encomendar esta "arte". Mesmo quando jovens, a ideia deles de uma noite louca era ficarem acordados até as dez para jogar xadrez. Eles eram do tipo que decora a casa com os trabalhos artísticos escolares dos filhos. Alguém com talento pintou os olhos.

Não adianta vagar para mais perto da porta. Os olhos me observam onde quer que eu esteja no quarto. Vou ter que mandar pintar por cima. Imediatamente.

— E este, como você sabe, é o terceiro quarto — diz Rose Gold, sobre o quarto de meu irmão mais velho, do outro lado do corredor. Fecho a porta do meu, ansiosa para deixar para trás aqueles olhos. Vejo o interior do quarto de David, vazio, exceto por algumas caixas fechadas. Ainda posso imaginar a mesa coberta de rabiscos, o diário de couro enfiado embaixo do colchão, o canivete suíço na mesa de cabeceira, com a lâmina aberta. Passo às pressas pelo quarto e paro no banheiro que nós quatro dividíamos.

Agarrada a Adam, Rose Gold vem atrás de mim.

— Está tudo bem?

Afrouxo a mão na bancada e, pelo espelho, abro um sorriso amarelo para ela.

— Esta casa me traz muitas lembranças.

Rose Gold retribui meu sorriso.

— Achei que nós podíamos reviver algumas. Eu gostaria de saber mais sobre minha família. — Rose Gold não conheceu os avós: meu pai morreu há quase quarenta anos; minha mãe, há trinta.

Ela sai do banheiro, embalando Adam e seguindo pelo corredor até a cozinha. Olho fixamente minha tez pálida no espelho, quebrando a cabeça. Por que Rose Gold comprou a casa de meus pais? Talvez ainda esteja aborrecida comigo. Talvez me odeie a ponto de comprar uma casa só para me provocar. Mas, se for assim, por que concordar que eu more com ela, antes de tudo? Por que não se mudar — para outro estado, ter um novo começo?

É claro que eu a encontraria, se ela fosse embora.

Saio às pressas do banheiro, sentindo claustrofobia. Passo rapidamente pela cozinha — ainda os mesmos armários de madeira escura e bancadas verde-oliva — e volto à sala de estar, pronta para minha poltrona reclinável.

— Espere — diz Rose Gold, abrindo a porta do porão. — Você ainda não desceu aqui.

Meu tronco enrijece e as pernas viram gelatina. Quando eu era criança, o porão era inacabado, paredes e piso de concreto. A ideia era criar um segundo cômodo para a família, mas o espaço passou a ser o esconderijo de meu pai. Ele tinha uma oficina com todas as ferramentas dele, além de um freezer do tamanho de um caixão em que guardava a carne de cervo que caçava. Não desço ali desde meus sete anos. Nem mesmo toquei na maçaneta. Em todo 3 de outubro, desde 1961, por mais que eu tente esquecer, sempre me lembro.

— Não precisa — digo. — Foi reformado?

— Não, mas eu coloquei uma esteira lá. O sr. Opal me deu. Ele comprou uma nova e deixou a antiga na frente da garagem dele. Por acaso eu passei de carro um dia e vi, bati na porta do sr. Opal, perguntei quanto custava e ele respondeu: "Para você, meu bem? Você já passou por poucas e boas. Leve de graça".

Rose Gold dá um sorrisinho e eu tenho o impulso nada maternal de acabar com o sorriso na cara dela. (Viu só? Sou sincera com meus defeitos.) Não me importa se tem uma festa inteira de Ação de Graças lá embaixo — não vou ao porão.

Eu me sento na poltrona e me ajeito.

— Depois eu vejo. Tive um dia longo.

Rose Gold faz que sim com a cabeça.

— Claro. Não era minha intenção te sobrecarregar.

Minha atenção se volta para a TV e meus batimentos cardíacos se aceleram de novo.

— Você não viu os noticiários nesta coisa, não é? Aqueles repórteres imprestáveis acabaram com a nossa vida. Você sabe disso, não sabe? — Minha voz é mais estridente do que desejo, mas não consigo evitar. — Se você acredita em alguma mentira deles, não sei o que vou fazer.

— Calma, mãe — diz Rose Gold, paciente. — Não tenho TV a cabo, nem antena para os canais abertos. Uso a TV para ver filmes e a Netflix.

Faço que sim, sem entender todas essas palavras ou o que perdi enquanto estive presa. Quando Rose Gold era pequena, tinha permissão para ver apenas alguns filmes da Disney. Eu não queria que a televisão apodrecesse seu cérebro.

— Desculpe. É demais para mim. Acho que vou tirar um cochilo.

— Então, eu vou bombear. — Rose Gold não tira Adam do colo desde que entramos na casa. Vai ao corredor com o bebê nos braços, cantando uma música infantil.

— Fique à vontade se quiser fazer isso aqui — digo.

— Está tudo bem — ela responde. A porta do quarto de meus pais se fecha e depois, muito silenciosamente, a tranca estala.

É complicado para mim não me irritar com a porta trancada, mas procuro entender. Talvez bombear leite materno a deixe constrangida. Talvez ela ainda esteja se acostumando com a maternidade. Talvez queira privacidade. Talvez, talvez, talvez.

Devo ter cochilado, porque quando abro os olhos Rose Gold está sentada na outra poltrona, embalando Adam e olhando para mim. Tomo um susto, me lembrando dos olhos no teto de meu quarto. Rose Gold ainda me encara, então eu me levanto da cadeira.

— Por que eu não começo o jantar?

Rose Gold dá de ombros.

— Claro. Tenho os ingredientes para uma sopa de tortellini. Eu fazia sopa de tortellini quando ela era criança — para mim, é claro. Ela ficava enjoada quando comia.

Na cozinha, tiro da geladeira o tortellini pré-cozido, a linguiça calabresa e o cream cheese com ervas. Procuro na despensa a sopa de tomate, tomates fatiados e caldo de galinha. Depois de alguns minutos, a linguiça chia na frigideira e todos os líquidos são acrescentados a minha antiga panela. Muita coisa me fez falta quando eu estava presa, e cozinhar não foi uma delas. Mas tem suas vantagens: o trabalho resmungão e acéfalo exige bastante concentração, assim sua mente não consegue vagar.

Depois de uma hora, derreti o cream cheese no caldo de galinha e cozinhei a massa e a calabresa. Sirvo a sopa em tigelas, maravilhando-me com meu primeiro feito produtivo como cidadã livre. Sei que é tolice, mas sinto orgulho de mim.

— O jantar está pronto!

Rose Gold se junta a mim à mesa de jantar e nós nos sentamos uma de frente para a outra. Empurro a tigela para ela e pego minha colher. Passei meses sonhando com minha primeira refeição. Nos sonhos, eu saboreava cada porção, apreciava cada golinho. Na realidade, tomei a sopa com a rapidez com que minha mão consegue chegar à boca.

— Acho que estou com fome — digo timidamente, erguendo os olhos da sopa. — Quer mais? — A tigela de Rose Gold ainda está cheia até a borda. — Que foi? Não gostou da sopa? Fiz errado?

Rose Gold nega com a cabeça.

— Não estou com fome. Almocei tarde, antes de ir te buscar. Você vai ficar chateada? — Ela parece lamentar de verdade, então decido perdoá-la.

— Claro que não. Vai sobrar à beça. Você pode tomar amanhã.

Fico sentada com minha segunda tigela. Rose Gold levanta a colher de sopa e a deixa cair seis vezes em questão de minutos. Uma mãe menos paciente lhe diria para não brincar com a comida. Mas sempre fui uma mãe paciente.

* * *

Depois que nós (eu) terminamos o jantar, Adam começa a chorar no quarto.

— Vá pegá-lo — digo. — Vou limpar tudo aqui.

Encho a lava-louças e lavo a panela ao som de minha filha tranquilizando meu neto. Ela arrulha e faz *shhh*, e o bebê se acalma. Fico surpresa com o instinto materno de minha filha, mas não a conheço desde que era adolescente. Tenho de lembrar o tempo todo que agora ela é uma mulher adulta. Ainda assim, haverá algo a fazer para o que ela é despreparada, e é aí que eu entro.

Rose Gold traz Adam para a cozinha, esfregando o rosto no dele. Ele sorri para ela, envolve os dedos dela em seus dedinhos mínimos. Faço caretas para ele e limpo a mesa. Ele ainda é tão pequenininho.

Quando a cozinha está limpa, passamos à sala, cada uma em uma poltrona. Rose Gold coloca Adam no colo, pega o controle remoto e percorre uma lista de filmes. Noto que ela não parece ter nenhum DVD — todos os filmes dela estão na televisão. Quando foi que isso aconteceu?

Ela para de rolar em um filme de que nunca ouvi falar.

— *Jogos vorazes* é sobre o quê? — pergunto.

Rose Gold me encara como se eu fosse de outro planeta.

— É um universo distópico em que um garoto e uma garota de cada uma das doze nações são recrutados uma vez por ano para lutar até a morte em uma competição televisionada.

Minha mão voa para a boca.

— Que coisa apavorante.

Ela dá de ombros e continua a rolar a tela. Fico surpresa quando escolhe *Titanic*. Os temas do filme são terrivelmente adultos, mas fico calada. Lanço um olhar rápido à outra poltrona.

— Eu podia segurar Adam um pouco — proponho. — Você está exausta.

Rose Gold olha rapidamente para a criança, abraça-a bem apertado, depois a entrega a mim.

Eu o coloco nos braços tamanho embala-bebê. Seguro um chocalho verde-vivo na frente de Adam e ele dá com a mão no chocalho, animado. Balbucia para mim quando faço cócegas em seus pés. Mostro a língua e pisco para ele. Não digo em voz alta que nasci para ser mãe.

Quero fazer muitas perguntas a minha filha: se o parto foi difícil, como ela está lidando com o bebezinho, se está satisfeita no emprego. Quero saber tudo o que Rose Gold estiver disposta a me contar, mas, neste momento, ela parece o Coiote depois de esmagado pelo pedregulho. Fico calada e me concentro no fardo que tenho nos braços.

Depois de um ou dois minutos, percebo que estou contando a respiração dele. Não, eu conto os segundos entre as respirações. Os velhos hábitos custam a morrer.

Quando levei Rose Gold para casa naquela primeira noite, fiquei encantada. Me dê qualquer criança para vigiar o sono e lhe direi que prefiro assistir a uns velhotes jogando dezoito buracos de golfe. Mas e quando a criança é sua filha? Pergunte a qualquer mãe. Elas sabem.

Ela estava respirando, até que não estava. O tempo ficou lento. Cada segundo durou quatro. Meus olhos abriram um buraco em seu crânio pequeno. Puxei uma golfada de ar, desejei que ela fizesse o mesmo. Minha mão disparou e eu peguei o telefone. Tinha discado o primeiro número da emergência quando a respiração veio. Um ronronar baixo, amplificado a uma onda do mar. Pode ter sido por trinta minutos, talvez uma hora, quando só o que fiz foi ficar olhando para a menina, de cenho franzido, ouvindo o corpo enfaixado produzir um ruído depois de outro de inspirações.

Naquela noite, não dormi. Em vez disso, pensei no período que passamos no hospital, quando sempre havia alguém que sabia o que fazer, pessoas que cuidavam de minha filha como se fosse delas.

Passei a cadeira de balanço para junto de seu berço e contei os segundos entre cada respiração. *Um Mississippi.*

Me obriguei a dizer o nome do estado lenta e mentalmente, permitindo que as quatro sílabas durassem o tempo devido. O cérebro é um órgão manhoso: pode condensar palavras em um único som, esprêmê-las como um acordeão ou uma batida de carro. *Dois Mississippi.*

Quantos Mississipi até eu ligar para alguém? Naquela época, a maioria de nós não tinha internet. Eu me desafiei a não sair do quarto atrás de meu exemplar de *O que esperar quando você está esperando*, um livro com mais páginas gastas do que intactas na época. Meus pais estavam mortos.

E também David e Grant. *Você está sozinha*, lembrei a mim mesma. *Você está preparada. Três Mississippi.*

Nunca se está preparada para seu bebê parar de respirar. Decidi que cinco era um número adequado. Raciocinando que meus Mississippi duravam mais que um segundo cada, imaginei que podia chamar o médico se oito a dez segundos tivessem se passado entre uma respiração e outra. *Quatro Mississippi.*

Ninguém quer ser aquela mãe. A exagerada. A que telefona sem parar. Aquela que faz as enfermeiras revirarem os olhos. Mas o sistema imunológico de Rose Gold quase não funcionava. A menina tinha um tiquinho de fígado. Isso não exigia alguma providência? *Cinco Mississippi.*

Peguei o telefone.

O pediatra me disse que a respiração de Rose Gold tinha de cessar por vinte segundos para ser considerada apneia. Menos que isso era motivo para "ficar de olho". Como se meus olhos pudessem ir a outro lugar enquanto eu contava os momentos em que minha filha não respirava. Como se existisse algum jeito de eu tirar a louça lavada da máquina ou encher a máquina de lavar roupa quando estava obcecada com os cinco segundos transformando-se em vinte que se transformam em um minuto que se transforma na morte.

Não fiz nada além de contar Mississippi entre as respirações de Rose Gold. A contagem mais longa foi de quinze. Pus a mão no telefone depois do nove. Digitei um número do consultório do médico por segundo a partir do *Dez Mississippi.* O telefone tocaria quando eu chegasse ao vinte.

Uma semana depois de levá-la para casa, tinha chegado ao dezoito e disquei mesmo assim.

— Foram vinte segundos — falei. — Eu queria levá-la para fazer exames. — No dia seguinte, saí do pediatra armada com um aparelho CPAP, remédios e um plano. Foi assim que começou.

— Mamãe? — Rose Gold interrompe meus devaneios. — Está pensando em quê? Está com aquela cara estranha.

Olho para Adam. Ele adormeceu de novo. Continuo balançando minha cadeira.

— Só me lembrando — digo.

Rose Gold me olha, mas não fala nada. Voltamo-nos para a televisão, onde Jack e Rose dançam uma giga no convés inferior da terceira classe.

— Como você e o Grant se conheceram mesmo? — pergunta Rose Gold.

Eu me viro subitamente na cadeira, quase me esquecendo do bebê nos braços.

— De onde isso saiu?

Ela gesticula para o filho adormecido.

— Agora eu tenho um filho também. Um dia quero poder contar de onde ele vem.

Ele vem de uma mãe que tinha a derrière no lugar da cabeça e um pai que era pior é o que eu quero dizer.

Rose Gold já fez essa pergunta antes, mas sempre consegui dissuadi-la. Decido ser franca desta vez.

— Eu estava visitando a minha antiga faculdade, onde me diplomei em enfermagem tempos antes. Estava olhando os programas de transição para progredir de enfermeira auxiliar a residente. Eu o conheci no refeitório.

— E você tinha quantos anos?

— Trinta e quatro.

Eu saíra de um compromisso na secretaria e tinha ido almoçar no refeitório. A comida na Faculdade Comunitária Gallatin não era fresca nem saudável, mas tenho um fraco pela nostalgia, então fui mesmo assim. Fiz meu pedido e paguei por um prato de palitos de queijo. (Que Sagrado Filho, que nada: os palitos de queijo são o maior presente de Deus à humanidade.)

Estava partindo para meu segundo palito de queijo quando um garoto que parecia ter uns vinte anos se sentou em meu banco. Não muito perto de mim. Na verdade, achei que ele tinha escolhido a distância perfeita: não tão perto para ser invasivo, mas não tão longe que não pudéssemos conversar. Ele não era sexy, mas a camisa estava bem passada e o corpo, desengonçado.

— Oi — falei, mais para meu palito de queijo do que para o garoto de cabelo louro com corte militar.

Ele se virou.

— Oi?

Ele falou como quem pergunta. Eu devia saber, desde a primeira sílaba, que ele não seria do tipo que avança.
Rose Gold interrompe minhas reminiscências.
— Quanto tempo vocês ficaram juntos?
— Alguns meses — respondo
— Algum dia pensou em se casar com ele?
Reprimo o riso.
— Meu Deus, não.
— E por que não? — ela pergunta com tanta seriedade que sei que preciso ter cuidado.
— Por que eu estava pronta para ser adulta. Ele não.
Conto à minha filha que Grant Smith se tornou meu namorado com uma rapidez excessiva. Digo que ignorei os sinais, como faz toda mulher apaixonada: as pupilas dilatadas, a transpiração profusa, os objetos enfiados embaixo da almofada do sofá quando eu chegava de surpresa. Já fazia muito tempo que eu não tinha um namorado, um número constrangedor de meses (tudo bem, anos) desde que não fazia sexo. Nunca ouvi os sinos de casamento com o pai dela — um homem doze anos mais novo que eu —, mas pensei que era um bom jeito de passar o tempo até aparecer alguém mais adequado. Ele sabia juntar várias frases sem parecer um imbecil. Eu nunca disse que éramos almas gêmeas.

Àquela altura, eu pensava em filhos. Pensava muito. Não filhos dele, mas um filho para mim. Passei noites incontáveis sonhando com sapatinhos de bebê e nomes para menininhas. Às vezes acho que agourei a mim mesma, sonhando com filhos com tanta frequência enquanto dormia ao lado dele. De que outro jeito se explica engravidar tomando pílula?

Pensei no problema por um tempo antes de contar a ele. Seria um problema? Eu queria um filho fazia tanto tempo, e agora de algum jeito tinha encontrado um na minha barriga. Talvez pudéssemos ser uma família feliz. Talvez ele subisse na tabela, marcasse um gol. (Agora esgotei meu conhecimento de metáforas esportivas.) Talvez ele precisasse de um filho para endireitar a vida.

Sei.

O pai dela ficou apavorado, como ficaria a maioria dos jovens. Não queria um filho: tinha toda a vida pela frente. Nem acreditava que eu "tinha feito isso". Ficou paranoico e irritadiço, e eu disse a Rose Gold que passou a ser complicado discernir se quem falava era Grant ou a metanfetamina. Eu não podia trazer um bebê para o mundo dele. Tinha de fazer isso sozinha.

Não seríamos a família *Sol-Lá-Si-Dó* de minhas esperanças, mas vamos encarar a realidade: Mike Brady era um saco. Eu podia criar um filho sozinha. Eu me criei sozinha, não foi? E ficou tudo bem. Terminei a relação e parti à procura de uma casa.

Rose Gold se intromete de novo.

— E ele morreu de overdose?

— Foi o que eu soube.

— Então você não tem certeza?

— Tenho. — Fecho a carranca para minha filha. — O que eu quis dizer é que na época nós não tínhamos contato. Alguém do bairro me contou.

— Quem?

— Não lembro — respondo, irritada.

— Onde ele foi enterrado?

— E como é que eu vou saber disso?

— Achei que talvez tivesse ouvido falar — diz Rose Gold. Ela está bancando a espertinha comigo.

— Desculpe se parece grosseria minha — digo —, mas o Grant não queria ser seu pai.

— Não diga. — Escorre amargura de Rose Gold.

O filme termina, sobem os créditos e ficamos vendo os nomes passarem. Desligo a TV, cobrindo a sala de silêncio. Rose Gold boceja e se espreguiça no moletom largo.

Ela tira Adam de mim e o enrosca junto ao peito. Abre a boca para falar, mas seu celular vibra alto na mesa de centro à nossa frente, interrompendo-a. Eu me inclino para ver quem está ligando, mas ela arrebata o telefone antes que eu tenha algum vislumbre.

Rose Gold olha para a tela. O sangue some de seu rosto. As mãos começam a tremer. Por um segundo, tenho medo de que ela deixe Adam cair.

— Pode segurá-lo? — ela fala em voz baixa enquanto mete o bebê em meus braços. Vai apressada pelo corredor, agarrada ao telefone, que ainda toca. Alguns segundos depois, a porta do quarto é batida. A tranca estala.

Eu me recosto na cadeira e volto a embalar Adam, pensando no que acabo de ver.

Alguém quer falar com minha filha.

Por que ela não quer falar com esse alguém?

6
ROSE GOLD

Quando a entrevista acabou, peguei a sacola de papel do mercadinho que continha todas as minhas coisas de dormir e saí da cafeteria. Voltei à van e digitei o endereço de Alex Lakeview no mapa em meu celular.

Dirigi para o norte pela Western Avenue e entrei à direita na Fullerton, pensando nas mentiras que tinha contado a Vinny. É claro que me sentia mal por minha mãe. Em várias noites em meu apartamento, eu olhava a poltrona à direita e desejava que ela estivesse sentada ali. Ela costumava desenhar o alfabeto em minhas costas e trançava minhas perucas. Ela inventava férias loucas, sem que nem sequer saíssemos de casa. Ela me dava abraços que espremiam o ar de meus pulmões. Ela lutou por mim. Apesar de todos os seus pecados, eu sabia o quanto ela me amava.

Mas ninguém queria ouvir as virtudes redentoras de uma molestadora de crianças. Eu começava a entender que as pessoas precisam colocar as outras em caixas: boas ou más. Não há espaço para um meio-termo, mesmo que seja o lugar da maioria de nós. Qualquer um que conhecesse nossa história imaginaria que minha mãe era cruel. Os membros do júri devem ter dormido bem na noite do veredito, imaginando-se como cavaleiros brancos. Mas eles tiraram minha mãe de mim. Em alguns dias, eu ficava emocionada. Em outros, parecia que me faltava um órgão vital.

Remoí sobre isso enquanto procurava por uma vaga em Belmont. Não era com uma festinha temos-pena-de-Patty que eu queria passar o fim de semana. Tinha procurado síndrome de Estocolmo em um sinal de trânsito. Vinny estava errado — eu não era uma prisioneira e não confiava mais em minha mãe. Nada que ela me fez era justificável. Tranquei a van e andei até o prédio de Alex.

Meu bolso vibrou.

> Tem alguma coisa planejada para hoje?

> Nada, só trabalho.

> Também fiquei preso a minha mesa o dia todo.

Parei. Achei que Phil trabalhasse como instrutor em um resort de esqui. Pelo menos era o que ele tinha me dito.

> Emprego novo?

> Ah, sim, uma ou duas vezes na semana a pousada me coloca em trabalho burocrático.

O cofre ficava aparafusado à cerca. Peguei a cópia da chave ali e entrei no prédio, como Alex tinha instruído. Depois de subir os três lances da escada rangente, eu estava esbaforida na porta do apartamento. Sem fôlego — conhecia esse padrão desde a infância. Logo ia ficar tonta. Aranhas peludas entrariam de mansinho em minha visão. Se eu não as impedisse, ia desmaiar. Ficaria caída e inconsciente neste carpete sujo até que alguém me encontrasse. E se Alex ou Whitney demorassem horas para chegar em casa? Eu podia entrar em coma. Teria de ir para o hospital. Enfiariam agulhas em mim. Podiam fazer cirurgias de que eu não precisava. Dei três pancadas no batente da porta, tentando me livrar dos pensamentos que tinha. Ouvi alguém ofegar e percebi que era eu.

Me escorei na porta, esperando. As aranhas peludas não apareceram. Não fiquei tonta.

— Deixa de ser anormal — falei, destrancando a porta do apartamento. Não tinha ninguém em casa.

A decoração de Alex e Whitney quase disfarçava a mobília barata e os eletrodomésticos velhos. Pinturas colossais e espiraladas estavam penduradas acima do sofá. Uma tela grande e branca encostada em uma parede. As palavras MERDA NENHUMA tinham sido pintadas em spray na tela com tinta vermelha, mas estavam de cabeça para baixo. Não entendi, o que deixou a tela ainda mais bacana. Sentei no sofá azul e peguei o celular para mandar uma mensagem a Alex.

> Voltei da entrevista que dei para a Chit Chat. Posso bater papo quando quiser.

Só agora contei a Alex sobre a entrevista. Metade de mim ficou com medo de que ela quisesse ir comigo. A outra metade tinha guardado a notícia para um momento em que eu quisesse a atenção dela.

Trinta segundos depois, meu telefone toca. Alex. Tentei me lembrar da última vez que ela tinha ligado.

— Que entrevista? — disse ela, em vez de me cumprimentar.

— Oi, Alex — falei.

— Você deu uma entrevista para a *Chit Chat*? — gritou ela, alto o bastante para alguém que estivesse perto ter ouvido. Me perguntei com quem ela estava.

— O repórter me pagou uns muffins incríveis e um Nutella latte. — Tentei estabilizar a voz.

— Quero saber de tudo. Chego aí em dez minutos.

Desligamos.

Oito minutos depois, a chave girou na fechadura. Alex — longa, magra e com o rabo de cavalo louro e alto que era sua marca registrada — marchou pela porta com uma mochila pendurada no ombro. Usava roupas de grife para malhar, compradas com quarenta por cento de desconto em uma loja para atletas em que ela trabalhava em meio expediente. Ela jogou a mochila no chão e se sentou de frente para mim no sofá. Às vezes eu nem acreditava na pouca semelhança de Alex com a sra. Stone. Alex costumava me contrabandear doces quando minha mãe não estava olhando.

Ela me segurou pelos joelhos, algo que não fazia desde que lhe contei sobre mamãe. Resisti ao impulso de estender a mão e acariciar seu rabo de cavalo.

— Me conta tudo — ordenou ela.

Passei as horas seguintes descrevendo cada minúcia da entrevista. Alex se agarrava a cada palavra minha. Decidi perdoá-la por ter me ignorado nos últimos meses. Eu sabia que ela se importava — ela até silenciou o telefone.

— Deve ter sido muito difícil — disse ela quando terminei, torcendo o rabo de cavalo, imersa em pensamentos. — Tenho muito orgulho de você por se expor desse jeito. — Ela apertou meu joelho. Eu queria estar de short — tinha raspado as pernas naquela manhã e elas estavam lisas como seda. Pensei no banheiro da sra. Stone dez meses atrás, quando passei creme para depilar pela primeira vez.

Abri um sorriso de boca fechada para ela, mas por dentro eu sorria arreganhada.

— Estava cansada de ser a vítima. — Tomei emprestadas as palavras de Vinny.

— E quando é que sai essa edição? — Alex pulou do sofá e foi à cozinha. — Vitamina?

Nunca experimentei uma vitamina.

— Claro. Daqui a um ou dois meses, acho.

Alex parecia decepcionada.

— Mas vai ter uma sessão de fotos em breve — menti. Vinny tinha deixado claro que iam usar uma das fotos que já tinham de nós. — Nada com o meu rosto — acrescentei. — Talvez só de perfil ou coisa assim.

Alex assentiu.

— Você não precisa que as pessoas fiquem te perseguindo mais do que elas já fazem.

— Ou que o país inteiro veja como eu sou feia.

Alex não disse nada. Anotei no celular enquanto ela colocava no liquidificador meio saco de morangos congelados, uma banana, dez cubos de gelo e um borrifo de leite. Agora eu podia experimentar essa receita em casa. Observei o rabo de cavalo louro e comprido se balançar enquanto ela trabalhava, imaginei cortá-lo e colá-lo em minha cabeça.

Ela trouxe duas vitaminas cor-de-rosa para o sofá e me entregou uma.

— O seu rosto não é feio — disse ela. — É singular e é seu.

Encarei Alex, me perguntando se alguém algum dia lhe falou de seu rosto "singular". Provavelmente não, ou ela não pensaria que isso é um elogio. Suspirei e tomei um gole da vitamina, surpresa com seu caráter refrescante e cremoso.

— Quando vai ser a sessão de fotos? — perguntou ela.

— Mais ou menos daqui a uma semana. O Vinny disse que o fotógrafo ia me ligar. — Pela segunda vez naquele dia, eu me admirava da facilidade com que as inverdades saíam de minha boca. Se não tomasse cuidado, podia virar um hábito.

— Posso ir?

Alex estava tão animada, tão interessada. Ela nunca ficou radiante por mim desse jeito, como se *eu* tivesse algo a oferecer a *ela*. Meu estômago se apertou com a ideia de decepcioná-la.

— Não sei, Alex. — Hesitei. — Quanto mais gente, mais sem graça acho que vou ficar.

— Ah, para — disse ela. — Eu posso ajudar a dar conselhos sobre o cabelo e a maquiagem. Assim você não vai acabar parecendo uma esquisita total. Quer dizer, você quer parecer você mesma.

Às vezes eu me perguntava se Alex e eu tínhamos algo em comum além da cidade natal. Éramos compatíveis quando pequenas: fazendo montanha-russa com uns trecos pela casa, fingindo que o carpete da sala era lava, promovendo concurso de beleza de cachorros com os brinquedos Puppy in My Pocket de Alex. As amizades são mais fáceis quando a gente é criança.

Ela esperava por uma resposta, e não seria um "Não". Depois eu inventaria algum motivo para eles cancelarem comigo.

— Se você quiser mesmo ir — falei.

— Quero! — Alex bateu palmas. — Ai, meu Deus, isso é tão emocionante. A *Chit Chat*!

Sorri, escondendo os dentes atrás do copo de vitamina. Eu devia essa a Alex, depois de tudo o que ela fez por mim.

Ela pegou uma ponta dupla imaginária no rabo de cavalo.

— Como está a minha mãe?

Notei que eu não ia à casa da sra. Stone fazia pelo menos um mês. Jurei que ia visitá-la quando voltasse a Deadwick. Ela me ajudou muito.

— Ela está com saudade de você — eu disse. — Devia aparecer em casa com mais frequência.

— Por quê? — ela falou com o fio de cabelo que examinava. — Agora que ela tem você, não tem tempo para mim.

Por um momento, fiquei perplexa. Alex nunca tinha dito nada parecido.

— Isso não é verdade — protestei.

— Ela me ligava todo dia até que sua mãe foi embora. — Alex me olhou de lado e deu de ombros. — Quer dizer, grande coisa. Eu entendi.

Eu não sabia o que dizer.

— Você devia ir lá visitar sua mãe.

— Eu vou — disse Alex.

Nada de olhos nos olhos, a cabeça baixa: eu estava aprendendo a ler linguagem corporal. Eu não era a única mentirosa na sala.

Naquela noite, Alex e eu nos encontramos com amigos dela em um bar. Alex tinha me contado no caminho que conhecia o segurança, assim eu não teria nenhum problema para entrar, embora só tivesse dezoito anos. É claro que ele também ficou ocupado demais dando em cima dela para conferir nossas identidades. Entramos. O piso era pegajoso, a multidão era barulhenta e os garçons eram indiferentes.

Eu estava nervosa porque vimos quatro carros brancos pelo caminho — um mau presságio. Além disso, tinha pisado em uma rachadura ao sair do táxi.

Paramos em uma roda fechada perto da porta, nos revezando nos esbarrões. Alex me apresentou ao grupo: três caras e duas garotas, uma delas Whitney.

— Esta é minha amiga de infância, Rose Gold. Ela vai sair na capa da *Chit Chat*. — Isso estava muito longe da verdade, mas não a corrigi. Meu coração ficou aos saltos quando todos se viraram para mim. Acenei de leve e me lembrei de não sorrir.

Os cinco encaravam o meu lado, então supus que Alex tinha contado a meu respeito. Todos tomavam suas bebidas — cerveja, exceto pela vodca com suco de cranberry de Whitney. Ninguém ali ia me dizer seu nome?

Whitney me pegou de olhos fixos em sua bebida.

— Quer um pouco? — Ela a entregou a mim.

Tomei um gole e tentei não fazer careta. O suco de cranberry era bom, mas a bebida era um nojo, parecia limpa-vidro, sei lá. Ainda assim, consegui: meu primeiro gole de bebida alcoólica. Meu aniversário de dezenove anos seria dali a um mês. Devolvi o drinque a ela.

Alex deu um tapinha no ombro de um dos caras. Ele estava de jaqueta com um alce bordado no lado esquerdo do peito.

— Pode pegar uma bebida para a Rose Gold? Vodca com cranberry.

O Jaqueta de Alce saiu dali. Alex, satisfeita, virou-se para o grupo.

— Eu vou à sessão de fotos com ela — disse ela, jogando o rabo de cavalo por cima do ombro.

As meninas ficaram com cara de Natal.

— Demais — disse Whitney.

— Que legal — concordou a outra. Esta tinha sardas pela cara toda. Alex assentiu.

— Quando nós éramos mais novas, a Rose Gold me deixava fazer a maquiagem dela. — Ela se virou para mim e sorriu. — Lembra daquele baita estojo que você tinha? Você sempre queria sombra roxa cintilante nos olhos.

Abri a ela um leve sorriso e assenti. Eu ainda deixaria Alex fazer minha maquiagem, se ela se oferecesse. Pelo menos agora não teria de me preocupar com mamãe esfregando minha cara para limpar quando via o trabalho de Alex.

O Jaqueta de Alce passou pela multidão aos empurrões e me entregou a bebida vermelha em um copo de plástico. Me afastei do grupo e abri a bolsa.

— Quanto foi? — perguntei.

— O quê? — ele gritou.

— Quanto foi? — repeti, desta vez mais alto.

— Cinco — respondeu ele.

Encontrei a carteira e lhe passei uma nota de cinco dólares. Ele aceitou sem dizer nada.

O Jaqueta de Alce contornou a roda e voltou a seu lugar entre Alex e um dos outros caras. Eles abriram espaço. Admirei a tranquilidade desse grupo, como todos ficavam em sincronia com os corpos e movimentos dos outros. Eles tinham sua amizade como certa. Essa era sua noite mediana de sexta-feira.

Bebi toda a vodca com cranberry. Fez minha cabeça rodar. Não bebi mais nada naquela noite — já fiquei tonta por uma vida inteira.

Em vez disso, com o avançar da noite, observei Alex e seus amigos ficarem meio embriagados, depois bêbados. Quanto mais bêbados ficavam, mais divagavam.

— Você acha que eu posso pedir para o fotógrafo fazer uma foto minha? — Alex perguntou ao grupo.

— Claro que sim — disse a Sardas, oscilando. — Você é tão bonita.

— E tão fotogênica — concordou Whitney.

— Pode ser que eu precise de um portfólio um dia desses — explicou Alex aos garotos.

— Você fez desenho industrial — disse o Jaqueta de Alce.

— Talvez eu seja atriz por fora. — Alex lançou os braços para o alto com um estilo dramático. Todo mundo riu. Pelo jeito como Alex falou, não ficou forçado. Pressionei bem os lábios e sorri para ela. Ela deu uma piscadela, o rabo de cavalo balançando, sedutor.

Eu queria fazer xixi havia quarenta e cinco minutos, mas me segurava por medo de perder alguma coisa: uma piada engraçada, um elogio de um dos caras ou de Alex. Mas não consegui mais segurar.

— Volto já — eu disse à Sardas. Ela não respondeu, ocupada demais mexendo no cabelo de um dos garotos.

Abri caminho pela multidão até o banheiro feminino e encontrei uma fila comprida de mulheres já à espera. Entrei no fim da fila e me perguntei por que o banheiro dos homens estava vazio. Três meninas na minha frente riram e foram na ponta dos pés no banheiro masculino, fingindo que entravam furtivamente. Elas, é claro, infringiam as regras bem. Não tinham medo de se encrencar?

Entraram no reservado juntas. Eu me perguntei se faziam xixi umas na frente das outras. Quando saíram, cheguei à frente da fila. Bati a porta do banheiro e olhei minha cara no espelho enquanto urinava. Até agora, a noite tinha sido inacreditavelmente boa. Ninguém me dava atenção, mas também ninguém me fez nenhuma pergunta invasiva. Talvez Alex me deixasse voltar e sair com eles de novo. Eu só precisava seguir as deixas.

Voltei para o grupo. O Jaqueta de Alce tinha passado o braço por Alex. Cochichou no ouvido dela. Alex riu e entrelaçou os dedos nos dele, mas continuou batendo papo com o grupo. A Sardas lançava olhares de lado ao Jaqueta de Alce. Aposto que estava a fim dele, mas ele gostava de Alex. Fiquei mais orgulhosa por ter decifrado esse enigma do que por qualquer teste de estudos sociais que mamãe sempre me fazia.

Imaginei Phil e eu em um bar, talvez uma pousada em Breckenridge. Afundaríamos em um grande sofá de couro marrom perto de uma lareira aconchegante, exaustos depois de um dia de snowboarding. Ele passaria o braço por mim sem perguntar, meus ombros uma extensão de seu corpo. Eu entrelaçaria os dedos nos dele e ele me daria um beijo na testa. Alguém para cuidar de mim de novo.

Alex não sabia de Phil porque eu guardava segredo sobre ele. Ela ia achar esquisito ter um namorado virtual. "Como você pode saber que esse cara é quem ele diz ser?", ela ia perguntar. Ou: "Por que não arruma um namorado de verdade?" Como se tivesse um monte de caras fazendo fila para dar em cima da gente.

Eu tinha chegado ao grupo, mas todos estavam absortos demais em Alex para notar minha volta.

— Ela é tão trágica — gritou Alex para superar o rugido da multidão.

— Se esforça demais.

— Não é a mãe dela que está tipo na cadeia agora? — gritou a Sardas, rindo.

— Fui eu que chamei a polícia — Alex se gabou.

Meu rosto ficou vermelho e minhas mãos tremeram. Eu as fechei em punhos. Estava prestes a me virar para ninguém me ver, mas Whitney chamou: "Rose Gold, você voltou!" Alguns meses atrás, eu teria pensado que ela estava empolgada por me ver. Agora sabia que ela dava a dica para o restante do grupo parar de falar de mim.

Ou todos estavam bêbados demais para notar ou não se importavam que meus olhos estivessem marejados. Enxuguei-os nas costas da mão e olhei para Alex, esperando que ela murmurasse um sutil "desculpa" ou piscasse para mim de novo. Mas ela estava ocupada demais rindo para o Jaqueta de Alce para dar por minha presença.

Alex não queria ser minha melhor amiga. Queria alguns minutos de fama, ver seu nome ou sua cara em uma revista, dizer que antigamente tinha sido vizinha de uma completa aberração. Eu não passava de motivo de piada para os amigos dela quando não tinham do que falar. Alex Stone me traiu, como a outra pessoa em quem eu mais confiava.

Eu te disse que aquela assanhadinha nunca quis o seu bem, sussurrou minha mãe.

Cala a boca, falei, num silvo.

Alex jogou a cabeça para rir da mais recente observação espirituosa do Jaqueta de Alce. Olhei aquela cascata empinada e loura de rabo de cavalo caindo pelas costas e imaginei arrancá-la da cabeça de Alex, desta vez com minhas próprias mãos, não com uma tesoura. Agora ela era só uma careca correndo pelo bar, pedindo socorro aos gritos. Mas ninguém salvaria a encantadora Alex Stone porque todos estavam ocupados demais rindo dela — se dobrando de rir, as lágrimas escorrendo pelo rosto, o tipo de gargalhada de segurar a barriga por causa da dor. Como ficaria humilhada, como se sentiria solitária. Ela me encontraria em um canto do salão e cairia de joelhos, os olhos suplicantes, as mãos unidas. "Desculpe." Eu ia bocejar. "Você é meio *trágica*."

Fiquei na roda dos maldosos, vendo o rabo de cavalo balançar como um pêndulo. Contei os segundos antes de fechar as mãos nele.

Mas de que me adiantaria confrontar Alex ali? Alex tinha um grupo de amigos em seu apoio, defesa e proteção. Que sentido tinha eu gritar com ela, quando todos iam dar uma gargalhada assim que eu me virasse para sair? E onde eu ia dormir, se não no apartamento de Alex?

Essa não era a noite para dar uma lição. Alex e eu éramos amigas fazia muito tempo, e o mínimo que eu podia fazer era lhe dar uma chance de se desculpar quando voltasse a ficar sóbria. Eu devia muito a ela — não, não lhe devia nada, mas daria outra chance.

Ela e seu rabo de cavalo continuariam grudados. Por enquanto.

Mas eu precisava ter mais cuidado com as pessoas. Confiava rápido demais. Minha mãe me enganou, e Alex também. Eu precisava parar de deixar que as pessoas pisassem em mim. Parar de deixar que gente como Phil ditasse as regras.

Por que não podia ir visitá-lo, como vim ver Alex? Logo receberia o dinheiro da entrevista. Não precisava esperar que ele me convidasse. Phil era tímido e nunca tomaria a iniciativa. Eu podia ir de ônibus, assim não teria de atravessar o país de carro sozinha. Mandei uma mensagem para ele.

> Queria que estivéssemos juntos agora.

Tomei uma decisão em meio ao grupo de amigos. Em algum dia no ano que vem, visitaria meu namorado e daria meu primeiro beijo. Já passara havia muito da hora de descobrir quem estava do outro lado da tela.

Quando o Jaqueta de Alce foi ao bar comprar mais bebidas, Alex enfim me olhou nos olhos do outro lado da roda. Soprou um beijo para mim, desligado ou cruel, ou talvez as duas coisas. Sorri para ela de dentes à mostra. Já estava na hora de deixar que ela visse o lado feio de Rose Gold.

7
PATTY

Passo minha primeira noite fora da prisão me revirando na cama de solteiro. Os olhos no teto me observam. Ouço os gritos penetrantes de Adam no quarto ao lado. Sempre que ele para de chorar, me convenço de que ouço o estalo de um cinto na frente da porta de meu quarto. Tapo os ouvidos e me censuro por ser tão covarde. Durante meus cinco anos na prisão, eu roncava alto toda noite mais ou menos no primeiro mês de adaptação. Mesmo depois que algumas mulheres descobriram por que fui condenada, nunca fiquei acordada a noite inteira, nunca me preocupei de verdade com minha segurança.

Prefiro pensar que meu tempo na prisão foi facilitado não devido a meu tamanho, mas a meu carisma. A chave — dentro e fora da prisão — é fazer amizade com quem está no poder. Depois que pus no bolso os guardas e carcereiros, as detentas também entraram na linha.

Uma nova rodada de choro interrompe minhas reflexões às seis da manhã. Tinha esquecido como o choro de um bebê pode ser estridente.

A porta do quarto de meus pais se abre. Não consigo ouvir os passos de Rose Gold com os guinchos da criança. O choro se afasta — para a cozinha ou a sala de estar. Jogo as pernas para fora do colchão e me sento. Preciso ficar longe desses olhos azuis lacrimosos.

Vou para a sala, onde Rose Gold dá a mamadeira a Adam.

— Bom dia — digo.

Noto que a porta do porão está aberta. Me apresso a fechá-la.

Ela me olha rapidamente, o cabelo espetado para todo lado. Tem olheiras pronunciadas.

— Bom dia. Ficou acordada a noite toda? Desculpe.

Esta palavrinha soa em meus ouvidos. Então ela sabe pedir desculpa pelo choro do filho, mas não por me mandar para a prisão.

— Dormi feito uma morta — falei, num pio. — Já comeu? Vou preparar uns ovos para nós.

Na cozinha, ligo o rádio. Quando noto que está tocando "Every Breath You Take", do Police, aumento o volume e sorrio. Pego uma cartela de ovos na geladeira.

Rose Gold põe a mamadeira vazia do filho na mesa da cozinha. Passa a colocar Adam para arrotar.

— Está tudo bem. Vou comer uma barra de granola ou uma torrada.

— Torrada? Não basta para te rechear.

Rose Gold dá de ombros.

— Não sou de comer muito de manhã. — Ela ainda dá tapinhas nas costas do filho.

— Coma pelo menos um ovo — protesto. Acho que não deveria me surpreender que ela não seja uma grande fã de minha culinária.

— Nem todo mundo come tanto quanto você — ela estoura.

Magoada, fecho a boca. Coloco duas fatias de pão na torradeira e pego três ovos na cartela. Uma chama azul crepita quando acendo o fogo.

Mesmo quando menina, eu era quase grande demais. Meu corpo foi quadrado antes de ficar redondo, e eu estremecia com as palavras que as pessoas usavam para descrevê-lo. Parruda. Ossos largos. Pesada. Eram todas maneiras sutis de me lembrar que eu mais parecia um garoto do que uma garota. Eu ocupava muito espaço. Comia todo o almoço que levava à escola. Jimmy Barnett costumava brincar: "Vai comer o guardanapo também?" Mas ninguém me atormentava por causa de meu peso. Todos sabiam que Patty era a corpulenta, como sabiam que a Terra gira em torno do Sol e que nunca se deve pedir o cachorro-quente apimentado do Dirty Doug's a não ser que esteja disposto a ter um trompete no rabo pelas vinte e quatro horas seguintes.

Imagine aparecer na loja de roupas aos dez anos e ouvir que os vestidos não são "para você". "Nenhum deles?", eu conseguia guinchar. Olhava para as centenas de estilos em cada cor e formato. A careta da vendedora era resposta suficiente. É difícil ser uma garotinha quando você não é pequena.

Eu costumava ter sonhos de entrar em forma, de fazer umas dietas malucas de suco de pimenta e contratar um treinador para gritar comigo na esteira, como fazem naqueles reality shows. Mas era mais fácil devorar Oreos e Diet Coke entre as refeições de Rose Gold, e entre suas aulas e consultas médicas. Só na prisão percebi como sou poderosa, como meu corpo pode ser útil. Quanto mais espaço ocupo, menos gente tenta me intimidar.

Mexo os ovos, passo manteiga na torrada de Rose Gold e deixo de lado meus sentimentos feridos. Olho de lado para minha filha, agora grudada ao telefone.

— O que você está olhando?

— Instagram — diz ela.

Meu silêncio me entrega.

— É uma rede social — acrescenta ela.

— Como o Facebook? — pergunto, torcendo para a indagação não ser absurda.

— É, só que melhor.

Não quero aprender as melhores características do Facebook em comparação com o Instagram, então passo ao que realmente quero saber.

— Quem ligou ontem à noite?

A expressão de zumbi de Rose Gold fica mais aguda.

— Ninguém.

— Não parecia um ninguém — digo, despreocupadamente. — Parecia que você tinha visto um fantasma.

Rose Gold não diz nada. Ficamos nos encarando na cozinha. Espero que ela ceda e fico surpresa quando não faz isso.

— Era o pai do Adam? — Tento adivinhar.

Rose Gold hesita, depois assente devagar.

— De repente ele quer voltar. Depois de nove meses sem querer nada comigo. Eu disse para ele me deixar em paz.

— Por que as coisas não deram certo entre vocês? — Mantenho o tom suave.

— Quando descobriu que eu estava grávida, ele fugiu. — A voz de Rose Gold treme, mas ela empina o queixo, desafiadora. — Prefiro ficar sozinha do que com um floquinho de neve.

Não vejo defeito nessa lógica.

Rose Gold parece prestes a chorar, então eu mudo de assunto.

— O que nós temos programado para hoje?

— Trabalho — diz ela.

— Precisa que eu cuide de Adam? — Apago qualquer vestígio de esperança na voz.

Rose Gold me olha de cima a baixo.

— A sra. Stone tem cuidado dele desde que eu voltei a trabalhar, na semana passada.

Essa é nova para mim. Durante uma visita, Rose Gold disse que agora não falava muito com a sra. Stone. Não vejo minha antiga vizinha e ex-melhor amiga desde o julgamento.

Coloco o prato de torrada na frente de Rose Gold.

— Você o leva até lá ou a Mary vem buscar aqui?

— Ela vem buscar. Talvez seja melhor você sumir quando ela vier.

— Por quê?

— Você não é mais uma das pessoas preferidas dela. — Rose Gold sorri com malícia.

— Ah, por isso. — Gesticulo, enxotando o comentário de minha filha. — Mary e eu temos muito a colocar em dia. Acertar algumas coisas.

Rose Gold parece cética. Empurra o prato com a torrada, uma fatia intocada.

— Eu posso cuidar do Adam enquanto você toma seu banho — proponho.

— Isso seria incrível. — Esta é a coisa mais gentil que minha filha diz desde que levantamos esta manhã. Seu alívio é quase palpável. Nós duas sabemos como é difícil criar um filho sozinha. Eu a vejo olhando para ele, os olhos se afogando de amor pelo filho. Com a mais leve hesitação, ela entrega Adam a mim. Meu plano começa a funcionar.

Rose Gold fecha a porta do banheiro depois de entrar. O chuveiro é aberto. Penso na pilha de pratos sujos na pia, mas concluo que posso cuidar deles depois. Quem sabe quanto tempo vão me deixar brincar com meu neto?

Coloco Adam no carpete da sala, de barriga para baixo. Sua cabeça vacila quando ele tenta se levantar. Bato palmas para ele e seu pescoço em formação se fortalece. Ele mostra a língua para mim. Diabinho insolente.

De onde estamos no chão, posso ver uma cadeirinha alta, plástica e gasta no canto da cozinha. Adam é novo demais para precisar dela. Me pergunto se é outra das descobertas de Rose Gold no bairro. Minha mãe guardava minha cadeirinha alta de madeira no mesmo canto.

Adam me olha com os grandes olhos castanhos. Balbucio para ele. Seu lábio inferior treme e ele abre a boca para chorar. Ergo Adam no colo, pego seu gorro e um cobertor grosso e o levo correndo à porta lateral do quintal de meus pais. Pelo menos posso dar a Rose Gold vinte minutos de paz.

O bebê começa a chorar e eu uso todos os meus truques. Balanço-o lateralmente em movimentos largos. Coloco a chupeta em sua boca. Tento fazê-lo arrotar mais. Nada dá certo — Adam continua chorando.

— Quem fez cocô nos seus Cheerios? — pergunto ao bebê: ele não acha graça.

Depois de um tempo, consigo que ele se aquiete. Ainda não está em silêncio, mas o choro se acalmou e virou um resmungo. Ele estava tão relaxado ontem que o tomei por um bebê tranquilo. Ainda o estou embalando.

O quintal precisa desesperadamente de atenção. Meu pai costumava manter a grama bem aparada como seu corte de cabelo, nem uma folha solta à vista. Agora cresceu demais e está seca em certos trechos, como algo que encontramos perto de uma casa mal-assombrada. O carvalho de galhos grossos ainda tem nosso balanço caseiro, mas o assento vermelho desbotou para um cor-de-rosa. Meu pai fez o balanço quando eu era criança. Ele o testou uma dúzia de vezes antes de permitir que David e eu experimentássemos.

A porta lateral se abre. Rose Gold dispara por ela, enrolada em uma toalha, pingando água do cabelo.

— O que você fez com ele? — ela grita, seus olhos voam pelo quintal até que caem em Adam, em meus braços.

— Ficamos aqui fora o tempo todo — digo com calma. — O Adam ficou agitado e eu não queria que você se preocupasse enquanto estava no banho. Ele se acalmou agora há pouco.

Rose Gold ainda grita.

— Pensei que você tivesse saído! — Seus olhos vão ficando arregalados, como os de um cavalo apavorado. De certo modo espero que ela comece a espumar pela boca.

Eu a tranquilizo, na esperança de controlar sua histeria. Com os gritos de Rose Gold, Adam começa a chorar de novo. Para minha surpresa, Rose Gold agora também chora. Ela tira o bebê de mim e o segura com tanta força que tenho medo de que o quebre.

— Eu só estava tentando ajudar — digo, chocada. Ela deve saber que, se eu quisesse roubar seu filho, teria feito um trabalho mais limpo. Os Watts são sobretudo meticulosos.

Rose Gold se vira nos calcanhares descalços, com o bebê nos braços, e anda a passos pesados para a casa. Suas omoplatas afiadas se projetam acima da toalha enquanto ela foge. Lembram-me de uma Rose Gold mais nova — uma Rose Gold doente. Ela bate a porta quando entra. O quintal fica mais uma vez em silêncio.

Eu me sinto meio culpada por aborrecê-la, mas percebo o que aprendi. Desde que foi me buscar ontem, Rose Gold tem certa altivez, uma confiança que não existia antes de eu ir para a prisão. Ela me trouxe para esta casa sabendo muito bem que abomino o lugar. Ela quer voar na minha jugular: tudo bem. Não faltam pontos fracos a nenhuma de nós.

Agora sei qual é o dela.

Andando para a porta lateral, volto para dentro e vou ao corredor na ponta dos pés. A porta do quarto de Rose Gold está fechada. Encosto a orelha nela, me esforço para ouvir.

O piso de madeira range com os passos de Rose Gold, que anda de um lado a outro do quarto. Ela tranquiliza Adam com leves cochichos. Ele se acalma. Não consigo distinguir a maior parte que ela sussurra.

— ... logo. Eu prometo. — Sua voz falha. — Desculpe.

Logo o quê? O que vai acontecer? Ela deve ter planejado alguma coisa. Vai me aterrorizar nesta casa? Me expulsar e me deixar sem teto? Me ferir fisicamente? Ela não tem força para me dominar e não consigo imaginar que recorra à violência, mas suponho que tudo seja possível.

Fico escutando à porta por mais um minuto, mas Rose Gold não volta a falar. O piso do quarto para de ranger, então volto de fininho pelo corredor e entro na sala. Me acomodo em minha poltrona, pensando. Quando saí da prisão, fiz um gesto de paz a Rose Gold, pronta para um recomeço. É essa a resposta dela? Não só se recusa a assumir a responsabilidade por seus atos como pensa que vai dar uma lição *em mim*. Uma mulher mais fraca podia fugir com o rabo entre as pernas. Mas não vou deserdar minha filha quando ela mais precisa de mim. Por baixo de toda essa raiva e manipulação, ela é uma mulher que precisa da mãe. Deixe-a pensar que agora tem alguma vantagem. Ela não é a única Watts capaz de formular um plano.

Como eu disse, agora sei qual é seu ponto fraco: Adam.

Espero que minha filha reapareça.

Meia hora depois, a porta do quarto principal se abre. Rose Gold vai à cozinha, coloca uma mamadeira de leite no freezer e tira outras duas da geladeira. Lava os apetrechos da bomba na pia e os coloca em uma mochila.

— Desculpe — sussurra ela, juntando-se a mim na sala de estar. Ela veste calça cáqui e uma blusa azul-royal com um pequeno logo da Gadget World bordado no peito, além da bolsa com a bomba. Baixa um suporte canguru com Adam enfaixado dentro dele. — Exagerei.

— É difícil ser mãe de primeira viagem. — Forço a sinceridade na voz. Rose Gold não fala nada.

— Estou aqui por você, querida. — Olho para ela de cima a baixo, procurando pistas. Mesmo de mangas compridas e calça, sei que ela emagreceu. Quando estávamos no quintal, ela parecia esquelética naquela toalha de banho. Penso em suas visitas semanais durante meu último ano na prisão. Aparentava um tamanho normal até a barriga começar a aparecer, e só ficou maior a partir dali. É claro que algumas mães perdem mais rápido o peso da gestação enquanto amamentam, mas eu não esperava que o novo corpo de Rose Gold ficasse parecido com o antigo. Ela não ficou tão magra assim desde os dezesseis anos.

A adolescente que criei era toda cotovelos e joelhos, um esqueleto recurvado. Parou de crescer com um metro e meio e se torturava de constrangimento com o próprio corpo. Na época tentei tranquilizá-la, garantindo que a magreza estava na moda. Contei que milhões de meninas morreriam para ter aquela forma, mas seu corpo sempre a constrangia. Os peitos achatados feito um bicho atropelado na estrada também não ajudavam em nada. Ela ficou presa na compleição de uma criança.

Isso foi antes de as alergias alimentares passarem. Antes que a sonda gástrica fosse removida. Na época, Rose Gold tinha um motivo para ser esquelética: estava doente. Agora é saudável. Pelo menos foi o que ela me disse.

A campainha toca. Eu me levanto prontamente, mas Rose Gold passa apressada por mim. Abre um pouquinho a porta. A voz calorosa de Mary Stone inunda a casa.

— Como está passando, meu anjo? Conseguiu dormir um pouco? — Sinto falta desta preocupação, a preocupação verdadeira que sei que está gravada no rosto de Mary. Tempos atrás ela reservava essa gentileza a mim. Quando sabia que eu havia tido um dia complicado com Rose Gold, ela me levava uma travessa de brownies ou uma jarra de chá gelado. Nós sentávamos e conversávamos por horas.

— Estou bem — diz Rose Gold, em voz baixa.

Pego o canguru e vou até elas.

— O pequeno Adam tem muita energia — digo, abrindo mais a porta, à força.

Mary Stone não mudou nada em cinco anos: corte de cabelo de mãe sensata, rosto obtuso, mas confiável, usa rosa demais. Deus a abençoe.

Ela esbugalha os olhos e fica de queixo caído quando se depara comigo. Às vezes ela é tão clichê.

— Olá, Mary — digo calorosamente. — Há quanto tempo.

Me inclino para lhe dar um abraço, mas ela se retrai, se afastando de mim.

Ela encara Rose Gold, passa os dedos no broche de borboleta com strass alfinetado na blusa.

— De quem foi essa ideia?

Rose Gold não olha nos olhos de Mary.

— Minha. A mamãe não tinha para onde ir.

Os olhos de Mary se estreitam.

— Eu sei de um lugar aonde ela pode ir.

Esta, sem dúvida, é a declaração mais agressiva que a coração mole de Mary Stone já fez na vida. Pelo visto, a distância nem sempre deixa o coração mais terno.

— Senti muito a sua falta, Mary — falo com entusiasmo. — Pensei em você o tempo todo enquanto estive fora.

Mary se segura no batente da porta, o rosto roxo e os nós dos dedos brancos. Com que força é preciso bater uma porta para decepar um dedo da mão? Ela arrebanha o canguru de mim e dá uma olhada dentro da casa, como se eu pudesse ter engolido Adam inteiro no café da manhã. Preciso de um chapéu preto e pontudo.

Mary se vira para Rose Gold.

— Por que não vai até a minha casa depois do trabalho? Podemos colocar a conversa em dia.

Rose Gold dá de ombros até as orelhas, os olhos voltados para o chão. Essa versão submissa de minha filha quase me faz sentir falta da gritaria louca comigo no quintal meia hora atrás.

— Eu adoraria me juntar a vocês — intrometo-me. — Você e eu também temos muito a pôr em dia.

— Você não é bem-vinda na minha casa — diz Mary. — Nunca mais.

Ela segura firme o canguru e dá uma corridinha pela entrada até o carro. Acho que posso supor com segurança que não sou mais a menina dos olhos deste bairro.

Saio da casa para uma manhã nublada e tomada de neblina. Mary afivela Adam no banco traseiro do carro. Um movimento do outro lado da rua chama minha atenção. Paradas na janela escurecida de uma casa abandonada, olhando para mim, estão três figuras sombrias. Não se mexem quando notam que as vejo. Uma delas cruza os braços. Cruzo os meus também, embora tenha os pelos arrepiados. Olho rapidamente para a entrada de carros. Mary foi embora. Quando estreito os olhos para a casa abandonada, as sombras também sumiram. Meneio a cabeça e entro, trancando a porta.

Minha filha me examina, esperando.

— Os repórteres aprontaram nesta cidade. — Dou de ombros.

— As pessoas podiam te perdoar, se você fosse um pouco menos tagarela — observa Rose Gold.

— Querida, quando você passa cinco anos numa prisão por um crime que não cometeu, precisa compensar o tempo perdido quando sai — digo.

— Não vou fingir ser algo que não sou.

O maxilar de Rose Gold se enrijece por um segundo. Depois ela conjura um sorriso. Talvez ela engane Mary Stone com essa farsa, mas não consegue esconder a raiva da própria mãe.

— Preciso ir trabalhar — diz ela. — Estarei em casa lá pelas seis.

Rose Gold bate a porta ao sair e vai à garagem. Da janela da sala, vejo a porta se abrindo. Ela dá a ré na van pela entrada, mas fica sentada ali por um momento, me encarando enquanto eu a encaro. Seu lábio se torce de desprezo, uma expressão que já vi em minha filha: 22 de agosto de 2012, no dia em que ela subiu ao banco de testemunhas.

O tribunal transpirava naquela quarta-feira. A galeria estava lotada. A maioria dos moradores de Deadwick apareceu para meter o nariz onde não foi chamada. Muitos repórteres também apareceram: não conseguiram resistir à inclusão de mais algumas mentiras escandalosas em suas matérias. Meu advogado — um defensor público incompetente que teria ficado mais à vontade atrás do balcão de um dispensário de maconha medicinal — se abanava e mexia no terno largo. Quando o conheci, vi que estava condenada.

O promotor tinha acabado de inquirir um dos antigos pediatras de Rose Gold. Aquele médico imbecil alegou que eu agia de forma "suspeita" durante as consultas. Que engraçado, ele nunca falou uma palavra sobre meu comportamento dez anos antes. Nunca informou essa suposta atitude suspeita a nenhum superior ou ao serviço de proteção à infância do estado. Se quer minha opinião, só o que o promotor estabeleceu foi que esta grande testemunha era um grande imbecil, outro que procurava os holofotes, armado de contos de fadas. O médico voltou a seu lugar.

O promotor, com o queixo empinado e os ombros jogados para trás, fez o papel do herói que procurava a justiça. Olhou rapidamente as anotações em sua mesa e se virou de frente para o júri. "Excelência, neste momento eu gostaria de chamar Rose Gold Watts para testemunhar."

Meu estômago se revirou. O advogado tinha dito que Rose Gold testemunharia contra mim, mas minha esperança era a de que ela ia voltar atrás antes de chegar o dia. Eu me virei para olhar minha filha, em seu lugar de sempre na galeria, espremida entre Alex e Mary Stone. Rose Gold morava na casa dos Stone havia seis meses, desde o dia em que fui presa. Eu não tinha permissão para falar com ela.

Alex estreitou o braço nos ombros de Rose Gold. A vigaristazinha — Alex podia enganar os repórteres com sua cena de melhor-amiga-preocupada, mas eu sabia que ela só queria seus quinze minutos de fama. Não mostrou preocupação nenhuma com minha filha antes do julgamento.

Rose Gold se levantou, os ombros ossudos escorando as mangas do cardigã. De olhos arregalados, vacilou um pouco, como se talvez fosse desmaiar. A pele era ainda mais pálida que o de costume. Ela parecia ter muito menos que seus dezoito anos.

Minha filha estava apavorada.

Sente-se, eu queria dizer a ela. *Vamos encerrar essa história toda. Vou levar você para casa e a colocar na cama, e vamos inventar histórias de princesas e feitiços mágicos em terras distantes.*

Rose Gold deu um passo trêmulo, um depois do outro, até chegar perto de mim o bastante para estender a mão e tocar. Eu precisava impedi-la. Não podia deixar que se obrigasse a passar nem mais um minuto por aquela agonia.

— Não precisa fazer isso — sussurrei.

Rose Gold se virou para mim. Seus olhos eram tristes, pediam que eu a levasse para casa.

— Sra. Watts — o juiz Sullivan, que parecia um leão-marinho, gritou —, se tentar se comunicar com a testemunha mais uma vez, vou prendê-la por desacato ao tribunal.

Ao ouvir a voz do juiz, Rose Gold virou a cara e continuou se arrastando para o banco. Será que todo mundo no tribunal era cego? Então nenhum deles via o quanto minha garotinha odiava estar ali? Eles deviam ter percebido que ela era obrigada a testemunhar contra a vontade.

Rose Gold sentou-se no banco de testemunhas. Levantou a mão direita e jurou dizer a verdade. O promotor lhe pediu para declarar seu nome para o júri.

— Rose Gold Watts — disse ela, em voz baixa. Os jurados se inclinaram para a frente, esticando o pescoço para ouvir.

— Um pouco mais alto, por gentileza — disse o promotor.

Ela deu um pigarro.

— Rose Gold Watts — repetiu.

— Qual é a sua relação com a ré? — perguntou o promotor.

— Ela é minha mãe. — Rose Gold tinha os olhos baixos, as mãos agarravam os braços da cadeira.

— E você e sua mãe moravam sozinhas no número 1.522 da Claremont, correto?

Rose Gold assentiu.

— Pode responder verbalmente, por favor?

— Sim — disse Rose Gold.

— Sem pai? Sem irmãos, nem irmãs?

Agora eu é que me agarrava aos braços da cadeira. Aquele bocó faria minha filha reviver cada momento podre de sua infância — cada familiar ausente, cada infecção, cada excursão perdida da escola. Tentei protegê-la de suas desvantagens. Em nossa casa, nós nos concentrávamos no que era positivo. Aqueles palhaços tentavam afogá-la nas próprias tristezas.

— Pode descrever sua instrução da pré-escola até agora? — perguntou o promotor.

Rose Gold desatou em uma explicação nervosa da transição da escola primária para o ensino em casa. Levantou a mão trêmula para ajeitar um fio solto. Eu me perguntei se ela estaria menstruada. A época do mês era aquela. Eu ainda não havia lhe ensinado a usar um absorvente íntimo. Tinha tantas coisas que ainda precisava ensinar a ela. Ela não estava preparada para enfrentar o mundo sozinha.

O promotor prosseguiu.

— Quero lhe fazer algumas perguntas sobre sua alimentação.

Rose Gold nunca preparou um sanduíche, nem dobrou a roupa lavada. Eu limpava seu quarto e fazia a cama e a levava aonde quer que ela precisasse ir. Tentava estimular sua independência de vez em quando, sugerindo deixá-la na biblioteca por algumas horas, ou sentada na sala de espera durante as consultas médicas, mas ela sempre me queria presente. "Fica", ela me pedia, e segurava minha mão. E eu ficava. Talvez eu devesse ter insistido mais. Ela estava com dezoito anos, sem carteira de habilitação, nem amigos. Não era preparada para lidar com a maldade deste mundo. Ela estava ali, tremendo feito uma folha de papel, por minha causa. Eu deveria ter sido mais firme, deveria ter dito não, deveria tê-la mimado menos. Em todos aqueles anos, porém, eu precisava dela tanto quanto ela de mim.

— Você tinha permissão para ter amigos? — perguntou o promotor.

Fui abandonada inúmeras vezes na vida. Não servia para minha família, não servia para o pai de Rose Gold. E então, de súbito, eu tinha esse anjinho dependente de mim, cujo amor aumentava quanto mais tempo ficávamos juntas. Tinha alguém para puxar até em cima o fecho nas costas de meu vestido, para rir, por mais infames que fossem minhas piadas. Ela nunca enjoava de minhas histórias, nunca me pediu para deixá-la em paz. Em algumas noites, depois que terminávamos os estudos do dia, eu ia para meu quarto ou à cozinha para que ela tivesse alguma privacidade. Ela sempre vinha procurar por mim.

Rose Gold parecia distante, sonhadora.

O promotor repetiu a pergunta.

— Srta. Watts, você tinha permissão para ter amigos?

— Não — respondeu ela, sem olhar nos olhos de ninguém, principalmente nos meus. — Minha vizinha Alex Stone era a única pessoa da minha idade com quem eu podia falar... quase sempre eu ficava sob a supervisão da minha mãe.

— Que motivo ela tinha para manter você afastada das outras crianças? — perguntou o promotor.

Rose Gold meteu as mãos embaixo das pernas, com os braços rígidos. Tremia, evidentemente estava morrendo de frio. Mary não se deu ao trabalho de levar um suéter a mais para ela. Grande mãe substituta.

— Ela dizia que tinha medo de que o meu sistema imunológico não conseguisse combater os germes. Por causa do meu defeito cromossômico.

— Que agora nós sabemos que você não tem — observou o promotor. Os dois devem ter ensaiado esta ceninha.

— Isso mesmo — disse Rose Gold, com relutância. — Era uma desculpa. Ela queria que nós ficássemos juntas o tempo todo.

— Por que você pensa assim?

Rose Gold murmurou, alto o suficiente para que todos ouvissem:

— Ela dizia que queria me dar a infância que nunca teve.

Meu rosto queimou até a ponta das orelhas. Meu estômago deu uma cambalhota.

— Que infância ela não teve?

Arregalada, Rose Gold olhava para o promotor, procurando pela mesma aprovação que sempre buscava em mim.

— Ela não falava muito, mas sei que nem o pai nem a mãe eram bons com ela. Na verdade, o pai era agressivo. Acho que foi daí que tirou isso.

Enxuguei as mãos úmidas na calça. Os jurados me observavam com curiosidade; um deles até tinha uma expressão de pena. Encarei a mesa, fingindo examinar as fibras da madeira.

Em defesa de papai, ele teve síndrome de estresse pós-traumático em uma época em que não existiam coisas como estresse pós-traumático, que dirá um plano de tratamento. Se eu tivesse de chutar, diria que a Batalha do Bulge foi tolerável perto da batalha dele com a garrafa. Ele nunca encostou um dedo em minha mãe, mas usava os dez e mais um pouco em mim e em David. O país estava pronto para ferver nos anos 60, e minha casa não era exceção.

Meu pai administrava a casa com uma precisão militar, cheia de "sim, senhor" e nunca um "descansar". Minha mãe, uma geleia, era seu pau-mandado. Nunca bateu em nenhum de nós, mas passei a ter medo da ameaça "Espere só até seu pai chegar em casa" quase tanto quanto da inevitável sova que se seguiria. Até hoje não consigo olhar para um cinto, menos ainda usar um. Os cintos dão comichão em minhas cicatrizes nas costas.

Rose Gold examinou o promotor, de testa franzida, debatendo alguma coisa. Mentalmente, eu suplicava para ela não dizer o que agora deveria vir no roteiro deles.

Ela se recostou na cadeira, tinha tomado a decisão. Em voz baixa, falou com o próprio colo.

— Uma vez eu a encontrei na cozinha, chorando porque os pais nunca a amaram.

Um bolo se formou em minha garganta. Tentei ser uma pessoa animada a vida toda, mas, na manhã a que se referia Rose Gold, não me aguentei. Quando minha filha adolescente me encontrou chorando sobre a pia, me abri com ela. Escorreguei até o piso frio, arriei encostada nos armários e disse aos prantos que meus pais não me amaram. Formaturas, reuniões de pais e mestres, shows de talentos na escola: meu pai nunca tinha comparecido a nada disso. *Até parece que você vai vencer*, ele dizia, enquanto minha mãe ficava sentada ao lado dele, aquiescendo com seu silêncio.

No chão da cozinha, Rose Gold tinha esfregado o rosto em meu ombro. *Eu te amo mais do que todas as pessoas no mundo juntas*, dissera ela. Seu amor me ajudou a me recompor, permitiu que eu colocasse o café da manhã na mesa e terminasse com os pratos.

Eu sei que cometi alguns erros terríveis, mas jamais exporia a todos que Rose Gold conhecia o que ela mais odeia em si mesma.

No tribunal, o promotor chegou aonde queria.

— É justo dizer que Patty Watts criou um ambiente tóxico para o crescimento de uma criança?

Rose Gold assentiu.

— Ela não me deixava sozinha.

Pela segunda vez em muitos minutos, senti ter sido esbofeteada. *Não a deixava sozinha?* Eu não conseguia ir ao banheiro sem Rose Gold atrás de mim. Ela precisava de minha opinião para tudo: suas roupas, o cabelo, os nomes das bonecas Barbie. Menos de um ano antes, ela pedira para dormir na minha cama e agora tinha a coragem de agir como se *eu* fosse sufocante para *ela*. Se havia alguma codependência insalubre entre nós, era de mão dupla. É claro que quem era de fora acharia nossa relação estranha — e desde quando ligávamos para quem era de fora? Eu confiava nela. Ela era a minha alma.

Rose Gold continuou.

— Minha mãe falava em meu nome com os médicos. — *Você me pedia para falar, você era tímida e ficava nervosa perto de estranhos.*

— Minha mãe escolhia as minhas roupas todo dia, até os meus dezessete anos. — *Você não confiava em si mesma para combinar as roupas.*

— Minha mãe mastigava a comida que ela achava que eu podia tolerar antes de eu poder comer. — *Você dizia que talvez não ficasse enjoada se a comida fosse triturada primeiro.*

Na minha cabeça, aparecia uma lembrança depois de outra. Não estávamos rindo na maioria delas? Ela não me pedia mais abraços, mais histórias, mais aprovação? Mais, mais, mais. Algum dia eu disse não? Alguma vez falei mal dela com um vizinho, professor ou médico? Alguma vez a levei a um encontro de sexta à noite ou para ver uma amiga? Alguma vez pedi espaço a ela, algum dia disse que queria a cama só para mim, que eu queria dormir, que queria tomar um banho de espuma sem esperar que ela me pedisse mais suco de maçã?

O queixo de Rose Gold tremeu.

— Eu sabia que ela era controladora, mas não sabia que o remédio que ela me dava me fazia vomitar sem parar, até que meus dentes começaram a apodrecer. Ela me matava de inanição e me envenenava — sua voz tremeu —, e ela estragou toda a minha infância. — Ela brincou com o punho do cardigã, deslizando o tecido entre o indicador e o dedo médio, um método de tranquilização pessoal que usava desde a infância. Ela costumava esfregar a bainha do cobertor assim quando tinha idade para engatinhar. Quando me lembrei de como ainda era pequena e ingênua, a raiva começou a diminuir.

Eu podia protestar o que quisesse, mas a verdade era que não tinha ninguém a quem culpar, só a mim mesma. Se tivesse ficado mais atenta a minha filha, ela não estaria nesse banco, testemunhando contra a própria mãe. Queria poder voltar seis meses e recomeçar. Talvez pudéssemos fazer terapia familiar.

— Obrigado, srta. Watts. — O promotor se virou para o juiz. — Não tenho mais perguntas, excelência.

— Muito bem — disse o juiz. — Faremos um recesso de uma hora para o almoço.

O meirinho se aproximou do banco de testemunhas. Os dedos de Rose Gold se torciam em nós. Ela olhou para o salão. Seus olhos encontraram os meus.

Eu te amo, fiz com a boca, sorrindo.

Sua expressão escureceu. Ela olhou para o júri, que pegava seus pertences, e se inclinou para o microfone. Quando falou, a voz soou alta e confiante.

— O lugar da minha mãe é na prisão.

O meirinho apressou a saída de Rose Gold do banco. A galeria zumbia atrás de mim.

Cerrei o queixo. Reprimi o impulso de arrancar a gravata de meu advogado aturdido e enfiar na boca de minha filha. Todos esses meses eu tinha pensando em algo obscuro que *eles* impuseram a ela: Alex Stone, a polícia, o promotor, repórteres. Pensei que ela era a porta-voz de alguém, papagaiando o que deveria dizer, como uma menina boazinha. Mas ela estava ali — tagarelando detalhes íntimos de nossa vida — por vontade própria. Queria me ver apodrecer em uma cela, embora eu tenha dedicado toda a minha vida a ela. O choque de sua traição disparou por mim como uma corrente de dois mil volts. Eu tinha certeza de que meu coração ia parar a qualquer minuto.

Como você pôde?, pensei, olhando para ela. *Você era mais do que uma filha para mim — era minha melhor amiga. Você era o meu tudo.*

Rose Gold se virou para mim, como se eu tivesse falado em voz alta. Nossos olhos se encontraram de novo, e nos dela vi arrependimento, um pedido de perdão. Foi quando entendi: ela um dia voltaria para mim. Pagaria caro por sua traição, com certeza, mas íamos sobreviver a ela.

Naquele dia de meu julgamento, e por muitos anos depois disso, minha filha estava perdida. Porém, no fim eu tinha razão: nem todas as pessoas cruéis do mundo poderiam nos separar. Ela acabou voltando para mim.

Desta vez, minha querida menina, prometo que não deixarei você partir.

8
ROSE GOLD

Agosto de 2014

Na copa da Gadget World, comi meu almoço na mesa frágil de plástico. Hoje eu tinha preparado salada Cobb. Minha culinária não ganhava nenhum prêmio, mas pelo menos agora as refeições eram comestíveis. Já fazia um ano e meio que minha entrevista saíra na *Chit Chat*. Vinny alegou querer contar minha versão dos acontecimentos, mas, no artigo finalizado, ainda pareço uma vítima. Estou em uma história triste de duas páginas mais para o final da revista. Eu tinha seis exemplares dessa edição em casa.

Minha vida não mudou como eu esperava. Nenhum príncipe da Disney bateu à minha porta. Meus vizinhos ainda eram barulhentos. O trabalho ainda era chato.

Do outro lado da mesa estava minha colega Brenda. Ela dera à luz gêmeos meses antes, então estava constantemente na copa bombeando leite materno. Uma manta cobria seus seios, mas o aparelho fazia tanto barulho que eu nem conseguia pensar direito. Sempre que via Brenda, ela perguntava se eu já havia falado com Phil sobre a ida até lá. Fazia dois meses que eu cometera o erro de contar que tinha um namorado virtual.

— E aí — disse Brenda —, já perguntou para o Phil?
— Não — respondi, na esperança de encurtar a conversa.
— Rose Gold, são os seus vinte anos! Um dia você vai ter trinta e cinco e ter dois filhos como eu e pode acreditar, garota, vai querer algumas aventuras para recordar e suportar o dia. O que custa perguntar para ele?

Dei de ombros, pouco à vontade. Brenda e eu não éramos amigas.

Ela me observou por um minuto, a cabeça virada de lado.

— Vamos fazer o seguinte — sugeriu ela, por fim —, te dou cinco pratas se você mandar uma mensagem para ele agora.

Imaginei meus dentes novos. Cada bocadinho ajudava. Peguei o telefone.

> Como fica a sua cabana no verão?

> Agora tem muita vida selvagem em volta! Vi um urso-negro e seu filhote outro dia, e umas raposas também.

> É nas montanhas, né?

> É, não muito longe de Platte Canyon. Minha cabana é pequena, mas gosto dela.

> Quer dizer a cabana dos seus tios?

> Isso. Eles têm viajado muito, acho que a cabana agora parece minha.

> Que legal. Sua própria cabana nas montanhas!

> É incrível mesmo...

Era a minha chance. Respirei fundo. Brenda me observava vagamente. Ela pegou a carteira na bolsa. Matraqueei a mensagem antes de me acovardar.

> Que tal se eu visse com os próprios olhos? :-)

Mostrei a mensagem a Brenda. Ela uivou e me deu a nota de cinco dólares.
A resposta dele foi quase instantânea.

> Não sei, Katie...

Menti a Phil sobre meu nome. Não entendia muito da internet quando o conheci, mas sabia que não era prudente dar o nome verdadeiro a estranhos na rede. Quando eu estava pronta para ser sincera com ele, mamãe e eu aparecemos nos jornais, com manchetes do tipo

PATTY PEÇONHENTA WATTS ENFIM TEM O QUE MERECE; JUSTIÇA PARA ROSE GOLD. Não queria que Phil soubesse quem eu era. Rezei para que os jornais do Colorado não cobrissem uma história tão distante. Um dia desses eu ia contar a verdade a ele.

> Mas você disse que a gente ia se conhecer logo. Você prometeu.

> Eu sei, meu amor. Só não quero estragar o que temos.

E o que nós temos? Eu tinha vinte anos e nem chegara perto de meu primeiro beijo. Joguei fora a embalagem vazia do suco e guardei a sacola de lanche no armário. Me joguei no sofá preto de couro falso e fechei os olhos.

— É tão ruim assim, é? — perguntou Brenda, cheia de culpa.

Assenti, de olhos ainda fechados. O que Alex faria? Ela podia não ser a melhor das amigas, mas tinha muita sorte com os caras. Pensei por um minuto. Alex era toda ultimatos. Ou ele faz tal coisa, ou eu termino com ele. Eu a ouvi dizer isso várias vezes. Mas Alex era bonita e descolada. Além do mais, tinha aquele *cabelo*. Podia se safar dizendo frases assim. Eu não era Alex. No entanto, talvez ela tivesse razão.

Olhei para o relógio na parede. Meu horário de almoço estava quase no fim. Me levantei do sofá, acenei para Brenda e saí da copa, voltando ao Caixa Um. A loja hoje estava tranquila. Muito tempo para pensar no problema com Phil.

Parei no quiosque no final de meu caixa, esperando por um cliente. Essa era a regra nova de Scott — ele disse que precisávamos parecer mais amáveis. Olhei para as pessoas que examinavam o corredor de games. Eram adolescentes, com a exceção de um homem bem-vestido, em seus quarenta anos. Me aproximei alguns passos para ver o corredor de DVD: vazio, como sempre.

Espiei de novo o corredor de games. O homem dos quarenta me encarava, mas virou a cara quando percebeu que o flagrei. Devia ser de uma das cidades vizinhas, estava aqui para dar uma olhada no show de horror. Eu disse a mim mesma para não tirar conclusões precipitadas. Ultimamente vinha tendo uma atitude ruim — nem dera bom-dia a meu último cliente.

Me concentrei em arrumar meu quiosque, endireitando as revistas e embalagens de chiclete. Depois de um minuto, olhei rapidamente por cima do ombro. O homem me observava de novo. Ele se assustou quando me virei. Desta vez foi mais para o fundo do corredor, para longe de mim. Pegou um game e o recolocou no lugar.

O homem tinha altura mediana, cabelo castanho-alourado e uma das mãos no bolso da calça. Olhava para o ambiente como se nunca tivesse entrado numa loja de eletrônicos. Parecia alguém que devolvia carteiras caídas no chão, fazia pegadinhas com a esposa, gostava de guerra de pistolas de água com os filhos. Um papai da televisão. Não o cara típico que se intromete na minha vida.

Voltei para meu caixa. Pelo menos eu podia dificultar para ele ficar me encarando. Olhei para as outras baias para saber se Scott não estava à espreita. Verifiquei o telefone. Sem mensagens.

Devolvi o telefone ao cubículo do caixa, depois me assustei quando vi que o homem agora examinava os objetos que eu tinha arrumado em meu quiosque. Será que esse cara era alienígena? Ele manuseava um pacote de chicletes como se fosse uma joia de valor. Não demonstrei perceber sua presença, mas ele lançava olhares para mim. Já bastava.

— Posso ajudar? — perguntei, nada amável. Torcia para ele entender que eu estava irritada.

Ele deixou cair o pacote de chicletes, depois o devolveu ao quiosque. Aproximou-se e colocou uma garrafa de Diet Pepsi na esteira do caixa.

— É só isso?

Ele assentiu e deu um pigarro, olhando para meu crachá. Estava irrequieto.

— Rose Gold — disse ele.

Fiz que sim com a cabeça, perdendo a paciência, o coração começando a martelar. Me preparei para mais humilhações — não deixaria esse sujeito se safar, como tinha feito com Alex, Brandon e todos os outros.

Ele parou, pensando em alguma coisa. A cor sumira de seu rosto.

— Meu nome é Billy Gillespie — disse ele, enfatizando o nome e me estendendo a mão.

Olhei para ele, confusa.

Ele estreitou os olhos e puxou a mão de volta.

— *Billy Gillespie.* — Ele pronunciou o nome como se fosse uma senha secreta para entrar em uma caverna oculta. Billie Gillespie parecia esperar que eu o conhecesse. Franzi a testa e passei a Diet Pepsi pelo scanner para romper o constrangimento.

— Dinheiro ou cartão? — perguntei.

Billy Gillespie estendeu o cartão de crédito e passou no leitor. Ele suspirou.

— Você não sabe quem eu sou.

Fiz que não com a cabeça e me virei para a impressora do recibo, feliz por ter o que fazer. Entreguei a folha de papel a ele.

— Precisa de uma sacola?

— Não, obrigado — disse Billy Gillespie, com as faces da cor de tomate quando alguns clientes passaram por nós. — Escute, posso falar com você lá fora um minutinho?

Agora minha curiosidade tinha evoluído para o alarme.

— Desculpe — falei —, estou em horário de trabalho. — Cruzei os braços. O homem não me parecia uma ameaça, mas por que agia de um jeito tão estranho?

Parecia que Billy Gillespie queria dizer mais; porém, em vez disso, deixou os ombros caírem, derrotado.

— Tudo bem, eu entendo. — Eu o vi se arrastar para a porta. Ele me olhou uma vez, depois foi embora.

Atendi a outro cliente e quebrei a cabeça em busca de quaisquer Billy Gillespies de que devesse me lembrar. Tinha certeza de nunca ter ouvido falar nele.

Depois que o cliente saiu, as portas automáticas de vidro se abriram de novo. Billy Gillespie entrou por elas, e agora vinha na minha direção.

— Se eu puder ter cinco minutos do seu tempo — pediu ele, antes que eu o interrompesse.

— Preciso envolver o meu gerente nisso? — Tentei parecer corajosa.

Billy Gillespie ergueu os braços como quem se rende e desatou a falar.

— Eu não queria fazer isso assim, mas, tudo bem, é o seguinte: tenho certeza de que sou seu pai.

Fiquei de queixo caído. De todos os birutas que me pararam, ninguém tinha ido tão longe. Elevei a voz.

— É essa a sua ideia de uma piada?

Billy Gillespie ficou mortificado.

— Sua mãe é Patty Watts, não é?

Qualquer um que morasse a quarenta e cinco quilômetros de Deadwick e lesse jornal saberia disso.

— Meu pai morreu antes de eu nascer — falei, entredentes.

— Você tem vinte anos, não é? Nasceu lá por fevereiro de 1994?

Alarmada, encarei Billy e tentei me lembrar se alguma matéria de jornal tinha declarado meu nascimento. Decorei a maioria delas — tinha certeza de que não falaram nisso. Ainda assim, ele podia ter descoberto essa informação na internet.

— É melhor ir embora daqui, ou vou ter que chamar o segurança. — Minha voz era estridente e patética.

— Como você sabe que o seu pai morreu? — perguntou o homem.

— Vá embora, por favor — falei, sem olhar mais para ele.

Billy Gillespie tirou do bolso de trás da calça cáqui uma fotografia, dobrada ao meio. Abriu e a alisou. Estendeu para que eu visse, apontando as pessoas nela.

— Está vendo? — disse, entregando-a a mim.

Eu estava a ponto de convocar Robert, o segurança corpulento, que já nos observava com interesse, tentando entender se precisaria intervir. Depois vi a cara de minha mãe na foto.

Era vinte anos mais nova e sorria para um jovem Billy Gillespie.

— Está tudo bem, Rose Gold? — perguntou Robert atrás de mim.

— Onde conseguiu isso? — sussurrei.
— Estou falando a verdade — insistiu Billy Gillespie, com tristeza. — Agora vai conversar comigo?
Olhei para a loja. Será que alguém notaria se eu saísse? Olhei para o relógio.
— Estou bem, Robert — respondi ao segurança. — Cinco minutos — falei com Billy Gillespie. Eu o acompanhei para fora da loja.
Ficamos perto do meio-fio. Cruzei bem os braços.
— O que você quer? — perguntei.
Ele demonstrou surpresa.
— Não quero nada. Só pensei que era a atitude certa a tomar. — Ele me olhou de lado. — Talvez eu tenha me enganado.
— Minha mãe teve muitos amigos antes de ser presa — falei. — Esta foto só prova que você a conheceu quando os dois eram jovens. — Percebi que ainda segurava a foto e tentei devolvê-la.
— Olhe com mais atenção — disse Billy.
Examinei a foto. Os dois estavam deitados em uma cama, as cabeças apoiadas em travesseiros. Os dois estavam nus da cintura para cima. Felizmente, a foto era cortada acima do peito. O cabelo curto de mamãe estava despenteado. Billy tinha tirado a foto, de braço estendido.
— Mas o nome de meu pai era Grant Smith — protestei.
— E ele morreu de quê? — perguntou Billy.
— Overdose. — Fiquei nauseada. Ansiei pela sensação da testa no ladrilho frio do banheiro, embora normalmente isso significasse uma baba verde neon escorrendo de minha boca. Meu estômago se revirou de novo.
Billy suspirou.
— Sua mãe mentiu para você.
O que era mais provável? Um desconhecido que fingia ser meu pai, ou que minha mãe tivesse mentido para mim — de novo?
Merda.
Se vai fazer alguma coisa, que seja bem-feita, disse ela.
Billy continuou:
— Não me orgulho de ter abandonado você, mas achei que fosse ficar bem. Eu não sabia quem era Patty. E então estava no consultório do den-

tista uns meses atrás e vi uma edição antiga da *Chit Chat* com a sua entrevista — disse ele, constrangido. — Vi que pensava que eu tinha morrido. Tentei encontrar você na lista telefônica ou descobrir o seu e-mail, mas só dei em becos sem saída.

— O que você quer? — perguntei de novo, tonta. Eu ia chorar ou gritar? Parecia que meu corpo tinha virado pelo avesso. Belisquei com força a pele, usando o polegar e o indicador.

— Não sei. — Billy se remexeu. — Só me sinto culpado.

Eu o encarei. Devia saber que hoje seria um dia ruim — pela manhã, encontrei uma calculadora no meio da rua.

— Eu queria saber se você estava bem — disse ele. Ele me olhou de cima a baixo, como se encontrasse na blusa de meu uniforme as provas de tudo por que passei. Seus olhos pararam em meus dentes. Percebi que eu tinha a boca aberta.

— Se eu estou bem? — falei. Meu cérebro tinha virado um carrossel, algo que nunca permiti; mamãe achava que isso me dava enjoos. O mesmo com escorregas e balanços e basicamente qualquer passatempo infantil que fosse de alguma diversão.

Contive as lágrimas piscando, minhas mãos latejavam.

— Você me abandonou VINTE ANOS ATRÁS e agora aparece de mansinho aqui, querendo saber se EU ESTOU BEM?

Billy estremeceu, mas eu só estava começando. Como isso ainda acontecia? Primeiro minha mãe me traiu, depois Alex e agora este homem — meu suposto pai. Além disso, Phil ficava me evitando. Eu não ia aprender nunca? Não ia parar nunca de deixar que as pessoas pisassem em mim?

— Você nos abandonou — gritei. — A minha vida toda eu só queria ter um pai, como qualquer outra criança. Você deixou a gente se virar sozinha. Minha mãe estava sempre preocupada com dinheiro. É claro que não estou bem. Nada da minha vida ferrada teria acontecido se você estivesse presente.

Senti aquela dor na garganta, aquela que temos quando tentamos ao máximo não chorar. Mas eu tinha falado demais — agora não conseguia conter o choro. Sentei no meio-fio e baixei a cara nos braços. Minha blusa tinha cheiro do perfume de mamãe: o sabonete líquido Vanilla Bean. Tinha borrifado por toda a minha casa naquela manhã para fingir que ela ainda estava lá.

Billy se agachou ao meu lado, sem dizer nada. Depois de alguns minutos, meus ombros pararam de tremer. Imaginei a maquiagem manchando minha pele. Que zona eu devia estar. Não queria encará-lo.

— Peço desculpa por tudo pelo que você passou — disse ele, com a voz trêmula. — Foi tudo culpa minha. — Ele parecia sincero.

Levantei a cabeça e olhei para Billy. Ele tinha olhos castanhos e nariz pequeno iguais aos meus. Nós dois tínhamos o cabelo louro aguado. Sua perna saltitava no meio-fio como a minha quando eu ficava nervosa.

— Você é mesmo o meu pai?

Billy assentiu. Ele hesitou, depois passou o braço pelos meus ombros. Tinha cheiro de loção pós-barba amadeirada e McDonald's.

— Depois que eu li a matéria, não sabia o que fazer. Pensei que deveria deixar você em paz, não jogar essa bomba na sua cabeça, quando já estava sofrendo muito. Mas depois pensei que talvez você quisesse conhecer o seu pai, ou pelo menos saber que ele estava vivo. Tive vários pesadelos horríveis. Então eu vim de carro de Indiana, onde eu moro. Desculpe se eu tomei a decisão errada. — Billy tirou o braço de meus ombros e mordeu o lábio. Eu fazia a mesma coisa quando ficava preocupada. Havia semelhanças demais para ignorar.

— Tenho muitas perguntas — falei. Íamos passar o Dia de Ação de Graças juntos? Ele tentaria ter "a conversa" comigo? Ele esperava que eu torcesse para seu time?

Uma batida soou na vitrine da Gadget World. Scott estava na entrada e me olhava feio, de mãos nos quadris. Billy me ajudou a levantar.

— A que horas você sai do trabalho?

— Às cinco. — Eu já pensava no meio abraço de Billy, já desejava ter outro.

— Podemos jantar juntos? Que tal o Tina's Café, às cinco? Vou responder o que você quiser — disse ele. — Quero começar a compensar.

Pensei em quantas manhãs de Natal eu quis uma terceira meia acima da lareira.

— Eu posso ir ao Tina's — me ouvi dizendo.

Billy ficou radiante.

— Tudo bem, Rose, a gente se vê lá.

Levantei a mão para acenar e o vi atravessar o estacionamento. Ele entrou em um Camry vermelho. Ninguém me chamava de Rose, não ao alcance dos ouvidos de mamãe. Ela corrigia qualquer um que tentasse abreviar meu nome.

Na verdade, *Rose* foi a primeira ideia que minha mãe teve quando pensava em nomes de bebês. Disse que sempre gostou da expressão *lentes cor-de-rosa*. Ela queria que sua garotinha fosse cheia de otimismo com o futuro, apesar da ausência do pai e da família. Mas mamãe achou que *Rose* era comum demais para uma filha de Patty Watts. *Rose Gold*, por outro lado — não era o tom perfeito? "Me lembrava de faces ruborizadas. Ou de um poente rosa-claro. É o nome de uma garotinha que não dá para não amar", dissera ela uma noite, radiante.

Voltei ao Gadget World e me coloquei atrás do Caixa Um enquanto Scott me passava um sermão sobre tratar de problemas pessoais no horário de trabalho. Se Billy era meu pai, então ele esteve vivo a minha vida toda. O único motivo para eu ser criada sem um pai foi porque mamãe mentiu para mim a respeito dele. Quantas vezes perguntei a ela sobre meu pai? Quantas vezes ela se livrou da conversa e o chamou de mau?

Uma cliente se aproximou, interrompendo o sermão de Scott, graças a Deus. Dei um leve sorriso para ela e registrei sua câmera nova. *Mamãe o escondeu de mim.*

Ela me queria só para si. Se Billy estivesse presente, ela não poderia ter escapado com o veneno. Nunca poderia ter me provocado inanição. Billy estaria ali para intervir, para me proteger.

De todos os crimes que minha mãe cometeu contra mim, esse tinha sido, de longe, o pior.

As quatro horas seguintes de trabalho se arrastaram. A loja estava morta naquele dia e quase não tive cliente nenhum, além do velho sr. McIntyre, que trabalhava no mercadinho Walsh's e que eu conhecia a vida toda. Garanti a ele que o neto não ia gostar do game LEGO City Undercover que ele tinha na mão. Antes de sair, ele me disse pela milionésima vez que esperava me ver na igreja no domingo: o que alguém como eu precisava era exatamente dos ensinamentos de Jesus. Pela milionésima vez, ignorei-o e acenei uma despedida.

A tarde toda fiquei repassando minha explosão com Billy, já constrangida por isso. É verdade que ele tinha tomado umas decisões ruins, mas eu podia pelo menos ouvi-lo. Às quatro e quarenta e cinco, peguei meu casaco e a bolsa na copa e coloquei no caixa. Enquanto esperava pelas cinco horas, peguei o celular e mandei uma mensagem a Alex. Precisava contar a alguém.

> Você nem vai acreditar no que aconteceu hoje...

> Descobri que meu pai está vivo!

> Caraca. Que loucura!

Alex e eu não tínhamos nos falado muito desde aquela noite no bar. Ela ficara decepcionada quando eu disse que a sessão de fotos tinha sido cancelada, mas superou quando minha entrevista foi publicada. No dia seguinte, fez uma chamada de vídeo comigo e um bando de amigos dela.

Ela nunca pediu desculpa pelo que disse pelas minhas costas, então ou ela não sabia que eu tinha ouvido sem querer ou estava bêbada demais para se lembrar. Eu ainda estava meio chateada com Alex, mas lhe dava uma chance de se redimir. Não queria ser alguém que joga os amigos de lado depois de um erro. Além do mais, nem tinha outras amigas para colocar em seu lugar.

> Vamos conversar no Tina's. Estou tão nervosa.

> Boa sorte.

Até agora, sua redenção estava abaixo do esperado.

O relógio em meu celular mudou para as cinco da tarde. Vesti o casaco e acenei para Robert, depois saí correndo.

Quantas horas passei procurando por Grant Smith na internet? Cada minuto em que não estava compilando meu histórico médico ou falando com Phil, tentava encontrar provas de meu pai pilantra. Mas existiam Grants Smiths demais. Não consegui encontrar ninguém com esse nome que tivesse morrido em Illinois Central no ano em que nasci. Depois de duas semanas de madrugadas e becos sem saída, desisti.

Estacionei a van no Tina's, depois passei um pouco de gloss. Vi o Camry vermelho a algumas vagas de distância e entrei na cafeteria. Billy estava sentado a uma mesa de canto. Ele sorriu e acenou. Acenei também, depois passei as mãos na calça. Eu queria que esse jantar fosse bom.

— Obrigado por vir — disse ele. Sentei de frente para Billy. — Estava com um certo medo de você não aparecer.

— Me desculpe por ter gritado — falei. — Tive algumas pessoas na vida que não me trataram muito bem.

Billy se retraiu.

— Mas isso não é culpa sua — acrescentei.

Ele soltou a respiração.

— Que tal recomeçarmos? — Ele tamborilou os dedos na mesa. Estava mais tenso do que deixava transparecer. Notei a aliança dourada na mão esquerda.

— Você é casado? — Apontei para a aliança.

Billy fez que sim com a cabeça.

— O nome da minha mulher é Kim.

Tentei imaginar Kim. Concluí que ela era magra e teria o cabelo ruivo e bonito. Ela não seria nada parecida com minha mãe.

— O que você e a Kim fazem para se divertir? — Imaginei os dois em grandes aventuras juntos, indo a safáris, escalando o Everest, coisas assim.

— Tenho uma pequena horta no meu quintal... tomate, pepino, cebola. Até faço meus próprios picles. — Billy se interrompeu. — Para falar a verdade, passo a maioria dos fins de semana levando meus filhos a treinos de basquete ou natação.

Pestanejei.

— Você tem filhos?

Billy assentiu.

— Três. Sophie tem treze anos, Billy Junior tem onze e Anna tem seis.

Eles eram meus meios-irmãos, percebi. Sempre quis ter um irmão ou uma irmã. Esta podia ser a minha chance. Podíamos patinar no gelo na época do Natal, ou ir à piscina comunitária no verão, ou a matinês nas tardes de sábado.

— O que você faz em Indiana?

— Trabalho em um horário puxado demais. — Billy soltou um riso forçado. — Vendo seguro de vida.

Ficamos em silêncio por um minuto. A vida dele era tão encantadora, já plena. Ele teria espaço para outra filha? Eu deveria perguntar?

— A Patty te falou que eu tinha morrido? — perguntou ele.

Fiz que sim com a cabeça.

— Ela disse que você teve uma overdose, que era viciado.

Billy olhou para o próprio colo.

— Você era? — indaguei.

Ele levantou a cabeça, assustado.

— Nunca tive overdose de nada... exceto, talvez, de bolo de aniversário. — Ele riu forçado de novo, sem graça. Ambos estremecemos da piada ruim, mas ela me fez gostar mais dele. Me perguntei se isso era considerado uma "piada de pai".

— Então, você nunca usou drogas? — Detestei o tom esperançoso de minha voz.

Ele negou com a cabeça, agora sério.

— Além de fumar maconha uma vez quando fazia faculdade.

Acreditei nele. O rosto de Billy Gillespie era tão limpo que ele era praticamente um patinho de borracha. Ele era o tipo de pai que você pode respeitar, alguém que não mente para as pessoas de quem devia gostar.

A garçonete parou para pegar os pedidos. Escolhi limonada e um club sandwich e ele também — um bom presságio, sem dúvida. A garçonete se afastou e houve um silêncio constrangido. Billy deu um pigarro, mas não falou nada.

— Como você conheceu a minha mãe?

— Eu fazia alguns cursos na Gallatin, aquela faculdade comunitária a trinta minutos da minha casa. Pensei em ter uma vantagem, transferir alguns créditos para meu bacharelado quando começasse na Purdue no ano seguinte. Conheci a Patty no refeitório. Ela era sedutora e charmosa, não teve medo de tomar a iniciativa. Insistiu em me convidar para ir ao cinema com ela. Na terceira vez, eu disse sim.

Ele parou, como quem tenta responder à pergunta que não foi feita: por quê?

— Ela era divertida pra caramba — disse ele. — Eu gostava de ficar com ela.

A garçonete pôs as limonadas em nossa mesa. Billy e eu estendemos a mão para os saquinhos de açúcar ao mesmo tempo. Outro sinal. Sorri, mexendo o açúcar no copo com um canudinho. Esse homem parecia gentil e normal. Talvez eu não tivesse precisado de minha mãe. Talvez só precisasse de meu pai o tempo todo. Gesticulei para ele continuar.

Billy tomou um longo gole da limonada.

— Patty era muito divertida, mas na época eu não queria uma namorada. Tinha vinte e dois anos, ia para a universidade depois de fazer uns bicos na minha cidade por alguns anos. Nada ia me atrapalhar para conseguir meu diploma. — Ele me olhou fixamente. — Meu pai engravidou minha mãe quando eles tinham dezoito, então os dois fizeram o que deviam fazer... se casaram e se acomodaram. Nunca saíram da nossa cidade natal. Nasceram e morreram no mesmo hospital. Nunca viram o mundo, nunca tiveram nenhuma grande paixão. A felicidade era um objetivo frívolo aos olhos deles. Talvez frívolo seja a palavra errada. Inatingível.

Billy dobrou a embalagem do canudinho. Parecia uma criança pequena, pelo jeito como ficava inquieto.

— Eu respeito as decisões de meus pais, é sério. Mas não queria essa vida para mim. Então, quando a Patty me contou que estava grávida...

— Ele hesitou. Tomou sua bebida por uns segundos, depois se recostou na cadeira como se tivesse terminado a história. Eu precisava ouvir o resto.

— Quando ela te contou que estava grávida... — repeti.

Ele gemeu.

— Nós precisamos revirar toda essa lama? Eu já te disse o quanto lamento.

Eu precisava pisar com cuidado: não queria que ele mudasse de ideia a respeito de me conhecer.

— Estou tentando entender tudo do seu ponto de vista, é só isso.

Billy mordeu o lábio.

— Antes de mais nada, eu não entendi como a Patty conseguiu engravidar. Ela me disse que tomava pílula. Tinha um índice de sucesso de noventa e nove por cento... lembro de ter pesquisado. — Ele esfregou os olhos. — Ela disse que era um sinal de que a criança tinha de nascer. Quando ela me propôs uma saída, percebi que tinha planejado tudo. Fiquei feito um tonto. — Billy disse esta última palavra em um tom brincalhão para deixar o clima mais leve, mas seu maxilar se trancou por um segundo e o sorriso não chegou aos olhos. Mamãe sempre chamava esses de "falsos". Tirei minha mãe da cabeça.

— Dois club sandwiches — disse a garçonete. Colocou os pratos na mesa. — Posso trazer mais alguma coisa para vocês?

Fiz que não com a cabeça e peguei uma batata frita.

— E, depois, o que aconteceu? — perguntei.

Billy deu uma mordida no sanduíche e suspirou.

— A Patty falou que, desde que eu pagasse a pensão da criança, não precisava me envolver com ela, nem com o bebê. Concordei sem pensar duas vezes. Tinha chegado muito perto de ter tudo arrancado de mim... a Purdue, me apaixonar, esperar para ter meus filhos quando estivesse preparado. Mandei um cheque para ela todo mês até você completar dezoito anos.

Minha mãe me disse que os cheques nos envelopes brancos e simples vinham de meu avô. Disse que faziam parte da herança que ele nos deixara. Eu perguntei se alguma coisa que saíra da boca de minha mãe era verdade. Billy tinha cometido alguns erros, mas pelo menos era sincero.

— Ela ficou muito animada para ter um filho. Pensei que seria uma excelente mãe. Plenamente capaz de dar o amor de mãe e de pai. — Seus ombros baixaram. Ele me olhou. — Rose, espero que você saiba que eu lamento muito.

Meu pai não me queria, então foi embora, é simples. Agora que eu estava sentada de frente para ele, porém, seu abandono era menos importante. Ele tinha sido um garoto burro, mas agora estava aqui. Tinha se desculpado sem parar, quando ninguém mais na minha vida fazia isso.

Estendi o braço por cima da mesa, toquei em sua mão e sorri.

— Está tudo bem.

Ele também sorriu, aliviado.

— Eu adoraria receber você para jantar uma hora dessas. Você pode conhecer a Kim e as crianças. O que acha? É uma viagem de cinco horas, mas eu pago a gasolina. Vamos fazer alguma coisa divertida. Existe algo que você morra de vontade de experimentar?

Eu nem acreditava que ele tinha dirigido cinco horas para me ver. Me segurei na mesa, incapaz de conter a empolgação. Eu ia ter uma família normal. Aquele era o primeiro dia da próxima fase de minha vida — uma fase melhor. Rolei a palavra *papai* na cabeça.

— Eu adoraria — falei. — Nunca comi cheeseburger. Bom, quer dizer, tive uma versão de fast-food, mas não era do tipo caseira.

Billy fingiu uma expressão de horror.

— Que crime terrível. — Depois sorriu e levantou o braço para chamar a garçonete. — Vamos trocar números de telefone, depois pensaremos numa data, quando todos estiverem livres. — Ele me deu seu telefone. Digitei meu nome e número nele. Ele pegou meu telefone para fazer o mesmo, mas eu o segurei a acrescentei os dados eu mesma. Não queria que ele visse que eu tinha pouquíssimos números.

A garçonete trouxe a conta. Billy pegou o cartão de crédito. Eu quis pegar minha carteira, mas ele me dissuadiu com um gesto.

— Essa é por minha conta — disse ele.

— Tem certeza? — perguntei. Ele assentiu. Não pude deixar de sorrir, quase me esqueci de cobrir a boca. Isso parecia a televisão, em que os pais pagam as refeições da família e todas as crianças dizem: "Obrigado pelo jantar, papai!"

— Obrigada pelo jantar — falei.

Billy me acompanhou até meu carro e eu sorri de novo. Ele parecia o rei Tritão no final de *A pequena sereia*, depois de parar de ser tão duro com Ariel. Eu precisava me certificar de que Billy sabia que eu o havia perdoado. Ele era um dos mocinhos.

— Este foi o melhor dia que tive em muito tempo, então, obrigada — falei, olhando de lado para ele. — E espero que saiba que não estou zangada com você nem nada. Obrigada por ser tão sincero — concluí.

Billy me observou por um tempo.

— Fico feliz por termos uma segunda chance — disse ele, em voz baixa.

Não consegui resistir. Puxei Billy para um abraço, desta vez mais apertado. Suavemente, senti seu cheiro. Mais um sopro daquele cheiro de pai.

Ele se afastou e me segurou pelos ombros, as palmas das mãos úmidas, mas fortes. De perto, eu podia ver todas as sardas em sua testa, o estresse nos olhos.

— Vamos nos falar em breve, está bem?

Assenti, entrei em meu carro e acenei mais uma vez.

— A gente se vê logo... papai! — Esperei para ver como ele ia reagir.

Ele hesitou um pouco quando o chamei, mas se virou e acenou para mim com um sorriso rápido antes de entrar em seu Camry. Observei o carro arrancar do estacionamento e se afastar. Minhas mãos tremiam no volante. Não conseguia parar de sorrir, feito uma drogada. *Risadinha*, ela chamava. Franzi a testa.

Peguei o telefone. Mais uma mensagem.

> Consegui, eu o encontrei! Ele é o melhor cara do mundo. Eu não poderia ter pedido um pai melhor. Vou à casa dele em Indiana em breve!

> Oba.

Abri uma nova nota no telefone, relacionando todas as perguntas que esqueci de fazer no Tina's. Queria saber tudo sobre meu pai. Eu teria de espaçar as perguntas, talvez uma mensagem por dia.

Não podia correr o risco de ele fugir assustado.

9
PATTY

Uma manhã eu acordo e decido que o dia de hoje vai marcar meu retorno à sociedade. A boa gente de Deadwick ficou sem Patty por muito tempo e precisa que alguém bote uma pimenta em sua vida, que, sem mim, é tediosa. Talvez Mary não estivesse pronta para me perdoar, mas os demais estarão. Além disso, passaram-se duas semanas de minha soltura e desde então não saí de casa. O feriado de Ação de Graças é na próxima quinta-feira — uma ida ao mercadinho é o estágio perfeito para que eu ressuscite.

Minha agenda social pode estar vazia, mas progredi em outras frentes. Comecei a trabalhar na Free 2.0, dei início à decoração da casa e escrevi a carta que prometi à minha antiga companheira de cela, Alicia. Rose Gold até me deixou sozinha em casa com Adam uma vez, embora só por vinte minutos. Não estou mais perto de entender o que ela está aprontando.

Às vezes preciso lembrar a mim mesma o quanto sou paciente.

No banho, solto um gemido ao notar que minhas pernas viraram o Primo Itt. Algumas pessoas acham que a depilação é relaxante, mas não sou uma delas. Manter os cuidados com o corpo é cansativo. Tem depilação de perna, depilação de axila, depilação de virilha, tirar sobrancelha, cortar as unhas, pintar as unhas, tingir o cabelo, cortar o cabelo, tomar banho diariamente e uma infeliz penugem sedosa por meu pescoço que preciso arrancar com pinça. Quando termino uma rodada de todas essas tarefas, é hora de recomeçar e fazer tudo de novo. Às vezes tenho vontade de acolher minha hippie interior — ser aquela mulher que não se importa em ter pelos no corpo todo. Principalmente, queria não ter pelos.

Depois do banho, paro diante de meu armário, pensando nas opções. Escolho minha camiseta preferida. Tem a seguinte frase impressa em roxo: *Não ser matinal não dá nem pro começo*. Na verdade, eu *sou* uma pessoa matinal. Acordei às cinco e meia todos os dias na última década. Mas muita gente acha que as pessoas matinais são insuportáveis. É melhor que eu desça ao nível deles.

A casa está em silêncio, zumbindo. Rose Gold saiu para trabalhar horas atrás e deixou Adam na casa de Mary no caminho. Comecei a mexer na maçaneta do quarto dela toda manhã depois que ela sai. Mas a porta sempre está trancada. Hoje tento usar um grampo de cabelo para abrir a tranca, mas acabo quebrando o grampo. Minha curiosidade incha de uma comichão a uma assadura. Quero entrar naquele quarto.

Deixo a tarefa de lado por enquanto e visto meu pesado casaco de inverno. Decido caminhar os vinte minutos até o mercadinho Walsh's. Até parece que tenho alternativa, sem carro. Saio, surpresa com a ferocidade do frio.

A maioria das pessoas em Deadwick vê os meses de novembro a abril como uma proeza de resistência. Respiro o ar. Todos os pelos de meu nariz parecem grudados. Até as casas parecem frias, as entradas de carro estão vazias e as cortinas das salas, fechadas. Paro no final de nossa entrada e estreito os olhos para a velha casa dos Thompson, procurando sinais de vida. Talvez eu dê uma espiada lá dentro, para me tranquilizar de que não tem ninguém me vigiando.

Dou pequenos passos pela rua até chegar à beira do terreno abandonado. Hesito, depois digo a mim mesma para não ser ridícula. Andando pelo gramado, escolho o caminho em meio a pilhas de lixo. O vento geme e eu puxo o casaco para mais perto de mim. Paro antes dos dois degraus que levam à varanda, ponderando se essa é uma boa ideia. O ar em volta de mim cessa, de repente há silêncio, a não ser por um rangido distante. Vem de dentro da casa?

Subo o primeiro degrau frágil. A madeira de imediato estala e cede, me levando com ela. Dou um gritinho e agito os braços, tento manter o equilíbrio. Virando, fujo do jardim e atravesso a rua, de volta a minha própria calçada. Fico parada ali por um minuto, de mãos nos joelhos, bufando mais de choque que de cansaço. Fuzilo a casa com os olhos. Ela faz o mesmo para mim.

Já entendi.

Ando a passos firmes pela calçada, procuro parecer mais corajosa do que me sinto. Cortinas são abertas enquanto eu passo. Os rostos que me encaram são desgastados e seus olhos queimam minha nuca depois que os deixo para trás. Nenhum deles foi à nossa casa, nem quis reconhecer minha presença. Uma velhota empurrando um carrinho atravessa a rua quando me vê chegando.

Quando passo pelas casas, me abaixo para pegar o jornal e jogo nas lixeiras imensas. Não me importo de fazer a minha parte para poupar os vizinhos da leitura desse lixo. As notícias são apenas mentiras e sensacionalismo. Não devemos encorajá-las com nosso dinheiro ou globos oculares. Verifiquei se Rose Gold tinha assinatura de jornal no dia em que me mudei para sua casa.

Deadwick agora é velha, com algumas crianças aqui para substituir os doentes e moribundos. Nenhuma esperança, nenhum brio, nenhuma ambição nesta cidade. Só uma fila depois de outra de casas se deteriorando com seus donos. Um por um, vamos todos tombar.

Uma janela se abre. Um saco de lixo voa por ela e explode no gramado a três metros de mim. Lanço um olhar de ódio para a janela, mas não consigo ver quem jogou o saco. Continuo andando.

Estou decidida a andar, então tento me concentrar no que antigamente eu amava nesta cidade. A população de Deadwick tem pairado em torno dos quatro mil habitantes desde os anos 1970. Os recém-chegados foram vistos e em geral receberam as boas-vindas vinte anos atrás. Enquanto o resto do país se preocupava com furgões brancos sem identificação, os pais de Deadwick não precisaram se apavorar com a segurança dos filhos. A maioria dos adultos sabia o nome de cada criança que saía de bicicleta e a quem pertencia a criança, caso fosse necessário dedurar.

Causei sensação quando me mudei para a casa geminada — fui criada no lado antigo de Deadwick, então eu era uma cara nova no lado mais novo. Meus vizinhos ficaram felizes por eu ter substituído os Gantzer, que ficavam na deles em uma comunidade que enfatizava a união. Os Gantzer nunca participaram da caçada ao ovo de Páscoa da cidade, nem prepararam jantares para famílias de luto. Além do mais, o gato deles, Dante, antagonizava com os cães dos vizinhos. Tomei nota mentalmente do que era esperado de mim enquanto acariciava minha barriga de grávida. Sempre fui uma boa vizinha.

Minha participação na comunidade compensou quando chegou minha própria hora de necessidade. Não sei como eu passaria toda a infância de Rose Gold sem os vizinhos parando para deixar comida e me animar. Sempre havia alguém para um carinho em minhas costas, para suspirar solidariamente, para fazer eco a uma ideia quando os médicos não davam ouvidos.

Agora estou parada na entrada do Walsh's. Levanto a cabeça, endireito os ombros e passo pelas portas, ignorando o nó crescente no estômago. Levo um carrinho de compras para o primeiro corredor, pegando os artigos de minha lista. Ninguém presta atenção em mim. Não reconheço a maioria dos rostos, graças a Deus. O nó em meu estômago se afrouxa um pouco.

Me aproximo do balcão da delicatéssen. O ancião Bob McIntyre está no fatiador. Bob é inofensivo. Começarei por ele.

— E aí, Bob? — digo a suas costas. E aí? Meio demais, até para os meus padrões.

Bob se vira, com um sorriso na cara, até que me vê. Um vinco se forma entre as sobrancelhas ralas.

— Ouvi dizer que você tinha saído da prisão — diz ele.

— Ouviu bem — digo. — Estou planejando um jantar de Ação de Graças para minha família.

— Agora está morando com a Rose Gold? — pergunta ele, de braços cruzados.

— Claro que sim. Como tem passado a sua família? Como está a Grace?

— Ela está ótima — diz Bob. — O que eu posso fazer por você?

— Meio quilo de presunto. Fatiado — acrescento. — Já comprei o peru.

— Dou um tapinha no peru Butterball de dez quilos preso na cadeirinha infantil diante de mim. Vou engordar minha filha de um jeito ou de outro.

— O que estou vendo é uma galinha — diz Bob a meia voz. Ele pega o presunto na vitrine e se vira para o fatiador.

Quase me faz rir. Se esta é a pior ofensa que os moradores de Deadwick podem me atirar, vou ficar bem.

— Que quebra-cabeça está montando ultimamente? — digo às costas de Bob. Bob é fanático por quebra-cabeças.

Ele responde com relutância.

— Um de mil peças do sistema solar.

Resisto a fazer piada sobre sua capacidade de ficar em órbita. Bob não se encontra em um estado de espírito amigável. Ele me passa o saco de presunto fatiado.

— Ora, é bom estar em casa — digo.

Bob bufa.

— Tenha um bom dia.

Me despeço e continuo andando. Não é um começo horroroso. Passinhos de bebê.

Eu me obrigo a me demorar na loja. Flagro alguns olhares feios e ouço muitos cochichos fora de meu alcance, mas continuo colocando legumes nos saquinhos, fingindo não notar nada disso. Tenho tanto direito de estar aqui quanto eles.

Estou procurando pelos recheios quando encontro um funcionário da loja agachado, reabastecendo as prateleiras. Dou um tapinha no ombro dele.

— Com licença — digo, e paro de súbito quando percebo quem é. — Josh Burrows. — Cruzo os braços.

Ele levanta a cabeça, os olhos de roedor investigam meu rosto, tentando se situar.

Josh Burrows: o garotinho, agora um jovem, a quem desejei uma baixa pontuação no teste de proficiência escolar, calvície precoce no padrão masculino e uma vida inteira em companhia exclusivamente felina. Resisti ao impulso, todos aqueles anos, de procurar por ele para descobrir que tipo de psicopata teria virado.

— Posso ajudá-la? — ele pergunta, fingindo educação, fingindo que não se lembra de mim.

— Não se lembra da minha filha?

Ele coça o rosto esburacado.

— Desculpe, não. Fomos da mesma escola?

— Ela saiu da escola por sua causa. — Mantenho a voz baixa para que ele tenha de se inclinar para me ouvir.

Josh Burrows estreita os olhos, confuso. Eu devia saber que ele seria um estúpido quando adulto.

Suspiro de frustração.

— Só me diga onde estão os recheios.

— Corredor Nove — diz ele, com um sorriso, feliz por ter uma resposta.

— Tenha um bom dia.

Reviro os olhos e empurro o carrinho para o Corredor Nove.

Naquela tarde de março em que Rose Gold estava no primeiro ano, me permiti raras duas horas para relaxar. Acho que eu quase tinha terminado as palavras cruzadas quando recebi um telefonema da secretaria da escola me pedindo a gentileza de comparecer porque Rose Gold estava "bem, mas indisposta". Eles adotaram essa expressão durante dois anos, tendo telefonado para mim uma dúzia de vezes. *Indisposta não é bem*, eu queria rosnar.

Corri para a escola, onde encontrei Rose Gold ofegante, com lágrimas escorrendo pelo rosto. Tinha a peruca nas mãos, coberta de terra. Ela apertava as mechas douradas e sujas com os punhos, o couro cabeludo raspado exposto. "Está doendo, mamãe", ela chorou, segurando a peruca junto do peito. Notei que alguém tinha colocado Band-Aids em arranhões nos joelhos. Os arranhões não estavam ali naquela manhã.

— O que está doendo, neném? — Eu a puxei para mim. A pergunta era redundante, uma tática de enrolação. A realidade era que tudo doía:

seu peito, os pulmões, o estômago, a cabeça. Se a dor diminuísse numa área, uma região diferente a engolia, intensificava a chama. A dor nunca desaparecia, só se alteravam seus níveis de gestão. A maré sempre estava alta com minha filha. Ela me exauria.

Rose Gold meneou a cabeça, recusando-se a responder. Os funcionários da escola me convidaram para uma reunião, mas os ignorei. Carreguei Rose Gold para nossa velha van amassada, aninhando-a como eu fazia quando ela era um bebê. Coloquei-a na cadeirinha e pus a chave na ignição. A caminho de casa, olhei pelo retrovisor, meus olhos mais focalizados atrás do que na frente. Minha garotinha olhava pela janela, em silêncio.

Parei na garagem e desliguei o motor, deixando a cabeça pousar no banco por um minuto. Fechando os olhos, imaginei terminar as palavras cruzadas, levar minha filha ao parque, animá-la enquanto ela descia de cabeça por um escorrega.

— Querida, por que a sua peruca está suja? — perguntei, com um aperto no coração, já sabendo a resposta.

Atrás de mim, Rose Gold começou a sussurrar.

— No recreio, Josh Burrows disse que o meu cabelo era falso e puxou a peruca para provar. E depois ele e os outros garotos ficaram jogando a peruca, mas eu não consegui pegar e ela caiu na terra e eu tentei apanhar, mas o Josh me empurrou e eu caí na terra também. E aí eles todos enfiaram terra na minha boca. Para combinar com os meus dentes, foi o que eles falaram. — Uma única lágrima escorria por sua face. — Mamãe, o que é piolho?

Josh Burrows e seus comparsas vinham atormentando Rose Gold havia meses, derramando ketchup em suas roupas, colocando insetos mortos na mochila e a chamando por apelidos cruéis que os outros alunos adotavam. Essa tinha sido a primeira vez que a machucaram fisicamente. Desejei aos garotos mil mortes horrendas naquele dia e em cada dia desde então. Não me importou em nada que Josh tivesse sete anos.

Tentei ensinar minha filha a se defender, mas ela era um alvo fácil com todas aquelas enfermidades. Eu era meio sem noção nesse quesito — tinha sido popular na escola, só tirava nota máxima e aprendi a arte da autodepreciação em tenra idade. Rose Gold era sensível demais para rir de alguma coisa.

Relaxei as mãos, fechadas em punhos.

— O seu cabelo é lindo, meu amor. E você não tem piolhos. Josh Burrows é que tem piolhos. — Sem dúvida a lição errada a dar naquele momento, mas eu, afinal, sou humana.

Fui criada com meu pai pregando o desembaraço acima de qualquer coisa. De nada adianta ouvir os problemas de alguém se não podemos dar uma solução a eles. Eu podia resolver os problemas de minha filha. Eu me doía para ajudar.

— Quer ficar em casa com a mamãe de agora em diante? E se a mamãe for sua nova professora?

Rose Gold hesitou. Tinha falado na semana anterior que adorava a professora, que havia uma menina na turma com quem ela conversava muito. Talvez as duas fossem amigas agora, mas quanto tempo até essa menina se voltar contra ela também?

Essa transição facilitaria a vida para nós duas. Eu podia espremer as lições durante aquelas intermináveis idas a salas de espera. Podia aproveitar o consultório médico como oportunidade de diversão, em vez de algo que ela temia. Como aqueles exames aconteciam todo mês, nós íamos conseguir.

Rose Gold tirou os óculos de aro transparente e os limpou na camiseta do Piu-Piu. Esse gesto sempre me fazia sorrir — que ato antigo e sensato para uma criança. Passei a adorar aqueles óculos. Seus olhos pareciam umas contas sem eles, como se pudessem fugir do rosto sem a armação para mantê-los no lugar.

— O que você acha? — voltei a perguntar.

Ela recolocou os óculos e olhou para mim.

— Ainda podemos ter a hora do recreio?

Meu coração inchou, imaginando sua participação no recreio nos dois anos anteriores. Imaginei-a parada de lado no jogo de queimada e de pega-pega, mais sem fôlego do que os colegas de turma que corriam em volta.

Empinei o queixo, endureci a casca.

— Claro que podemos, meu amor. Vamos ter dois recreios por dia, o que acha disso?

Rose Gold assentiu e abriu o cinto de segurança. Eu torcia para que Josh Burrows e seus gorilas já estivessem sumindo de sua memória. A supermãe salvava o dia de novo.

No mercadinho, pego os dois últimos itens de minha lista e vou para os caixas. Um deles está aberto. Quatro pessoas esperam na fila enquanto o operador adolescente lentamente passa os produtos pelo scanner. Vou para o final da fila.

Um homem muito alto, magro como um poste, está na minha frente. Eu só conheço uma pessoa em Deadwick que tem mais de um metro e noventa. O homem se vira como se pudesse ouvir meus pensamentos. Fico cara a cara com Tom Behan.

Ele se assusta quase tanto quanto eu ao vê-lo sem bigode.

— Você raspou o bigode — solto.

Tom paira acima de mim, ajeitando os óculos.

— Eu soube que soltaram você — diz ele.

— Parece ser o assunto da cidade — respondo, gelada pelo tom de voz dele. — É estranho não te ver de jaleco.

Tom e eu fizemos enfermagem juntos na Gallatin. Ele era meu amigo mais chegado. Ficávamos acordados até tarde no apartamento dele, de palhaçada quando devíamos estar inquirindo um ao outro sobre controle de infecções. Ele continuou e obteve o diploma, e às vezes trabalhávamos em turnos coincidentes no hospital local. Acho que na época Tom tinha uma queda por mim, embora eu sempre pensasse nele como um irmão. Agora ele tem mulher e dois filhos.

— Chega de besteira. — Ele aponta o dedo para mim. — Você pode ter enganado sua filha e a levado a perdoá-la, mas nós temos uma memória melhor.

— Tudo isso foi um grande mal-entendido — digo. — Cometi alguns deslizes, mas cumpri a minha pena. A Rose Gold e eu estamos mais próximas que nunca. — Não é estritamente a verdade, mas Tom Behan não precisa saber disso.

Entredentes, Tom continua.

— Eu te dei o meu aval. Ajudei a pesquisar os sintomas dela, sugeri tratamentos e deixei você chorar no meu ombro. — Tom fica com a expressão assombrada e baixa a voz. — Você sabe os danos que nós causamos ao pobre corpo da menina? Em um corpo tão saudável? Nós fizemos um juramento...

— Ela quase não conseguia andar. Eu não chamaria isso de perfeitamente saudável. — Olho bem nos olhos de Tom Behan, de repente desesperada para reconquistar meu velho amigo, e tento um tom mais brando. — Pensei que poderíamos esquecer o passado.

Tom me encara. O caixa despachou um só cliente em todo esse tempo. Outro carrinho se junta à fila atrás de mim.

— Ora, ora, ora.

Eu me viro e vejo Sean Walsh, uma tora de homem que mal conheço, mas que teve muitíssimo a dizer a meu respeito à imprensa cinco anos atrás. Tom assente para Sean.

— A Patty aqui acha que nós devemos deixar o passado para trás — diz Tom, alto o bastante para que todos ao alcance possam ouvir. Eu me retraio.

— O passado para trás, é? — Sean coça a barba. Ele deixa o carrinho e avança alguns passos.

— Sim — digo, porque ele espera por uma resposta minha. Sean se aproxima com outro passo. Eu queria que ele recuasse. Todos na fila à nossa frente fingem examinar o expositor de chocolates enquanto se intrometem.

— Nós nos conhecemos desde os dezessete anos — diz Tom para mim.

— Talvez seja esse o passado que devemos deixar para trás.

Sean toma um gole do copo de café para viagem.

— Acho que a cidade toda gostaria de esquecer que você um dia fez parte dela.

Bem que sua bebida podia receber várias gotas do vidrinho marrom com tampa branca que tenho na bolsa.

— Tom, seja sensato — digo em voz baixa.

Tom avança um passo para mim.

— Sensato? — Ele se engasga. — Partindo de uma mulher que quase matou a filha de inanição? — Ele ergue as sobrancelhas para Sean. Tom está dando um show, mas reconheço a dor em sua voz. Sei o quanto ele está aborrecido. Se fôssemos só nós dois, eu daria um abraço de urso nele, como fiz no dia em que ele não passou no primeiro exame de certificação. Fui eu que o convenci a tentar novamente. Se eu o abraçasse neste momento, na frente de Sean Walsh e dos outros clientes, ele talvez me desse um tabefe.

— Não peça para sermos *sensatos*. — Sean dá outro passo à frente. Está perto o bastante para estender a mão e tocar em mim. — A coisa *sensata* que você deve fazer agora é sair desta loja antes que eu mesmo te tire daqui.

Alguém, a uma curta distância, aplaude. O calor sobe pelo meu rosto.

— Mas... — Gesticulo para meu carrinho cheio de comida.

— Meu irmão não precisa do seu dinheiro — diz Sean, apontando a porta. Bill Walsh é o dono do mercadinho. — Vá comprar a sua comida em outro lugar.

Tom e Sean formam um semicírculo à minha volta. O único jeito de escapar é pela porta da loja. Lá fora, os galhos desfolhados se curvam com o vento, estendendo-se para mim.

Imagino uma árvore para cada cidadão de Deadwick. Os braços compridos de madeira levantam as pessoas alto, mais alto, cada vez mais alto. Depois, quando Tom e Sean e até os pequenos Timmys estão quinze metros no ar, as árvores soltam suas presas, todas ao mesmo tempo, em harmonia. Sou sua regente. Os corpos batem no chão, mas não como pétalas de rosa. Caem de cabeça e por cima da nuca e achatam a coluna. Os corpos são meu tapete, pintado de vermelho. Limpo meus sapatos na cara deles.

Fico firme por um segundo, de queixo erguido, os punhos cerrados. Tento olhar nos olhos de Tom, para pedir misericórdia, mas ele não me olha mais. Sua expressão sugere que ele tenha acabado de pisar em cocô de cachorro.

Eles não me dão alternativa. Vou para a porta, cabisbaixa, deixando onde está o carrinho de compras cheio. Penso na geladeira vazia em casa, nos olhos vagos de Tom Behan.

Saio pela porta.

Atrás de mim, o grupo explode em aplausos.

# 10
ROSE GOLD

Novembro de 2014

Peguei quatro horas de estrada, dirigindo para o leste na I-74 e depois para o norte na I-69. Hoje era o grande dia: ia conhecer a família de meu pai e passar a noite em Indiana. Nos últimos quatro meses, ele e eu trocamos muitas mensagens de texto e conversamos ao telefone várias vezes. Só precisei ouvir durante essas conversas: papai foi tagarela o suficiente por nós dois. Fiz essa observação uma vez e ele concordou que, com a idade, começou a falar com estranhos em todo canto, quer estivesse em uma fila de supermercado ou parado em uma cabine de pedágio.

Adicionei meu pai, Kim e as duas outras crianças nas redes sociais. Era minha esperança de que a família passasse a me amar antes mesmo de me conhecer pessoalmente. Meu pai e Kim não eram tão ativos na internet quanto os filhos, em especial Sophie, de treze anos. Dei like em cada atualização de status que ela postou; foram muitas e eram aleatórias.

O segundo dedo do meu pé é maior que o primeiro. Quando eu era criança, alguém me disse que isso significa que eu sou um gênio. Mas naquela época eu já sabia que significava que o meu pé era horroroso.

Agora vou falar: desconfio que o câncer vai ser o meu fim. Meus quatro avós morreram de câncer, de mama, garganta, pele e/ou próstata. O único mistério é a qual desses vou sucumbir, mas o último é improvável.
Eu desconfiava de que as pessoas chamariam Sophie de "uma figura". O verão passado foi longo, mas agora, em novembro, o clima esfriava. Minha mãe estava na prisão fazia dois anos. Quanto mais próxima eu ficava de meu pai, mais raiva sentia dela. Ele era um homem gentil e amoroso, e ela o mantivera longe de mim. Por todo esse tempo pensei ser a pessoa com quem ela mais se importava. Mesmo quando testemunhei contra ela, não sabia se tomava a atitude certa — só passei por aquilo porque a sra. Stone e a polícia disseram que eu deveria fazer. Mas duvidei de mim mesma o tempo todo. Só que os repórteres tinham razão: ela era um monstro, ela era peçonhenta. Minha mãe era uma mulher egoísta. Só amava a si, e ninguém mais.

Desde que meu pai entrou na Gadget World em agosto passado, estive apagando de minha vida todos os traços de mamãe. Pensei em trocar de sobrenome, embora *Rose Gold Gillespie* fique meio exagerado. Me distanciei da sra. Stone porque ela me trazia lembranças ligadas à minha mãe. Parei de usar os ditados idiotas de mamãe — chega de *olhos de Natal* e *pulinhos de cachorrinho*. Não me perguntava mais o que ela faria sempre que eu precisava tomar uma decisão. Estava farta de ser seu capacho, inteiramente farta dela. Agora eu tinha uma nova família. Torcia para eles me deixarem inteira.

Fiquei tão arrebatada por conhecer meu pai que tive de colocar a visita a Phil em compasso de espera. A viagem de cinco horas de carro a Fairfield era mais importante do que a viagem ao Colorado. Eu podia fazer as duas — e faria —, mas por enquanto Phil teria de esperar. Quando falei sobre meu pai, ele me deu apoio e foi um amor. Phil entendia que eu o amava, mas não estaria disponível, como de hábito. Precisava compensar o tempo perdido com meu pai.

A última hora de viagem voou e eu me vi mais rápido do que esperava em um subúrbio arrumadinho. Essa cidade era uma versão refinada de Deadwick: as casas eram maiores, a grama era mais verde, até os cachorros pareciam mais felizes. Parei na garagem do número 305 da Sherman

Street. Combinava que meu pai de televisão tivesse uma casa de televisão, uma estrutura de dois andares e tijolos aparentes que era sólida e bem conservada, mas não era chamativa. As aparências sugeriam que a família Gillespie vivia com conforto, mas não era rica. Fiquei louca para entrar lá.

Peguei a sacola de papel pardo com minhas coisas para dormir no banco traseiro da van e segui a pé pela entrada. Meu pai abriu a porta.

— Bem-vinda! — disse ele.

Abracei papai e o segurei com força, aliviada por ele ainda ter cheiro de loção pós-barba amadeirada e McDonald's.

— Entre, entre — disse papai, conduzindo-me para dentro. Esperando no hall de entrada estava uma mulher que calculei no final dos trinta anos, mas o bronzeado falso a fazia parecer mais velha. Abri os braços para dar um abraço em Kim, mas em vez disso ela estendeu a mão cheia de unhas de acrílico. Tinha uma francesinha lascada em uma unha. Ela era diferente do que eu esperava.

— Kim — disse ela, me observando. — É um prazer conhecê-la.

Segurei sua mão e sorri de boca fechada.

— O prazer é meu. — Eu tentaria o abraço de novo quando fosse embora no dia seguinte.

— Deixa eu te levar à grande excursão — disse meu pai, com uma piscadela. Ele deixou minha sacola de lado no saguão.

Passamos primeiro pela sala de estar. Dois sofás beges gastos e uma TV ocupavam a maior parte do espaço. Um caixote com cobertores grossos estava ao lado de um dos sofás. As paredes eram cobertas do chão ao teto com fotos da família, em preto e branco e emolduradas — viagens ao parque de diversões Six Flags, primeira comunhão, festas de aniversário, as crianças correndo por irrigadores de gramado, as crianças esperando na fila do caminhão de sorvete, as crianças mostrando na mão o primeiro dente que caíra. *Olhe só para nós*, gritavam elas. *Veja todos os lugares aonde fomos, as coisas que fizemos, como somos adoráveis.* Senti um aperto no peito quando vi tudo que eu tinha perdido.

Passamos à cozinha. Evidências de uma família agitada cobriam a geladeira. Ímãs com letras do alfabeto seguravam boletins escolares, convites para chás de bebê e listas de afazeres. Alguns cartões de Natal já haviam sido presos na lateral. Pensei na época antes da prisão de minha mãe, quando todos os nossos vizinhos em Deadwick nos mandavam cartões de Natal. Mamãe me deixava colá-los no batente da porta entre a sala de estar e a cozinha. Afugentei o pensamento.

Papai me mostrou a sala de jantar, onde havia uma mesa para seis pessoas. Em uma parede tinha uma cristaleira cheia de miniaturas de porcelana Precious Moments e outros objetos frágeis. Um conjunto de LEGO estava espalhado perto do armário. Kim vagava atrás de nós de um cômodo a outro. Senti os olhos dela em minha nuca, me examinando enquanto eu não podia vê-la. Tentei me concentrar na excursão com papai.

Andamos por um corredor e meu pai apontou para o banheiro do térreo. Fomos para a escada e notei uma portinha embutida embaixo dela.

— O que tem aqui? — perguntei, estendendo a mão para a maçaneta.

— Nosso armário sazonal — disse papai, gesticulando para eu abrir a porta. — Enfeites das festas de fim de ano, papel de embrulho, coisas assim. Ninguém nunca entra aí.

Baixei a cabeça e me coloquei dentro do espaço pequeno e inacabado. Guirlandas, meias de Natal, cestos de Páscoa, um grande kit de costura, fantasias de Halloween e outras coisas enchiam o espaço. O armário estava abarrotado, nada de especial, mas gostei da intimidade dele, como se escondesse segredos em seu isolante térmico exposto.

Papai gesticulou para eu o acompanhar. Abriu uma porta de vidro de correr na sala, dando para o quintal. Fui para o pátio e entrei no fim de tarde gelado. O céu começava a escurecer.

O quintal dos Gillespie tinha um balanço em um canto, um trampolim em outro. No pátio havia duas cadeiras e uma churrasqueira. Meu pai parou junto da churrasqueira, segurando a alça da tampa. Quando parei de olhar em volta e me concentrei nele, ele levantou a tampa com um floreio.

— Tan-taaaan! — Na grelha havia uma dúzia de hambúrgueres.

Ele se lembrou. Pisquei, contendo as lágrimas.

— Agora — disse ele —, uma aula. — Na cadeira do pátio, pegou um avental com a frase *Cozinho em troca de beijos* bordada em caracteres divertidos, e amarrou na cintura. Acendeu a churrasqueira.

— Primeiro, salpicamos sal com alho e cebola na carne — explicou, enquanto trabalhava. — Depois, alguns borrifos de molho inglês. — A carne ainda estava crua, mas minha boca já salivava.

— Nunca aperte o hambúrguer enquanto estiver cozinhando — disse papai. — Vai espremer todo o sumo. Só vire os hambúrgueres uma vez... cerca de três minutos de cada lado. E, por fim, vamos tostar o pão e passar manteiga.

Fiquei em silêncio, mas emocionada com a normalidade de grelhar carne no quintal de meu pai. Quando os hambúrgueres e os pães estavam prontos, papai e eu levamos as travessas de comida para dentro e os colocamos na bancada da cozinha.

— Vou te apresentar às crianças enquanto deixamos os hambúrgueres descansarem alguns minutos. — Antes que eu pudesse perguntar, ele acrescentou: — Assim o sumo pode se redistribuir pela carne.

Eu o acompanhei à escada do hall.

— Crianças — papai chamou —, desçam para conhecer a Rose.

Me preparei, ansiosa para conhecê-los. Alguém desceu batendo os pés na escada. Outros dois vieram atrás.

Conheci primeiro Anna, a de seis anos. Ela sorriu para mim, com dois dentes da frente faltando, um bom presságio. Meu pai pôs a mão em seu ombro.

— Anna, esta é Rose Gold — disse ele, meio nervoso.

Me agachei ao mesmo tempo que Anna avançava um passo e caímos em um abraço apertado.

— Seu cabelo tem um cheiro tão bom — sussurrou Anna, torcendo uma mecha nos dedos. Imaginei nós duas fazendo castelos de areia na praia, eu a colocando no balanço no parque, ela me convidando para um chá.

— Rose, este é Billy Junior — disse papai. Um garoto magricela de onze anos estava parado de mãos nos bolsos, sem me olhar nos olhos. Parecia pouco à vontade, mas, na hora, imaginei que todos os garotos agissem assim. Acenou rapidamente para mim antes de devolver a mão ao bolso.

— E esta é Sophie — continuou meu pai. A menina de treze anos estava parada no meio da escada, de braços cruzados. Tinha uma acne branda e usava aparelho nos dentes. O que eu teria dado para ter usado um aparelho na idade dela.

Sorri para ela, de boca fechada. Ela sorriu também, depois olhou a rua pela janela da frente.

— Você tem uma van? — Ela parecia impressionada... e meio grosseira.

Eu esperava que meus novos irmãos e a madrasta me recebessem de braços abertos. Pensei que estivessem tão animados comigo quanto eu com eles. Até agora, todos, menos Anna, tinham sido apáticos.

— Sophie — Kim a chamou da cozinha —, me ajude a colocar o jantar na mesa.

Sophie passou por mim a trote, sem dizer nada. Tentei esquecer a sensação ruim: tínhamos a noite toda para dar uma virada nessa primeira impressão.

— Vamos nos sentar, crianças? — disse papai. O "crianças" me incluía. Eu era uma entre seus filhos. Fiquei radiante, fingi examinar as unhas para que ele não notasse como eu estava pateticamente feliz por fazer parte de seu grupo.

— Posso ajudar em alguma coisa? — perguntei.

Ele fez que não com a cabeça.

Voltamos à sala de jantar. A mesa transbordava de coberturas e condimentos.

Anna, Billy Junior e eu nos sentamos.

— Esse é o lugar da mamãe — disse Anna, apontando para a cadeira que eu escolhera. Dei um salto, estremecendo.

Billy Junior revirou os olhos.

— Isso não tem importância, Anna.

— Não revire os olhos para a sua irmã — disse papai.

Billy Junior suspirou e tirou do bolso um saco de biscoitos Goldfish. Comeu dez de uma só vez, como um bebê sem autocontrole.

— Deixe isso de lado. Vai perder o apetite — papai resmungou.

Billy Junior colocou os biscoitos no bolso.

— Onde eu sento? — perguntei a eles.

Anna deu um tapinha no lugar ao lado dela. Sentei ali. Ela recomeçou a brincar com meu cabelo. Eu tinha me esquecido como era bom se sentir cuidada.

Kim chegou com a travessa de hambúrgueres e Sophie veio bem atrás com os pães. Papai encheu os copos de todos com leite. Depois que a família inteira estava sentada à mesa, meu pai começou a dar as graças. Kim baixou a cabeça e fechou os olhos, mas as crianças simplesmente olhavam para os hambúrgueres. Decidi baixar a cabeça e ficar de olhos abertos, para saber se não tinha perdido algo. Mas nada aconteceu; as crianças ficaram sentadas ali, esperando.

Quando terminou, meu pai esfregou as mãos.

— Tudo bem, Rose, temos cinco opções de queijo para a refeição de hoje: americano, cheddar, Monterey, suíço e provolone. Temos mostarda amarela e de Dijon, e também ketchup, maionese e molho barbecue. E aqui temos tomate, alface e cebola roxa. O mundo é sua ostra. Pode pirar.

Eu não sabia por onde começar, nem o que escolher. Vi Kim preparar um hambúrguer para Anna antes de se servir. Billy Junior estava na metade de seu primeiro sanduíche quando peguei um hambúrguer e um pão. Fiquei admirada com a rapidez com que o garoto conseguia devorar a comida. Torci para que ele comesse dois, assim eu poderia comer também. Com cuidado, cortei uma fatia de tomate e tirei uma folha do pé de alface.

— Já conhecia Indiana, Rose? — perguntou papai.

— Não, é a primeira vez — respondi. Todos ficaram roubando olhares para mim quando achavam que eu não via. Fingi não perceber, colocando cebola roxa por cima do tomate.

— Bem-vinda, então — disse papai. — Estamos todos felizes por você ter vindo.

Por alguns minutos, eles comeram em um silêncio constrangido. Me perguntei se era sempre assim tão quieto ou se eu os deixava desconfortáveis.

Kim falou.

— Como foi a viagem? Não há muito para ver pelo caminho, não é?

— Não foi ruim — respondi. — Muitos milharais, mas esta é minha primeira viagem de carro, então foi meio divertida. Comprei Doritos e brinquei com o Jogo do Alfabeto.

— Que legal — disse Kim.

Ao mesmo tempo que Billy Junior falava em voz baixa:

— Sozinha?

Espremi ketchup e mostarda em meu pão e espalhei por igual com uma faca. Arrumei bem cada ingrediente, como se meu hambúrguer pudesse aparecer na capa de uma revista de culinária.

Billy Junior só me encarava, incrédulo.

— É só comer — disse ele, em voz baixa.

— Deixe a Rose em paz — falou meu pai. Ele me olhava com expectativa.

Dei um pigarro e peguei o sanduíche, sentindo o cheiro da carne grelhada. Abri bem a boca e pus o hambúrguer para dentro, cuidando para pegar um pedaço de cada ingrediente. Suspeitei de que a primeira mordida fosse a mais importante. Afinal, o hambúrguer deixaria de ser arte e passaria a ser combustível.

Fechei os dentes no sanduíche e mordi com força. Deixei a mistura rolar na boca: a mostarda picante, a alface crocante e a carne salgada e suculenta. O hambúrguer estava perfeitamente delicioso. Eles tiveram todo esse trabalho só por mim.

Fiz ruídos de satisfação, até balançando a cabeça um pouco para mostrar meu prazer. Papai sorriu para Kim. Depois de um minuto me observando, eles voltaram à comida em seus próprios pratos. Todos comemos em silêncio.

— Então, a sua mãe está na prisão? — perguntou Sophie, sem rodeios.

— Sophie — papai a repreendeu, procurando apoio em Kim. Mas ela olhava para mim, esperando por minha resposta.

Dei um pigarro.

— Agora já faz dois anos.

— Você deve odiar a sua mãe, né? — perguntou Billy Junior, os olhos apontados para a mãe dele. Como Kim não o desestimulou, ele acrescentou: — Se tudo o que você disse for verdade.

— Isto não é conversa apropriada para a mesa de jantar — estourou papai, com uma tensão na voz que não estava presente quando ele repreendeu Sophie.

Sophie olhou rapidamente para Billy Junior. Nenhum deles respeitava nosso pai. Senti pena dele e ainda mais de mim. Mordi o lábio.

Em um tom baixo, Kim falou.

— Eles só querem saber mais sobre a Rose Gold.

— O que eu não entendo — disse Sophie — é por que você não comia ou escovava os dentes. A Anna aprendeu a escovar os dentes faz um ano.

Consegui impedir que meu queixo caísse, mas olhei fixamente para Sophie, sem saber como a conversa tinha dado uma guinada tão rápida. Mamãe sempre disse que é preciso dar aos provocadores uma amostra de seu próprio veneno. E é claro que eu gostaria de amassar um hambúrguer na cara de Sophie, mas não tinha decidido que não queria nenhuma relação com minha mãe?

Além disso, papai e Kim nunca deixariam que eu me unisse à família se não fosse gentil com os filhos. Talvez ter uma irmã significasse querer jogar comida na cara dela em sessenta por cento do tempo.

Anna sorriu para me mostrar os dentes.

— Eu passo fio dental também. Né, mamãe?

— É isso mesmo, querida. — A tensão na cara de Kim se metamorfoseou em pena. — Rose, nós lamentamos muito saber de tudo o que aconteceu durante o seu crescimento.

Sorri, forçada.

— Obrigada, Kim. — Eu torcia para que eles tivessem entendido a dica e percebessem que eu não queria falar do passado. Estivera me recuperando firmemente por quase três anos, mas as pessoas ainda gostavam mais de mim como uma fracote do que como a mulher saudável em que me transformara. Eu precisava de uma mudança de assunto, e rápido.

Abri a Billy Junior meu sorriso mais caloroso.

— Eu sempre quis ter um irmão.

— Meio-irmão — resmungou Sophie para seu prato.

Minhas faces ruborizaram. Papai se virou para Kim de novo, esperando que ela dissesse alguma coisa, mas ela bebeu um longo gole de leite.

— Uma irmã também — acrescentei, pensando que talvez Sophie se sentisse excluída.

— Meia-irmã — Billy Junior me corrigiu.

Eu não podia vencer esses dois. Eles pareciam as filhas da madrasta de Cinderela.

— Já chega — papai gritou com Billy Junior. — É esse o tipo de homem que quer ser quando crescer? Um homem que atormenta as pessoas mais fracas do que você?

Billy Junior baixou os olhos.

Meu pai me olhou como quem se desculpa e se virou para Sophie.

— Como foi o treino hoje?

Sophie passou a uma explicação de dez minutos sobre os novos exercícios que o treinador de basquete mandara a equipe fazer. Eu não sabia o que significava nada daquilo, mas fiquei aliviada por não ter os cinco Gillespie me encarando pelo menos por um tempinho. Tentei aparentar interesse enquanto terminava meu hambúrguer. Não era assim que eu esperava que o jantar acontecesse.

Precisava tentar de novo — talvez os esportes fossem a porta de entrada. Queria ser mais atlética.

— Vocês viram a Olimpíada de Londres? — perguntei, quando Sophie parou de falar. — Adorei a Gabby Douglas, especialmente a rotina nas barras assimétricas.

Billy Junior revirou os olhos.

— Isso já faz dois anos.

Papai lançou ao filho um olhar fulminante.

— A Rose ficou meio ocupada em 2012, tendo de servir de principal testemunha no julgamento de um crime. Ela não teve o luxo de ficar sentada de pijama o dia todo como você.

Billy Junior encarou o prato, mas não disse mais nada. Kim olhou suplicante para papai. Ele a ignorou. Me senti meio mal porque ele maltratava Billy Junior, mas também explodi de alegria por ele defender a mim, e não o filho. Além disso, Billy Junior merecia se encrencar. Ele era uma peste.

Kim se virou para mim.

— Todos nós adoramos a equipe de ginástica. A Gabby Douglas também era a nossa favorita. — Imaginei que ela estava disposta a bancar a pacificadora, qualquer coisa para romper a tensão entre o marido e o filho. Continuamos a comer em silêncio.

Quando Billy Junior terminou o segundo hambúrguer, deduzi que podia comer outro também. Kim perguntava a Sophie sobre o tornozelo lesionado de uma colega e se ela ia para a quadra no jogo deste fim de semana. Inclinei-me para a frente.

— Pode me passar o pão... papai? — falei em voz baixa.

A cabeça de Kim se virou rapidamente para mim. Sophie parou o que falava. Seus olhos se encontraram por sobre a mesa. Papai fingiu não ter notado e me passou a travessa.

Rompi o silêncio com um elogio — isso sempre funcionava com a minha mãe.

— Sua casa é linda, Kim — eu disse. — Adoro como é aconchegante, com fotos da família em todos os cômodos.

Kim sorriu rigidamente para mim. Meu pai colocou a mão na dela.

— Nós fomos muito abençoados com esses três. — Kim apontou para os filhos com a cabeça. — Eles não são uns anjos, mas achamos que tivemos muita sorte.

Anna sorriu, radiante. Billy Junior revirou os olhos. Sophie estremeceu. Meu pai passou o braço por Kim, animando-se.

— Nós queríamos ter mais um, mas...

— Pai. — Sophie gemeu, mortificada. — Que nojo.

Anna puxou meu braço.

— A gente vai dormir numa barraca — disse ela, empolgada.

Olhei pela mesa, confusa.

— Nós vamos a Yellowstone no verão — explicou papai. — Vamos acampar.

Toda a família se animou ao falar da viagem. Atropelavam-se em sua ansiedade.

— Vamos alugar canoas — disse Sophie.

— E assar marshmallows — anunciou Anna.

— Quero fazer a fogueira — acrescentou Billy Junior. — E vamos pescar. Né, papai? — Ele olhou para nosso pai, tão fervoroso e cheio de esperança que percebi que afinal ele talvez não fosse uma peste. Talvez fosse só um garoto que queria a aprovação do pai, que não sabia como agir perto da irmã havia muito desaparecida.

Papai assentiu e sorriu, seu mau humor se acabara.

— Quando será a grande viagem? — perguntei.

— Depois do feriado de Quatro de Julho — disse Kim, relaxando um pouco. Ela sorriu com a animação das crianças. Ficava bonita quando sorria. — Não acampamos há anos, desde que a Anna nasceu.
— Quando eu estava na sua barriga? — perguntou Anna.
— Antes disso até — disse Kim.
Anna ficou confusa, mas não comentou.
Sophie intrometeu-se de novo.
— A Anna acha que viu o Billy e eu na barriga da mamãe. — Todo mundo riu. — Ela disse que tinha uma loja de brinquedos ali dentro também.
— Não disse, não — protestou Anna.
— Você disse, sim — todos reagiram. Eles agora pareciam mais felizes, riam e brincavam. Era uma família assim que eu queria.
— Vou mostrar àqueles caras como se prepara waffles em uma fogueira. — Papai estava tão emocionado quanto as crianças. Me imaginei metida entre Sophie e Billy Junior em um tronco no escuro, contando as histórias de fantasma mais assustadoras que eu pudesse inventar. Íamos ficar a noite toda acordados e rindo. Papai me encarregaria de grelhar os hambúrgueres.
— Eu adoraria ir com vocês — soltei.
Kim parou para me olhar. Até papai ficou sem saber o que dizer. Sophie e Billy Junior olharam os pais.
Anna bateu palmas e gritou.
— A Rose pode ir? Quero ficar sentada do lado dela no carro!
Papai abriu um sorriso amarelo para Anna.
— Vamos ver, meu amor. — Ele se virou para mim. — Vamos conversar sobre isso depois, está bem?
Assenti. Isso significava um não. Droga... será que eu tinha estragado tudo? Meu coração estava aos saltos. Não devia ter me convidado daquele jeito, mas eles fizeram a viagem parecer tão divertida. Eu podia me imaginar no próximo verão, não sozinha em meu sofá em Deadwick com uma pilha triste de filmes, mas aninhada em um saco de dormir com meus irmãos roncando baixinho a meu lado em nossa barraca. Não queria tanto uma coisa desde *Disney on Ice,* quando tinha dez anos.

Kim começou a tirar a mesa.

— Anna, por que você não leva Rose para a sala e mostra a ela os seus DVDs? Que tal deixar que ela escolha o filme para hoje à noite?

Anna me puxou pela mão até a sala e me mostrou sua coleção de filmes da Disney. Meus dedos roçaram as lombadas dos filmes a que eu tinha assistido incansavelmente nos últimos dois anos: *Peter Pan*, *Mulan*, *Dumbo*. Peguei o último título na prateleira.

— Detesto esse filme — disse Anna, com amargura.

— Por quê? — perguntei, surpresa.

Ela olhou os próprios pés.

— As meninas da escola dizem que eu tenho orelha de Dumbo.

Senti um nó no coração.

Eu me agachei para ficar da altura dela.

— Sabe de uma coisa? No fim o Dumbo consegue voar. Ele é o mais legal de todos os elefantes.

Anna olhou para mim, em dúvida.

Coloquei seu cabelo atrás das orelhas, que eram grandes, mas não tanto quanto ela devia temer. Ela me olhava, esperando. O que eu deveria fazer? Dizer a ela para amar seus defeitos enquanto eu economizava cada dólar para me livrar dos meus?

— Qual é o filme da Disney de que você mais gosta? — perguntei.

— *Frozen* — respondeu, de imediato.

Ofeguei.

— O meu também! Vamos ver esse e eu vou fazer tranças no seu cabelo.

Anna negou com a cabeça, deixando que o cabelo cobrisse as orelhas de novo.

— Não gosto de tranças.

Não, você não gosta que elas mostrem suas orelhas. Eu conhecia cada truque que existia.

— Ah, o que é isso? Você vai ficar igualzinha à Anna e à Elsa! — falei. — Vamos combinar assim. Se você detestar as tranças, a gente desfaz rápido. Mas vamos ver se você gosta delas.

Anna pensou no assunto, depois concordou com a cabeça.

— Tá legal.

Enquanto o resto da família lavava a louça do jantar, trancei o cabelo de Anna como se minha vida dependesse disso, até entrelaçando uma fita roxa pelas mechas. Pratiquei em minhas perucas inúmeras vezes, mas nunca tinha trançado o cabelo de uma pessoa. Agora eu sabia que toda a minha prática havia acontecido para esse momento. Quando terminei, a trança estava perfeita. Anna correu ao banheiro para se olhar no espelho. Prendi a respiração. Segundos depois, ela voltou correndo à sala de estar e me abraçou forte. Sorri, encostando o rosto no alto de sua cabeça, saboreando a alegria simples de fazer outro ser humano feliz.

Depois que a sala de jantar estava arrumada, todos os Gillespie se acomodaram no sofá para ver *Frozen* juntos. Anna me informou de que eu estava sentada no lugar de papai, mas meu pai disse que estava tudo bem e que esta noite queria experimentar um lugar novo. Fiquei radiante, agradecida por ele me incluir na família.

Billy Junior e Sophie não gostavam do filme tanto quanto Anna e eu. Ficaram ao telefone o tempo todo. Sophie suspirou quando Anna cantou junto "Let It Go" a plenos pulmões. Eu achei uma graça. Ela brincava com o cabelo o tempo todo.

Depois do filme, Kim disse às crianças para se prepararem para dormir e me levou ao segundo andar. Me mostrou rapidamente o lugar: o quarto principal e o banheiro; o quarto de Anna e Sophie; o quarto de Billy Junior; e o quarto de hóspedes, onde eu dormiria.

O quarto de hóspedes tinha uma cama de casal e paredes amarelas em tom pastel. A base das paredes tinha patinhos decalcados. Kim notou meu olhar.

— Antes era um quarto de bebê. — Ela pegou outra manta em um baú para mim. — Ainda não repintamos. Meu Deus, a Anna já tem seis anos? Agora fiquei sem graça. — Ela riu, forçado. Gesticulei com desprezo, disse que tinha adorado.

Ela colocou a manta ao pé da cama.

— Se você ficar com frio.

Uma dor por todo o corpo me tomou. Sentia falta de alguém maternal. Kim apontou para um banheiro entre meu quarto e o de Billy Junior.

— Se você quiser se lavar, tem sabonete líquido, creme dental e essas coisas no armário de remédios.

Anna entrou no quarto correndo e pulou na cama de hóspedes.

— Quero dormir com a Rose!

— Você devia estar na cama — Kim a repreendeu. — Vai ver a Rose amanhã. Agora temos de deixar que ela durma. Ela teve um longo dia dirigindo.

Anna fez beicinho.

— Mas...

— Nem mais, nem menos — disse Kim, apontando para a porta. — Pare de enrolar.

Anna suspirou, como Sophie fizera antes. Foi a passo duro para a porta. Kim acompanhou Anna, começando a fechar a porta.

— Se precisar de alguma coisa, me fale.

Segurei a mão de Kim e apertei.

— Obrigada por tudo — eu disse, olhando-a nos olhos para que ela soubesse que minha gratidão era sincera.

— Durma bem — disse ela, retribuindo o aperto.

Kim foi para o quarto principal e eu empurrei a porta, deixando-a entreaberta. Lavei o rosto no banheiro e pensei em nossa velha casa geminada. Tínhamos um banheiro só. Os Gillespie tinham três. Cada um mais bonito que o outro. Sempre achei que era minha culpa mamãe e eu não termos dinheiro: se ela não passasse tanto tempo cuidando de mim e me levando a consultas médicas, talvez pudesse ficar em um emprego. Mas entendi tudo errado. Mamãe tinha me usado para se aproveitar de meu pai e de nossos vizinhos. Ela só pegava algum bico — faxineira, cuidadora, escriturária — quando corríamos o risco de não ter como pagar a hipoteca no mês. Ela decidira por nós duas sobreviver com pouco.

Quando terminei de escovar os dentes e fechei a torneira, ouvi murmúrios vindo do quarto de Kim e papai. Fui à porta deles e espiei ali dentro. Os dois estavam no banheiro, de porta fechada. Entrei no quarto na ponta dos pés e fiquei o mais perto da porta do banheiro que me atrevia, me esforçando para ouvir.

— Você não pode esperar que eles ajam como se ela fosse a melhor amiga deles — dizia Kim. — Ela é praticamente uma estranha! E se convidar para nossas férias em família? De onde isso saiu?

— Eu sei, amor — concordou papai. — Eu sei que é uma grande mudança, mas não sei o que fazer. Ela não tem mais ninguém.

— Ela não tem amiga nenhuma? — perguntou Kim. — Diga a ela para viajar com as amigas.

Silêncio por alguns segundos.

— Vou conversar com ela — disse papai. — Mas não posso deixá-la na mão.

A porta do banheiro começou a se abrir. Alarmada, saí o mais rápido que pude e disparei de volta ao quarto de hóspedes. Parecia que meu coração ia saltar direto do peito. A conversa deles continuou no mesmo volume, mas não consegui ouvir o resto.

Fechei a porta do quarto em silêncio e subi na cama grande e confortável. Me deitei como uma estrela-do-mar nos lençóis, esticando bem braços e pernas. Nunca dormi em nada além de uma cama de solteiro. Talvez, depois de ter dinheiro para consertar meus dentes, eu economize para comprar uma cama de casal para minha casa.

Surpreendentemente, eu não estava tão chateada. É verdade que Kim não me aceitou na velocidade da luz, mas papai, sim. Ele me convidou a vir para cá e me deixou ficar em sua casa, e agora me defendia da esposa. Já criávamos um vínculo indestrutível. Eu precisava trabalhar para conquistar Kim, Sophie e Billy Junior, como tinha feito com papai e Anna. Precisava de uma história, um motivo sólido, para ir naquela viagem de acampamento no verão. Depois de uma semana inteira de vínculo, eles iam ver que eu não era uma estranha. Era igual a eles. Escutei os Gillespie se preparando para dormir e olhei fixo para o teto, pensando.

Na manhã seguinte, papai e eu fomos dar uma caminhada pelo bairro antes de eu pegar a estrada. Eu tinha de trabalhar no dia seguinte e precisava ir para casa.

Andamos em um silêncio agradável por um tempo. Eu ainda pensava no que tinha entreouvido na noite anterior. A certa altura, precisava levantar o assunto do acampamento, para dar a ele outra chance de me convidar. Minha nova família estava a ponto de formar todas aquelas lembranças sobre as quais refletimos trinta anos depois, nossas primeiras férias em família — eu precisava participar.

Viramos uma esquina. A casa de papai agora estava à vista.

— Quando vamos poder ficar juntos de novo? — perguntei.

— Vamos pensar em alguma coisa em breve — disse papai. — Agora você sabe onde me achar. — Ele deu uma piscadela. Abri um leve sorriso a ele. Um dia eu conseguiria sorrir com confiança, pôr à mostra todos os meus dentes perfeitamente retos.

— Rose — continuou ele —, você não me falou dos seus amigos. Moram todos em Deadwick?

Todos?

— Bom, minha melhor amiga é Alex. Ela faz faculdade em Chicago — falei. — Mas as coisas não têm estado ótimas entre nós.

— E por que não?

— Não sei — falei, tentando memorizar cada centímetro do bairro: o velho se arrastando para pegar o jornal, as crianças andando de skate na rua, o passeador tentando controlar sete cachorros. — Nós discordamos em algumas coisas.

— Há quanto tempo você a conhece?

— Desde que éramos crianças. Ela era minha vizinha em Deadwick antes de ir para Chicago.

— Me parece um relacionamento bem forte, para durar tanto tempo — disse papai. Dei de ombros. — Talvez você deva se sentar e se resolver com ela. Amigos assim são muito menos comuns do que você imagina.

Concordei com a cabeça.

— Tudo bem, vou tentar.

Meu pai ficou satisfeito.

Eu me virei para ele.

— Você acha que a Kim gosta de mim?

Ele fingiu surpresa.

— É claro que gosta. Por que está me perguntando isso?

Essa era a minha chance.

— Eu, bom, sem querer, ouvi vocês conversando ontem à noite. Ela não quer que eu vá ao acampamento. — Olhei fixo para ele, mas ele evitou meus olhos.

— Rose — ele tocou meu ombro —, não dê muita importância a isso. Você e eu tivemos meses para nos conhecer, mas o restante da família só te conheceu ontem. É muito para assimilar, mas eles todos adoraram você. Tenho certeza disso.

Um leve sorriso se formou em meus lábios.

— Eu os adorei também.

Ele ainda não tinha me convidado. Não ia convidar, percebi. Isso *era* para parecer o *Disney on Ice*.

Quando eu tinha dez anos, vi um cartaz no Walsh's do *Disney on Ice*. Durante semanas, pedi a minha mãe para me levar ao espetáculo em Chicago. *Vou ficar na minha cadeira de rodas*, prometi. *Não vou de peruca. Vou fazer o que você quiser*. Imaginei encontrar Ariel na vida real e conseguir uma daquelas varinhas iluminadas e giratórias que Alex tinha. Talvez eu até conseguisse conversar com outras crianças.

Enfim, minha mãe cedeu. Escolhemos uma data — 10 de maio de 2004 — e ela comprou os ingressos, ou me disse que tinha comprado, não sei. Eu já planejava comprar para ela um presente de agradecimento por me levar; daria um chaveiro da sra. Potts para a chave do carro. Todo dia, durante seis meses, contava os dias que faltavam para nosso show.

Na manhã de 10 de maio, uma hora antes de precisarmos partir para Chicago, comecei a vomitar e não conseguia parar. Tentei esconder isso de mamãe, mas ela me pegou com a cabeça metida na privada. *Sinto muito, querida*, disse ela. *Vamos em outra ocasião*.

Nunca fomos.

Meu pai e eu continuamos andando, agora quase chegando a minha van, em sua entrada de carros. Eu tinha de ir nessas férias. Não podia sair de Indiana sem uma promessa. Quebrei a cabeça, frenética. Lembrei-me do olhar de pena de Kim no jantar na noite anterior — o único momento em que ela verdadeiramente se colocara a meu lado. Talvez, como todo mundo, os Gillespie gostassem mais de meu antigo ser.

Quem não arrisca não petisca, disse minha mãe.

Parei de andar, assim ele parou também.

— O caso — falei — é que eu estou doente.

Papai virou a cabeça de lado, tentando entender.

Respirei fundo. A história tropeçou de minha boca com tal velocidade que parecia a verdade.

— Andei tendo uns suores noturnos, febres e essas coisas nos últimos meses. No início não achei nada de mais, mas depois pensei que devia ir ao médico, por precaução. Então eu fui e ele quis uma biópsia. Retiraram um nódulo linfático de minha axila e mandaram para análise. O médico me ligou com o resultado dois dias atrás. Eu tenho linfoma de Hodgkin.

As lágrimas brotaram em meus olhos. Por um momento, imaginei que eu realmente estivesse doente. Quase podia sentir os suores e febres noturnos, podia conjurar a linha fina da boca do médico ao dar a notícia.

Papai gaguejou um pouco, a cor sumiu de seu rosto. Detestei mentir para ele.

— Isso... isso é... meu Deus, que coisa... horrível. Rose, eu sinto muito.

— Ele me pegou nos braços. Estremeci de alívio. Como é reconfortante ser abraçada, faz a gente se sentir em casa.

— Em que estágio? — perguntou ele.

— Três — falei, agarrando-o com mais força.

Enfim o conhecimento enciclopédico de minha mãe sobre doenças tinha sua utilidade. Ela uma vez fez um médico me submeter a uma biópsia, insistindo que eu tinha todos os sintomas de alguém com linfoma de Hodgkin. O resultado deu negativo, é claro.

— Começo a quimioterapia daqui a duas semanas — falei —, mas quem sabe se vai dar certo? É por isso que eu quero ir tanto a esse acampamento. Desculpe, eu sei que não devia ter me convidado, mas nunca tive férias em família. A visita a vocês neste fim de semana foi a minha primeira viagem para fora do estado. Tem tanta coisa que eu ainda quero fazer. Tantas coisas que nunca pude, porque, bom, você conhece a história.

Papai me abraçou ainda mais forte, acariciando meu cabelo. Eu podia ficar ali, naquela calçada com ele, para sempre.

— Eu só queria fazer uma viagem — sussurrei, as lágrimas escorrendo pelo rosto. — E se eu não...?

Papai me calou.

— Olha, você vai ficar bem, entendeu? Olhe para mim. — Ele virou meu queixo para cima e nossos olhos se encontraram. — Vamos resolver isso. Juntos.

Fechei os olhos e deixei que ele me embalasse. *Juntos, juntos, sempre juntos, juntos para sempre.* Sorri e funguei. Teria de pesquisar botas de caminhada.

Ficamos parados ali até eu sentir o olhar de outra pessoa em mim. Abri os olhos e espiei a casa dos Gillespie. Parada na varanda da frente, olhando para nós, estava Kim.

— Está tudo bem? — ela nos perguntou.

Mais do que bem, Kim. Está tudo incrível.

11
PATTY

Às quatro horas em ponto, o jantar de Ação de Graças é servido. Depois de colocar o último prato na mesa da cozinha, recuo e examino minha obra. Talvez eu tenha batata-doce no cabelo, mas a palavra que me vem à cabeça ainda é *triunfo*.

No meio da mesa está um peru assado. Cercando-o, meia dúzia de pratos repletos de recheio, purê de batatas, batata-doce, brócolis cozidos, molho de cranberry e abóbora assada. Torta de maçã e torta xadrez — uma mistura deliciosa com creme de baunilha — estão preparadas na geladeira. Fiz tudo isso sozinha, sem queimar um prato que fosse. A cozinha está uma bagunça, mas me preocuparei com isso mais tarde. Preparei um banquete. Meu amor por minha filha está arrumado na mesa.

Endireito os guardanapos de linho que comprei na TJ Maxx e acendo as velas votivas. Estive tão ocupada preparando esta refeição que, por algumas horas, nem pensei na expressão sofrida de Tom, a rodada de aplausos coléricos a minhas costas quando saí do Walsh's. Depois disso, tive de pegar o ônibus até um mercado a duas cidades de distância para comprar nossa comida. Toda a experiência humilhante ficou passando ciclicamente por minha cabeça na última semana. Tive de encontrar um novo Tom, amigo de uma nova enfermeira no hospital. Minhas pernas tremem quando penso que nunca mais falarei com ele.

— O jantar está pronto — grito para a sala de estar, onde Rose Gold canta "Row, Row, Row Your Boat" para Adam.

Ela se junta a mim à mesa, Adam metido em seus braços. Ela beija as faces dele antes de colocá-lo no moisés. Seus olhos se esbugalham quando veem o banquete.

— Você se superou — diz ela, sorrindo.

Faço um gesto de desprezo, mas nós duas sabemos que é uma grande coisa. Sem conhecer minha competência culinária antes da prisão, eu servia quaisquer pratos congelados tamanho família que estivessem à venda. Rose Gold nunca os comia mesmo.

Ela estende as mãos para o purê de batatas, mas eu a impeço.

— Antes de comermos — digo —, acho que cada uma de nós deve dizer um motivo para ser grata. Você começa.

Tudo bem, então estou torcendo por mais adoração.

Rose Gold passa um instante pensando.

— Sou grata pelo Adam. — Ela fica radiante. — Ele vai mudar a minha vida.

Adam?

Foi Adam que preparou o banquete imaculado diante dos olhos dela? Foi Adam que se ofereceu para pagar metade da hipoteca? Só o que ele faz é cocô e se recusar a dormir a noite toda.

O milagre da vida é muito menos interessante quando é o milagre dos outros.

Olho rapidamente para o bebê no moisés. Ele esperneia e sorri para mim, como se quisesse me lembrar do gnomo adorável que é.

Aperto firme a mão de Rose Gold.

— Ele já mudou.

— E o seu? — pergunta Rose Gold.

— Sou grata por você. — Olho-a nos olhos. — Você e as segundas chances.

Ela sustenta meu olhar, depois vira o rosto, constrangida.

— Vamos comer — digo, rompendo o silêncio.

Nós duas enchemos os pratos com a comida fumegante da mesa. Parto primeiro para o peru: é o prato que me deixa mais nervosa. Mas a ave está perfeita: cheia de sabor, nenhuma parte seca. Empilho a comida na boca, nem me lembro de respirar entre as garfadas. Depois de trabalhar de pé o dia todo, estou faminta.

— Amanhã você está de folga, não é? — pergunto. Pego mais recheio com o garfo.

Rose Gold nega com a cabeça, girando a colher no purê de batatas.

— Black Friday... vou fazer hora extra. Tenho de chegar lá às seis.

— Seis da manhã? — exclamo. — Quem em seu juízo perfeito quer comprar uma TV assim tão cedo? Essas pessoas não consomem triptofano suficiente se estão de pé e inteiros na manhã depois do feriado de Ação de Graças.

Rose Gold dá de ombros.

— Por que você não deixa o Adam aqui, então? — sugiro. — Assim você não precisa levantar ainda mais cedo para levá-lo à casa da Mary.

Rose Gold pensa na proposta.

— Tudo bem — diz ela depois de alguns segundos. — Se você tem certeza de que não se importa.

Bato palmas, animada. Esta é a primeira vez que ela concorda em nos deixar sozinhos por um tempo mais longo. Um dia inteiro com o pequeno Adam — as possibilidades são infinitas.

Quando termino meu segundo prato, não posso mais ignorar que o de Rose Gold ainda está cheio.

— Querida, você não comeu muito. Não está gostoso? — Ela não se atreveria a insultar minha obra magna.

Rose Gold assente e dá uma garfada na batata.

— Está tudo delicioso.

— Você não pode trabalhar tanto e alimentar um bebê com tão pouca comida. Você precisa ter forças — digo. — Se não por você, pelo menos por Adam. — Fecho a cara para minha filha. — Promete?

— Tudo bem, tudo bem. — Rose Gold levanta as mãos como quem se rende, olhando preocupada o filho. — Eu prometo.

Satisfeita, concordo com a cabeça e me levanto. Abro a porta do freezer em busca do sorvete de baunilha. Quero que ele esteja macio, na consistência perfeita para combinar com minhas tortas. Procuro em cada prateleira, mas não encontro o pote em lugar nenhum.

— Você tomou o sorvete? — pergunto, me virando para Rose Gold.

Ela examina um pedaço de peru no garfo.

— Pus no freezer do porão — diz ela. — Para abrir espaço para o leite.

Boto as mãos nos quadris. Ela sabe que odeio o porão. O freezer daqui de cima tem muito espaço.

— Você pode ir lá pegar? — Não desço ali desde que me mudei de casa.

Rose Gold faz uma careta.

— Eu iria, mas prometi a alguém que vou comer toda esta comida. — Ela gesticula para o prato transbordando e mete um pedaço de peru na boca. — Tenho muito trabalho pela frente. — Ela mastiga e sorri com doçura.

Alguém ainda não aprendeu quem é que manda aqui.

Trinco os dentes e saio da cozinha. Ela me observa.

Abro a porta do porão. Posso ver o freezer branco e reluzente à direita da escada. Vou descer correndo, encontrar o sorvete e voltar para cima.

Dou um primeiro passo hesitante na escada. Penso em Adam. Segundo passo. Penso em Rose Gold. Terceiro passo. Adam. Quarto passo. Rose Gold. Sétimo passo. Meu pai. Nono passo. Mamãe; décimo passo. Ele. Minha boca fica seca. Meus joelhos vergam. Escorrego até me sentar na escada, respirando mal. Olho para as vigas do teto. Meu irmão David pendurado em uma ponta.

Papai e os socorristas retiraram David antes que eu chegasse da escola. Às vezes me esqueço de que eu não estava presente, mas posso muito bem ter visto seu suicídio pelo número de vezes em que imaginei meu irmão de dezessete anos sozinho aqui. Na realidade, a última vez que vi David foi naquela manhã, à mesa do café. Acho que nenhum de nós se despediu antes de eu sair voando pela porta para pegar o ônibus. Eu tinha sete anos.

Ele usou o cinto de papai, aquele maldito que nos espancou centenas de vezes. Papai nunca voltou a usar aquele cinto, nem nenhum outro, em mim.

— Achou? — Rose Gold chama da mesa.

Empurro meu corpo para cima e me recoloco de pé. Minhas pernas tremem. Pego o sorvete no freezer e subo a escada. Vou ao banheiro em vez da cozinha e tranco a porta. Coloco o sorvete no chão e me sento na privada com a cabeça entre os joelhos. Quando minha pulsação volta ao normal, jogo água da pia no rosto. Observo as gotas escorrerem pelo meu nariz e pelas faces.

Depois de alguns minutos, recuperei o controle e estou pronta para enfrentá-la. Volto pelo corredor. Por hábito, experimento a porta do quarto de Rose Gold, esquecendo-me por um segundo de que ela está em casa e pode me ouvir. Não cheguei mais perto de descobrir o motivo. Está na hora de começar a desvelar esse mistério.

Alguns dias atrás, tentei forçar a entrada no quarto pela janela, mas a janela também está trancada e é pesada e antiga. Não cedeu. Arquejei do lado de fora, no frio, com as mãos nos joelhos, e me lembrei da casa abandonada com olhos. Espiei por cima do ombro. Uma cortina se mexeu na janela da casa dos Thompson. Um calafrio subiu pela minha coluna.

Nunca fico sozinha aqui, nem quando sou a única em casa.

Quando volto à mesa, fico satisfeita em descobrir que quase não encontro comida nenhuma no prato de Rose Gold. Ela dá uma última dentada no peru. Pego as tortas na geladeira. Coloco-as na mesa, com o sorvete.

Rose Gold geme e ri.

— Sobremesa também? — Ela não mostra sinais de remorsos pelo inferno que me obrigou a passar, nem quando fui julgada, nem agora.

Eu me obrigo a relaxar.

— Que jantar de Ação de Graças não tem uma torta? — brinco. — Hoje é para valer, garota. — Sirvo para mim mesma uma fatia de torta xadrez e outra de torta de maçã. Cubro com uma colherada de sorvete de creme.

— Só vou comer um pedaço da sua. — Ela pega um pouco de torta xadrez em meu prato e coloca na boca. Empurro meu prato para perto dela, para o caso de querer mais, e observo minha filha. Talvez esteja pronta para falar.

Invoco a maior indiferença que consigo.

— E então — começo —, por que mesmo você comprou a antiga casa dos meus pais?

Rose Gold levanta a cabeça, perplexa — ou finge estar, não sei.

— Já te contei, era uma surpresa para você. Para te ajudar a seguir em frente.

— E eu contei para *você* sobre os maus-tratos do meu pai — digo, tentando não cerrar os dentes. — Isso sem falar do suicídio do meu irmão no porão. Você achou que era uma boa ideia me obrigar a reviver essas lembranças?

Rose Gold vira a cabeça de lado, me examinando.

— Não acha que está na hora de parar de deixar que o seu pai morto controle a sua vida?

— Ele não controla a minha vida — começo a protestar, mas percebo o que ela faz. Ela me obriga a ficar na defensiva, me empurra de volta ao julgamento na mesa de minha própria cozinha. Este interrogatório é *dela*, não meu.

— Então, por que você ainda tem medo desta casa? — continua Rose Gold. — O seu pai morreu há décadas. Ele não vai sair da parede e bater em você.

Hora de mudar de tática. Giro o garfo na mão e olho para Adam, que está acordado no moisés e olha para mim.

— Sabe de uma coisa? — digo despreocupadamente. — Com dois meses, a maioria dos bebês reconhece a voz e o rosto da mãe. Já notou que o Adam não vira a cabeça quando você fala?

Rose Gold estremece como quem é apunhalado no coração.

— Isso não é verdade.

Dou de ombros.

— Ele não parece muito ligado a você. — Deixo Adam passar os dedos em volta do meu.

O pânico toma o rosto de Rose Gold. Ela pega Adam no moisés e o segura bem perto, procurando pistas em seu rosto.

— Ele é um bebê bonzinho — diz ela, mais para si mesma do que para mim.

— É, sim — concordo. — Não chora nada quando você sai.

Ela vira a cabeça de repente e me encara. Abro um sorriso caloroso. Ela morde o lábio — a dúvida se amontoa sobre o medo. Quase posso ver as engrenagens girando em sua cabeça. Ela está se perguntando se eu falo a verdade, se tenho razão a respeito de Adam. Talvez esta conversa a faça perceber que ela precisa se concentrar em cuidar da família em vez de nos afastar. Talvez comece a se preocupar mais com o futuro e menos com o passado.

Terminamos a sobremesa em silêncio. Ofereço outra garfada a Rose Gold, mas ela faz que não com a cabeça. Seus olhos estão colados no rosto de Adam enquanto o embala.

Assim que meu prato fica vazio, Rose Gold se levanta e entrega Adam a mim.

— Vá relaxar em sua poltrona — diz ela, com um carinho em minhas costas. — Pode ficar de olho no Adam enquanto lavo a louça?

— Claro que sim — digo, me arrastando para minha poltrona Barca-Lounger com a criança nos braços.

Assim é que eu gosto. Detesto fazer minha filha duvidar de suas capacidades como mãe, mas não vou ser aterrorizada nem tratada com condescendência em minha casa. Vou restaurar a confiança de Rose Gold assim que ela entrar na linha. Preciso ter certeza de que ela superou o desejo infantil de se vingar de mim.

Uma hora depois, Rose Gold se junta a mim, se jogando na outra poltrona.

— Está tudo limpo — anuncia ela. Vira-se para o lado que estou. — Este foi o melhor dia de Ação de Graças que tive em muito tempo.

— Para mim também. — Sorrio, me lembrando dos últimos cinco feriados de peru seco e congelado e purê de batatas aguado servidos com utensílios de plástico nas bandejas do refeitório. Sempre que pensar no fiasco do mercadinho, vou me lembrar desse elogio. Decido perdoar minha filha por ter me destratado antes.

Rose Gold liga a televisão. Espero para saber se ela não está vendo o noticiário, depois cochilo.

Acordo com Rose Gold acariciando meu braço.

— Vamos para a cama — sussurra ela. — Boa noite, mãe.

Ela carrega Adam pelo corredor.

— Está pronto para dormir? — pergunta a ele. — Vai sonhar com cachorrinhos? Ou quem sabe com gatinhos? — Ela fecha a porta ao entrar e começa a cantar para ele.

Eu me estico, preguiçosa e longamente, depois me levanto da poltrona. Bocejando, passo pela cozinha a caminho da cama. Abro a geladeira. Uma dúzia de potes de plástico com a comida está empilhada e arrumada. As bancadas e a mesa da cozinha estão imaculadas. Rose Gold fez um trabalho completo de limpeza daquela bagunça. Depois localizo um saco Ziploc esquecido, cheio de gordura de bacon, na prateleira de cima da geladeira. Pego e levo pela porta lateral, lembrando de como o recheio estava delicioso.

As luzes se acendem. Saio na noite congelante. Abro a lata de lixo e jogo o saco de gordura ali. Estou a ponto de recolocar a tampa quando noto um pedaço de comida solta por baixo de um saco de lixo preto. Dou uns muxoxos — se tem um buraco no saco, Rose Gold não devia deixar o lixo se derramar. Pode esquecer os saques dos guaxinins: os lixeiros têm regras rigorosas. Tudo precisa estar ensacado.

Retiro o saco de lixo da lixeira, esperando que seu conteúdo se derrame para todo lado. Em vez disso, o saco mantém sua forma. Levanto ao nível dos olhos, procurando rasgos. Não tem nenhum. Olho para a lixeira. Dentro dela tem peru, purê de batatas, batata-doce, brócolis cozidos, molho de cranberry e abóbora — a quantidade de um prato. Penso no prato vazio de Rose Gold quando voltei do banheiro.

Bom, quem diria? Minha filha esconde alguma coisa de mim. Essa coisa parece ser um distúrbio alimentar. Fiz vista grossa esse tempo todo, mas os fatos me estapeiam a cara. Seu corpo encolhendo, refeições de barras de granola, escondendo a comida que jogou fora: não posso mais negar.

Em todos esses anos, eu disse às pessoas que ela era doente.

No fim das contas, olha só quem tinha razão.

12
ROSE GOLD

Janeiro de 2015

Olhei para as embalagens de comida chinesa. Alex e Whitney já a devoravam, com os hashis entre os dedos. Nunca experimentei usar hashis. Minha primeira tentativa não seria na frente delas.

— Posso usar um garfo? — perguntei ao espaço entre as duas.

Alex não parou de comer. Whitney resmungou um "Gaveta à direita da geladeira" enquanto rolava a tela do celular.

Quando voltei, elas começaram a conversar sobre os planos para aquela noite, falando em opções que se materializavam de suas telas.

— A Jenna quer ir ao Hangge Uppe — disse Alex.

— Bebida barata no Kelsey's — propôs Whitney. — Vai rolar um time de basquete.

— O Tyler e os caras vão ao Kirkwood. — Alex bebeu um gole do vinho rosé em sua taça de haste curta. Olhei para o rótulo da garrafa (Sutter Home White Zinfandel) e fiz uma anotação mental para comprar esse vinho em meu aniversário de vinte e um anos. Falta menos de um mês.

Meu bolso vibrou. Peguei o celular e dei uma dentada na carne à Mongólia. Estava morna, mas ainda saborosa, ao mesmo tempo condimentada e doce, o que passei a reconhecer como minha combinação preferida de sabores.

> Anna não para de falar nos brincos. Disse que todas as meninas da escola adoraram.

Dois meses se foram desde que passei a noite na casa de meu pai em Indiana. Vi os Gillespie algumas vezes desde então. Em minha última viagem, convenci papai e Kim a deixar que Anna furasse as orelhas, pensando que uns brincos bonitos podiam ajudar a resolver seu constrangimento. Depois de alguma enrolação da parte de papai, enfim ele concordou. Kim, Anna e eu nos amontoamos no carro e fomos ao shopping, onde encontramos a butique Claire e pedimos um par de orelhas furadas, por favor. Anna e eu pesamos meticulosamente os prós e contras de brincos cor-de-rosa comparados aos roxos. No fim, ela escolheu rosa. Quando a técnica trouxe a pistola, Anna apertou a mão de Kim com sua esquerda e a minha com a mão direita. Mas não chorou, nem mesmo se retraiu. Depois disso, ela ficou em êxtase.

> Ela deixou Kim fazer um rabo de cavalo pela primeira vez em um ano.

> Muito obrigado, Rose.

Sorri, orgulhosa por ter a solução pela primeira vez, por enfim pertencer a um lugar. Nunca me adaptei à escola, mas, graças a mim, Anna conseguiria.

> Fico feliz em poder ajudar.

> Além disso, fiz as pazes com Alex. Ela manda um oi.

Tirei uma foto de Alex quando ela não estava prestando atenção e enviei a ele.

> Diga a ela que mandei um oi também. E trate de pegar leve neste fim de semana, está bom? Fique bem.

Ele ficou ainda mais atencioso desde que lhe falei de meu diagnóstico de câncer, oferecendo-se para ir às sessões de quimioterapia comigo. Eu disse não, naturalmente, explicando que a sra. Stone ficaria arrasada se não pudesse me levar. Nas poucas vezes em que papai e eu estivemos juntos desde então, na casa dele ou no Tina's Cafe perto de mim, ele ficou surpreso ao ver como eu parecia saudável. Observei que nem todo mundo perde cabelo durante a quimioterapia. Eu estava com náuseas e fadiga, contei a ele, e não tinha apetite. Para provar, dei duas míseras mordidas em uma baguete quando encontrei todos os Gillespie para jantar em um restaurante Olive Garden certo domingo. Eles me olharam com pena, mas ainda assim não tocaram na pauta "acampamento". Quando levantei o assunto durante a sobremesa, papai me fez um carinho nas costas. Disse que não era uma boa ideia ficar tão longe da assistência médica.

Eu não tinha pensado nessa hipótese.

Ainda assim, insisti que teria terminado a quimioterapia bem antes da viagem. Disse que meu médico falou que eu estaria bem para viajar no verão.

Agora, como demonstração de saúde, vim ficar com Alex. Se eu já podia passar um fim de semana com as amigas, papai e Kim teriam de me deixar ir com eles daqui a seis meses. Jogos para viagens de carro, olhar as estrelas, papai passando o braço por mim perto da fogueira — essas férias seriam as melhores duas semanas de minha vida.

— Estou enjoada do Kirkwood — dizia Whitney.

— Quero ver o Tyler. — Alex fez beicinho.

— Quem é Tyler? — perguntei.

Alex virou a cabeça depressa, surpresa, como se tivesse esquecido que eu estava presente. Deve ter esquecido mesmo.

— O cara com quem estou ficando. — Alex sacudiu do ombro aquele rabo de cavalo louro e comprido. Ela se virou para Whitney. — Vamos ao Kirkwood. Você me deve uma.

Whitney não discutiu. Com base em minhas observações dela e da amizade de Alex, ela estava constantemente pagando pelas boas ações de Alex.

Whitney suspirou e passou a retirar as caixas de comida chinesa.

— Tudo bem. Então vou pegar emprestada a sua jaqueta de couro nova.

Acompanhei Alex ao quarto dela. Ela começou a se maquiar na penteadeira. Eu me sentei de pernas cruzadas na cama.

— Que tipo de bar é o Kirkwood? — perguntei.

— Um bar desportivo.

— Então eu preciso me vestir melhor?

— A gente sempre se veste melhor. Mas você não precisa. — Ela se interrompeu, com o batom na mão, para me olhar. Depois voltou a se maquiar.

— Como você escolhe a cor do batom?

— Depende do tom da sua pele — disse Alex. — Os tons frios fazem os dentes parecerem mais brancos.

Tomei nota para pesquisar "tons frios" depois. O batom certo deixaria meus dentes futuros com a aparência ainda melhor.

— Você tem identidade falsa? — perguntou Alex.

Eu poderia engrossar. *Tenho, Alex, tomei minha primeira bebida um ano atrás com você, não bebi nada desde então e passei o restante desse tempo vendendo games para adolescentes. É claro que tenho identidade falsa.*

— Não — respondi.

— Ahhhh — disse Alex. Ela parecia a plateia do programa *Roda da Fortuna* quando um participante errava um quizz que era moleza. — O Kirkwood é para maiores de vinte e um.

Eu a encarei.

— Você tem identidade falsa?

Ela mordeu o lábio.

— Quando fiz vinte e um, vendi para uma garota do trabalho que é parecida comigo.

— E o que nós vamos fazer? — perguntei.

— Como assim "nós"? Você já passou por isso. Sabe que os bares de Chicago são para maiores de vinte e um anos.

— O Tyler não pode se encontrar com a gente em outro lugar?

Alex olhou boquiaberta para mim, como se eu tivesse sugerido que Tyler dançasse valsa na frente de um limpa-neve.

— Eu não te pedi para vir neste fim de semana. Você é que se convidou.

Fiquei de queixo caído.

Whitney entrou rebolando no quarto.

— A Carmen também vai ao Kirkwood — anunciou ela. Parou quando viu minha expressão. — Qual é o problema da cara triste aqui?

Sem nenhum traço de remorso, Alex falou.

— A Rose Gold é menor de vinte e um. Ela não vai.

Ela terminou de passar o batom e se virou para mim.

— Mas o meu DVR está cheio, então você pode assistir ao que quiser. Tem um programa de repaginada no visual que pode te interessar.

Whitney sufocou o riso. Fiquei vermelha.

Alex continuou.

— Vamos ter um dia das garotas amanhã. O que você acha disso? — Detestei o tom condescendente, detestei cada coisa podre a respeito dela.

— Vamos fazer aquelas máscaras faciais — disse Whitney.

— Já tem semanas que eu quero tingir e tirar a sobrancelha — acrescentou Alex. Ela olhou para minha testa. — Também podemos tirar a sua.

As duas meninas se olharam, fazendo ajustes ínfimos no cabelo, na blusa e na boca antes de saírem correndo pela porta. Riram e gritaram até que não pude mais escutar. Tinham se livrado de mim em minutos.

Eu queria cravar alguma coisa pontuda e venenosa na cara de Alex, mas ela não estava ali. Em vez disso, achei uma tesoura e me preparei para decepar a cabeça de Bobo, o ursinho de pelúcia de infância de Alex. Arrancaria os olhos de Bobo, deixaria os dois botões na cômoda e jogaria o ursinho em uma caçamba de lixo na rua. Vi a cena se desenrolar diante de meus olhos, mas no fim tive de deixá-lo existir. Eu conhecia Bobo desde que conhecia Alex e não era culpa dele que ela fosse uma pessoa horrível.

Depois disso, eu estava cansada de toda a gritaria, então me deitei no sofá, liguei a TV e zapeei pelos canais até que achei *10 coisas que eu odeio em você*. Ultimamente passei a ver todos os filmes dos anos 90 para adolescentes que perdi, e, embora em geral gostasse desse, não conseguia parar de espumar por causa de Alex. Eu tinha dirigido três horas para vê-la. Ela merecia perder mais que um brinquedo amado.

Voltei ao quarto de Alex e mexi na bolsa de maquiagem que ela estivera vasculhando uma hora antes. A cor do batom que ela usou se chamava Raspberry Kisses. Fiz beicinho e passei o batom como tinha visto Alex fazer. No espelho, uma versão mais saudável e mais bonita de mim me olhou. Coloquei o batom no bolso.

Meti de volta na bolsa os frascos e lápis. Quando é que alguém ia ensinar a Alex que ela não podia tratar as pessoas como lixo sem sofrer as consequências? Em toda a sua vida, Alex fez o que quis, e, como é bonita e charmosa, ninguém nunca deu um fora nela.

Abri e fechei a porta do armário de remédios do banheiro. Não tinha nada que me interessasse. Embaixo da pia, encontrei acessórios para cabelo, remédio para gripe, espuma para raspar as pernas, uma caixa de absorventes e um vidro de creme depilatório. Sem conhecer a expressão, virei o vidro e li o rótulo preto.

Um jeito rápido e indolor de dizer adeus aos pelos indesejados.

Cética, passei a loção em uma parte pequena com pelos da coxa. Esperei oito minutos em vez dos cinco da instrução, porque cinco dava azar, depois limpei com uma toalha de banho. Meu pelo saiu.

Por que ninguém nunca me contou sobre esse negócio?

Passei o creme nas duas coxas e na virilha e fiquei remexendo nas coisas enquanto esperava tocar o temporizador do celular. O sistema de organização de Alex e Whitney não fazia sentido. Na última gaveta, encontrei um monte de Band-Aids e uma caixa de tintura capilar loura.

O temporizador tocou. Limpei a virilha e as pernas. Alex usaria aquela tintura nas sobrancelhas no dia seguinte. Peguei de novo a caixa da tintura, olhei seu conteúdo. O lacre estava rompido. Retirei a tampa e cheirei, estremecendo com o odor químico. Coloquei a tintura de sobrancelha na bancada ao lado do creme depilatório e olhei os dois produtos lado a lado. Meus lábios se curvaram nas pontas antes mesmo que eu soubesse que tinha tomado uma decisão.

Para quem é bonita, é fácil ser adorada. Mas, se você tirar a beleza, Alex vira o quê?

Outra Rose Gold.

Quando minha fúria passou, já era muito tarde.

Não dormi aquela noite toda, revirando na cama ao pensar no vidro embaixo da pia do banheiro. Por duas vezes antes de Alex e Whitney chegarem em casa, saí do sofá para jogá-lo fora.

Depois me lembrava de Alex saltitando porta afora, me deixando aqui sem nada além de um olhar rápido. Me obriguei a voltar ao sofá, embaixo do cobertor fino. Quando Alex e Whitney chegaram cambaleando às duas da madrugada, fingi que dormia. Elas estavam bêbadas demais para perceber ou se importar.

Agora era meio-dia. Cada uma delas estava deitada em um sofá, de ressaca e gemendo. Eu estava sentada no chão, íntima do conceito de ter o coração na garganta. Tive medo de poder vomitar, de a culpa estar escrita na minha testa.

— Quando vamos começar o "dia das garotas"? — perguntei, com a voz aguda.

As duas meninas gemeram.

— Alex, você prometeu — me obriguei a dizer. — Vamos, vou preparar tudo.

— Tá legal — disse Alex, a maquiagem do sono cobrindo os olhos. — As máscaras faciais e a tintura estão no banheiro. Pegue uma toalha de rosto no armário também.

Levantei-me do chão em um salto. Eu precisava me acalmar. Com a maior lentidão possível, fui ao banheiro. Levei tudo para a sala de estar, onde Whitney e Alex bebiam Gatorade vermelho. Coloquei cada objeto diante de Alex, como uma oferenda em um altar. Ela correu os olhos por tudo. Perguntei-me se ela podia ouvir a batida de meu coração.

Alex gesticulou para eu me sentar na frente dela. Eu me inclinei ali. Ela passou a máscara esfoliante em meu rosto lavado. As almofadas da ponta de seus dedos eram suaves.

— Sua pele é tão macia — disse ela, com uma admiração verdadeira.

Observei seu rosto concentrado enquanto ela trabalhava, arrependida do que fiz.

— Quanto tempo tenho de ficar com isso? — perguntei.

— Cinco minutos — disse ela.

Assenti. Eu ficaria oito.

— Whit, quer fazer a minha sobrancelha? — Alex voltou a se deitar no sofá.

Whitney pegou a toalha de rosto e cobriu os olhos de Alex e o resto de seu rosto. Eu só podia ver as sobrancelhas e a testa. Whitney bocejou e pegou o pincel e o frasco de tintura na caixa. Sacudiu o frasco, depois afrouxou a tampa, sem se dar ao trabalho de calçar as luvas. Já cumprira esse ritual com Alex muitas vezes.

Depois de alguns minutos dos leves toques de Whitney, as sobrancelhas de Alex estavam cobertas de creme arroxeado. Whitney guardou todos os suprimentos na caixa, ligou a televisão e mudou para um canal de desenhos animados. Se jogou no sofá e fechou os olhos.

Contei mentalmente cada segundo — um Mississippi, dois Mississippi. Depois de quatro minutos, perguntei-me se Alex tinha dormido embaixo da toalha. Whitney não se mexia. Resisti ao impulso de dizer alguma coisa.

— Vai tirar essa coisa ou não? — disse Alex. Fugi da sala.

Minhas mãos tremiam. Joguei água na cara sem parar, muito depois de minha pele estar livre do creme granulado. Enxuguei o rosto com uma toalha. Olhei-me fixamente no espelho. Eu estava ainda mais pálida do que o normal.

Um grito veio da sala de estar. Um grito de Whitney.

Eu queria ficar no banheiro, trancar a porta até que tudo isso tivesse acabado. Mas a velha Rose Gold sairia correndo assim que ouvisse o alarme da amiga.

Corri de volta à sala.

— Sua sobrancelha está saindo. — Whitney encarava o papel-toalha úmido que tinha na mão.

Alex arrancou a toalha do rosto.

— Como assim está saindo? — Ela recuou de pavor quando viu os pelos no papel-toalha de Whitney. — O que você fez? — Alex passou por mim correndo a caminho do banheiro. A sobrancelha direita tinha sumido. Não estava apenas rala: os pelos desapareceram.

Alex soltou um grito horripilante. Whitney e eu nos olhamos e corremos para o banheiro atrás de Alex.

— Onde foi parar a merda da minha sobrancelha? — gritou ela, quando a alcançamos.

— Não sei o que aconteceu — disse Whitney, em pânico e confusa. — Ela... saiu.

— Isso eu estou vendo, sua idiota — vociferou Alex.

Whitney estrilou.

— Eu te disse que você não devia usar tintura de cabelo velha.

— Você acha que os meus pelos caíram porque a tintura está vencida? — Alex trovejou. — Você é assim tão burra, merda?

Vi Whitney tentar desviar a ira de Alex para longe dela.

— O que nós vamos fazer com a outra sobrancelha?

Alex ficou pasmada para o espelho e gemeu.

— Tenta tirar essa merda sem arrancar pelo nenhum. — Whitney foi pegar o papel-toalha, mas Alex rosnou: — Eu mesma faço isso.

Whitney e eu olhamos, prendendo a respiração. Alex molhou um chumaço de papel na pia. Mesmo com o mais leve toque possível, o creme ainda lhe roubava os pelos quando ela passava o papel. Ela conseguiu salvar alguns da sobrancelha esquerda, mas o efeito quase foi pior. Eu sabia que Whitney pensava a mesma coisa, mas nenhuma de nós se atrevia a sugerir que Alex terminasse o trabalho e ficasse com a testa pelada.

Se Tyler a visse agora, pensei, apesar de meu terror.

Nessa hora, Alex estava aos prantos, a ressaca havia muito esquecida.

— Olha — soluço — o que — soluço — você — soluço — fez! — ela gritou. Nunca vi Alex perder a frieza. Fiquei lembrando a mim mesma que ela teve o que merecia. Ninguém podia ser tão horrível por tanto tempo e sair ilesa. Aprendi essa lição com minha mãe do jeito mais difícil.

Whitney se desculpava sem parar.

— O que eu posso fazer? — ela suplicou.

— Você já fez o bastante — gritou Alex. Ela correu para o quarto e bateu a porta. Depois Whitney e eu ficamos sozinhas no banheiro.

Eu me virei de frente para Whitney. As lágrimas transbordavam de seus olhos.

— Acho melhor eu ir embora — sussurrei, com um carinho em seu ombro. — Ela vai ficar bem.

Whitney me acompanhou à sala, como um cachorrinho perdido em sua própria casa. Pela primeira vez, senti uma onda de poder. Tive a capacidade de fazer aquelas garotas se comportarem como eu queria. Talvez não pudesse obrigá-las a gostar de mim, mas podia castigá-las se elas não gostassem.

Peguei minha sacola de papel com as coisas de dormir, garantindo que estivesse tudo comigo. Nunca mais ia voltar. Whitney me acompanhou até a porta, cabisbaixa.

— Obrigada por me receber — falei. — Lamento que tenha terminado de um jeito tão ruim.

Whitney concordou com a cabeça, como que em transe.

Não resisti. Antes de sair, baixei o tom.

— Ela é tão *trágica*.

13
PATTY

Ergui os nós dos dedos para a porta conhecida e bati com uma confiança maior do que eu sentia. Durante semanas, estive pensando numa desculpa para fazer uma visita a Mary Stone. A descoberta do distúrbio alimentar de minha filha é um motivo tão bom como qualquer outro. Mary pode me abandonar, mas eu não deixaria a pobre Rose Gold para o Grande Lobo Mau.

Encontrei a comida do Dia de Ação de Graças descartada uma semana atrás. Desde então, não consegui me decidir sobre o que fazer com minha filha. Argumentar não deu certo. Deixá-la sozinha não era uma alternativa. Nunca me senti superior a ponto de não procurar ajuda de fora, em particular se envolve a boa e bela "eu te disse".

Alguém anda pelo corredor. A porta vai se abrir em alguns segundos. Mary não verifica pelo olho mágico antes de abrir. Quantas vezes falei que ela era confiante demais? Ainda vai acabar no porta-malas do carro de alguém.

A porta se abre e a expressão de Mary é calorosa. Depois ela reconhece quem está de pé ali, na soleira. A esta altura estou acostumada com o sorriso das pessoas virando uma carranca quando elas me veem.

— Eu já falei que você não é bem-vinda aqui. — Mary começa a fechar a porta.
— Espere. — Empurro a porta. — É sobre a Rose Gold. Acho que ela tem um problema.
Mary hesita, me observando. Depois suspira e escancara a porta.
— Entre — diz ela.
Bingo.
A casa está exatamente como eu me lembrava, pintada e acarpetada em tons pastel. A coleção de estatuetas de anjo de Mary na sala de estar de algum modo aumentou — agora devem ser mais de cinquenta, feitos de cerâmica, cimento, vidro, madeira e mármore. Eu me pergunto se ela já passou por uma venda de garagem sem fazer uma parada.
Sento-me no sofá. Tem duas tigelas de vidro na mesa de centro: uma cheia de pot-pourri, a outra de M&M's. Já estou inventando uma rotina que envolve fingir comer um punhado das pétalas secas, mas lembro a mim mesma que esta é uma visita séria. Estou aqui para fazer o papel da Mãe Preocupada. Pego um punhado de M&M's. Até as Mães Preocupadas precisam comer.
— O que você quer, Patty? — diz Mary.
Jogo os M&M's na boca.
— Acho que a Rose Gold está doente.
O rosto de Mary se suaviza.
— Doente de quê? É uma emergência? — Ela estende a mão para o telefone.
— Não, não — eu a tranquilizo. Olho fixamente para minhas mãos entrelaçadas no colo, como se tivesse dificuldade para falar sobre o assunto. O timing é fundamental antes de uma grande revelação. Queremos que nossa plateia fique na beirinha da cadeira, agarrada a cada palavra nossa.
Mary se inclina para a frente, como se lesse meus pensamentos.
— Vai me dizer o que há de errado com ela?
Respiro fundo.
— Acho que a Rose Gold está com um distúrbio alimentar.
Passei a reação de Mary umas cem vezes na minha cabeça, mas nunca teria imaginado que seria uma gargalhada de incredulidade. Ela cruza os braços.

— Que engraçado. Ela nunca teve nenhum problema com a comida enquanto você esteve na prisão.
— E como você sabe disso? — pergunto.
— Ela vinha jantar aqui sempre. — Mary olha para os querubins que dançam no consolo de sua lareira. — Costumava se servir várias vezes.
— E como você sabe que ela não forçava o vômito depois?
A expressão de Mary fica mais séria.
— Eu sei que não.
— Como? — provoco.
Ela suspira.
— Eu saberia se ela fosse ao banheiro sempre que terminava o jantar. Ela não ia. Ajudava a tirar a mesa, depois nós vínhamos para cá. Eu nunca soube que ela ficasse enjoada... nem durante a gravidez, e certamente não antes disso.
— Ela podia esperar até chegar em casa — insisto, tentando encaixar as peças do quebra-cabeça.
— Patty, às vezes ela ficava horas aqui, depois do jantar. Nós víamos um filme ou só conversávamos.
Tento não imaginar Mary Stone servindo de mãe substituta para Rose Gold. A imagem me faz sentir aranhas minúsculas se arrastando pelo meu corpo.
Mary cruza os braços.
— Você está fazendo aquilo de novo.
Eu a encaro, em dúvida.
— Criando uma doença onde não existe nenhuma. — Seus lábios formam uma linha fina.
Se Rose Gold não tem um distúrbio alimentar, por que eu nunca a vejo comer? Reviro a pergunta mentalmente, sem parar. Ela não come minhas refeições, mas também não prepara as dela. Não a vi comer mais que alguns pedaços de torrada e barras de granola desde que me mudei para a casa dela. Meu silêncio continua por um segundo longo demais.
— Você não sabe do que está falando — digo, mantendo a voz firme.
— Eu vou te dizer o que eu sei — ela fala. — A única vez que Rose Gold foi saudável em toda a vida foi nos cinco anos em que você esteve trancafiada.

Imagino minha amiga Mary no consolo da lareira em meio a seus anjos, despida, o alcatrão quente se derramando em suas costas, com asas de serafim de penas de pombo sujas. Ela tem as mãos unidas, em oração.

— Todos nós já a vimos correr pela quadra — diz Mary, de dentes trincados. — Aquela garota está passando fome ou está sendo envenenada de novo. Ela talvez não consiga enxergar você por dentro, mas nós estamos de olho. Nós sabemos que você fez lavagem cerebral nela. E, se o bebê Adam tiver um resfriado que seja sob os seus cuidados, vou chamar a polícia tão rápido que você nem vai ver as algemas chegando.

Suponho que eu não deveria me surpreender com a acusação, em vista de tudo por que passei. A verdade é que não pus nada na comida dela. Rose Gold e eu dividimos as refeições, o que significa que, se eu batizasse os guisados ou as sopas, também estaria envenenando a mim mesma. Mesmo que ela chegasse ao ridículo de ter medo de minha comida, isso não explica por que ela não prepara a própria.

— Eu sei que ela começou a visitar você no seu último ano de prisão — diz Mary. — Antes disso, ela te odiava com todas as forças, não queria nenhuma relação com você. Não sei como a fez mudar de ideia, mas, desde então, ela vem agindo de um jeito diferente.

— Diferente como? — pergunto.

— Chega de perguntas. Já passou da hora de você sair da minha casa.

— Ela me conduz — bem veemente, devo acrescentar — de seu sofá, pelo corredor.

Quando estou perto da porta, alguma coisa se encaixa. Mary pensa que sou a culpada pelo peso de Rose Gold. Todos pensam que a culpa é minha. E se for isso que Rose Gold quer? E se ela estiver tentando virar todos contra mim, fingindo estar doente?

— Se você ama a Rose Gold, se um dia foi capaz de amar, vai sair da casa dela e deixá-la em paz. — Mary abre a porta e me empurra para fora.

— Mary...

Ela me cala com uma expressão pétrea.

— Cuide-se, Patty.

A porta se fecha na minha cara. Fico na varanda, sem fala. A tranca estala.

Bato na porta.
— Mary, e se ela estiver inventando tudo?
Nenhuma resposta.
Bato de novo.
— Mary!
Ainda nenhuma resposta.
Bato pela terceira vez.
— Mary, talvez ela esteja mentindo.
Do outro lado da porta, Mary suspira.
— Eu dei apoio a você. — Ela agora parece mais cansada do que furiosa. — Segurei a sua mão e te ouvi chorar. Preparei os seus jantares e dei dinheiro para você. Você era como uma irmã — aqui sua voz vacila e eu sei que ela se esforça para não chorar — para mim.

Baixo a cabeça. Ela pigarreia. Imagino-a enxugando os olhos, recuperando a compostura. Ouço-a andar pelo corredor. Ela já encerrou o assunto.

Eu me afasto da porta e me sento na varanda, com a cabeça entre as mãos. Acho que hoje não vou conseguir invocar um fiapo que seja do otimismo de Patty.

Certa tarde, Mary e eu decidimos fazer macarons franceses. Tomei um banho de açúcar de confeiteiro e farinha de amêndoas porque sempre esquecia de colocar a tampa no processador de alimentos. Quando colocamos a massa para assar e limpamos a cozinha, estávamos exaustas. Sentamos no sofá de Mary para ver *All My Children* e ficamos horrorizadas quando nosso galã preferido, Leo du Pres, mergulhou para a morte em Millers Falls. Enquanto nossos macarons queimavam no forno, planejamos mandar uma carta furiosa aos produtores do programa, exigindo a volta de Leo. Nunca escrevemos essa carta.

Em uma primavera, Mary e eu nos inscrevemos em uma maratona de cinco quilômetros. Durante meses, treinamos juntas, progredindo da caminhada para a corrida leve, depois correndo os cinco quilômetros. Juntas, levantamos quinhentos dólares de nossos vizinhos e doamos o dinheiro à Sociedade de Leucemia e Linfoma. Na manhã da corrida, nós duas estávamos nervosas. Nosso objetivo era completar a prova em trinta e cinco minutos. Tínhamos acabado de cruzar a largada quando Mary tropeçou em um graveto e torceu o tornozelo. Ela insistiu que ainda queria concluir a corrida e podia andar, se eu escorasse parte de seu peso. Cruzamos a linha de chegada uma hora e vinte minutos depois da largada.

Em um mês de setembro, Mary e eu levamos as meninas a um bairro próximo para uma corrida de carrinho de mão. Rose Gold estivera dias presa à cama. Estava fraca demais para correr, mas morta de tédio. Então Mary e eu a levamos na cadeira de rodas com Alex girando em círculos, bufando e rindo de como estávamos fora de forma. O sr. Grover, um velho ranzinza, parou-nos para fazer um sermão sobre os usos adequados de carrinhos de mão. Sempre que se virava para Mary, eu fazia gestos pelas costas dele e imitava sua expressão severa, enquanto Mary se esforçava para não rir. Ela até revirou os olhos uma vez — o equivalente de Mary a mostrar o dedo médio a alguém — enquanto ele me repreendia.

Percebo que perdi minha amiga mais íntima, talvez para sempre. Mesmo que consiga fazê-la vir até a porta, ela não vai acreditar em mim.

Eu me viro e parto de volta para casa, a pé, concentrada na calçada à frente. Olhos vidrados espiam de garagens escuras e janelas de segundo andar. Sempre que saio de casa, aonde quer que vá, eles me vigiam. Sinto seus olhos em mim no chuveiro, ao tirar um cochilo na poltrona. Eles se arrastam pela minha pele, mas, quando olho, não estão lá.

Aperto o passo, distraio-me repassando a conversa com Mary. Sempre volto à mesma pergunta: *Rose Gold está ou não doente?* Se não, o que ela espera ganhar fingindo um distúrbio alimentar? Atenção? Solidariedade? Fazer meus vizinhos me odiarem ainda mais? Qualquer que sejam seus motivos, se está passando fome propositalmente, ainda significa que está doente, não é? Talvez esteja com depressão, ou uma insuficiência ad-renal, ou câncer. Eu não devia procurar ajuda para ela?

Quando volto, ando pela casa, a energia nervosa me consome. Rose Gold saiu de casa há algum tempo. Levou Adam para tomar as vacinas no pediatra.

Eu me sento em minha poltrona, mas as pernas não param de tremer. Levanto-me e ando mais pela casa. Preciso me livrar daquela visita a Mary — não consigo fazer planos sem me acalmar. Talvez Rose Gold tenha razão quanto aos exercícios físicos.

No quarto, visto um moletom e uma velha camiseta puída debaixo dos olhos azuis lacrimosos no teto. Amarro os cadarços de um par de tênis. Minhas pernas parecem de chumbo, mas vou à cozinha e encho uma garrafa com água da torneira. Fecho a tampa. Procuro na sala de estar e na cozinha para saber se Rose Gold tem um daqueles iPods para ouvir música, mas não encontro. Por fim, vou ao porão. Correr ao ar livre, com todos aqueles olhos cruéis me observando, está fora de cogitação. O que só me deixa uma alternativa.

Puxo o ar para dentro e solto, depois giro a maçaneta do porão. Desço a escada, de olhos fixos no piso. Só consigo pensar nas vigas do teto, mas isso não quer dizer que precise olhar para elas. Corro para a esteira. *Concentre-se na tarefa que tem a fazer.*

Rose Gold a jogou em um canto, então o lado direito e a parte de trás do aparelho estão quase encostados nas paredes. Subo na esteira e aperto o botão de ligar.

A tela do aparelho se ilumina, mas os dígitos na seção de velocidade não fazem sentido. Suspiro e aperto o botão para aumentar a velocidade. É nisso que dá Rose Gold pegar o lixo dos outros. Existia um motivo para nosso vizinho querer se livrar dessa coisa.

A esteira ainda não se move. Aperto o botão com mais força. A lista de pessoas que me humilharam nesta cidade está ficando comprida. Um dia vão se arrepender do jeito como me trataram. Martelo o botão ^, fingindo que é a cara de Mary Stone. A coragem daquela...

A esteira ressuscita sob meus pés. Os números confusos na tela se endireitam. Reconheço uma velocidade de dezesseis quilômetros e meio por hora. A potência do aparelho me joga para trás. Agito os braços, tento me curvar para a frente, mas a esteira me arremessa para fora.

Bato as costas na parede com um baque, o que me arranca o fôlego. Uma dor terrível grita de meus tornozelos. Baixo os olhos e vejo os pés metidos entre a parede e a esteira. Ela descasca uma camada depois de outra de pele ensanguentada dos tornozelos.

Estou gritando. Vejo minhas pernas serem raspadas como se girassem em um espeto. Tem sangue preso na esteira. Estou a ponto de desmaiar. Me debato. Caio sobre meu lado esquerdo. As palmas das mãos batem no concreto. Puxo as pernas para mim. Ainda ardem. Olho para os tornozelos — agora soltos, mas um desastre ensanguentado.

A esteira está plugada em uma tomada na parede a meu lado. De minha posição no chão, puxo o cabo. A esteira para. O aparelho fica em silêncio. Ainda estou gritando. Minha garganta está seca. Fecho a boca.

Não sei se o tinido nos ouvidos é do choque, da dor ou de toda a gritaria. Fico deitada no chão por mais um minuto, de olhos fechados. O concreto é frio em minha face. Meus tornozelos latejam. Examino-os. Estão uma bagunça a ser arrumada, mas nada que uma pomada Neosporin e ataduras não resolvam. Vou ficar bem. Talvez um dia isso vire uma história engraçada.

No alto: passos. Alguém assovia uma música de *A pequena sereia*. Aquela que Úrsula canta em sua toca.

Rose Gold.

Ela estava em casa esse tempo todo? Estava lá em cima, me ouvindo gritar de dor? Ou é paranoia minha? Talvez eu ainda esteja meio tonta do acidente.

— Rose Gold? — chamo.

O assovio para. A porta do porão se abre.

Minha filha exclama, numa voz aguda:

— Estou indo, mamãe!

14
ROSE GOLD

Julho de 2015

Não era a recepção que eu esperava.
— Rose, o que você está fazendo aqui?
Papai corria pela rua, longe do SUV azul que estacionou na entrada da casa. Abri a porta de minha van e pulei do banco do motorista.
— Oi, pai — falei.
A porta da casa dos Gillespie se abriu. Sophie saiu primeiro, carregando sacos de dormir embaixo dos braços. Billy Junior trazia duas sacolas de papel com mantimentos. Kim vinha atrás deles, mas me viu antes dos filhos. Ela fechou a carranca. Eu não via essa carranca desde meu primeiro jantar na casa dos Gillespie. Desde que soube de meu câncer, ela tem sido muito mais gentil comigo.
Eu via os Gillespie pelo menos uma vez por mês desde nosso primeiro jantar, oito meses antes. Depois da saída para Anna furar as orelhas, até Sophie e Billy Junior estavam sendo legais comigo. Papai e Kim foram muito hospitaleiros. Às vezes sinto que faço parte verdadeiramente daquela família.

Papai parou ao lado da van, deixando escorregar para o chão a bolsa de viagem que tinha no ombro. Sem fôlego, falou:

— Nós conversamos sobre isso por telefone. Você não pode ir com a gente para Yellowstone.

Na verdade, ele tinha dito que não era uma boa ideia, diante de meu estado. Mas nunca disse não. Eu vim preparada.

Peguei um bilhete dobrado no bolso e o coloquei na mão de papai.

— Meu médico disse que estou bem para viajar.

Papai olhou para o bilhete, estreitando os olhos enquanto lia.

Inventei umas misteriosas dores no peito pós-exercícios para ter uma consulta médica. Depois que a enfermeira mediu meus sinais vitais e saiu, tranquei a porta e procurei nos armários até achar o receituário do dr. Stanton. Arranquei duas folhas do bloco — uma para treinar — e enfiei na bolsa, destranquei a porta e voltei à mesa de exames antes que o dr. Stanton batesse. Ele e eu concordamos que tínhamos de "ficar de olho" nas dores no peito.

Eu começava a entender como minha mãe tinha se safado com todas aquelas mentiras durantes tantos anos. Os médicos eram Band-Aids ambulantes: eram ávidos para consertar qualquer vazamento, rangido e dor. A gente só precisava dar o histórico médico, relacionar os sintomas e pedir socorro. O dr. Stanton supôs que eu falava a verdade. Nós dois éramos uma equipe, com o mesmo objetivo em mente. A paciente modelo era um papel que eu dominava havia décadas.

E, sim, eu sei da hipocrisia de mentir sobre uma doença enquanto condenava minha mãe pela mesma farsa. A diferença é que as mentiras dela prejudicaram alguém. Minhas mentiras são para curar, para fortalecer os laços entre pai e filha.

Papai me devolve o bilhete.

— Fico feliz que o dr. Stanton pense que você está passando muito bem — disse ele. Mas não me olhou nos olhos. Aprendi o significado por trás dessa dica anos antes. Quando eu era criança, todo adulto prestes a me dar uma notícia ruim — médicos, professores, minha mãe — evitava me olhar.

— Mesmo assim, você não pode ir — continuou ele.

— Mas por quê? — perguntei, deixando de esconder a decepção na voz. — Já acabei a químio. O dr. Stanton disse que está tudo bem.

Eu começava a me arrepender de toda essa história do câncer.

— Ultimamente a única coisa que eu faço é me preocupar com você — disse papai, de cenho franzido. — Estou cansado. Estas férias são minhas também. Preciso de uma folga de — ele gesticulou para mim — disto. É demais.

Ele olhou para a família. Eles ainda guardavam a bagagem no carro. Papai endireitou as costas.

— Esta viagem é da *minha* família.

Cerrei os punhos.

— Mas eu sou da sua família.

— Você entendeu o que eu quis dizer. — Papai virou a cara.

Pensei na vara de pesca, nos marshmallows jumbo e no saco de carvão no banco traseiro de minha van. Eu tinha visto o post do Facebook de Sophie na noite anterior, dizendo que os Gillespie partiriam às nove da manhã em ponto para sua grande viagem. Saí de meu apartamento às quatro para chegar a tempo na casa deles.

— Não acredito que você não vai me deixar ir. — Cruzei os braços.

Papai mordeu o lábio.

— Por que você não passa o fim de semana com a Alex?

Fiz um esforço para não rir. Não via nem ouvia falar de Alex fazia seis meses. Uma semana depois do desastre da sobrancelha, ela me mandou uma mensagem de texto.

> *Eu sei que foi você.*
> *Nunca mais fale comigo.*

Não respondi. Tinha de tirar o chapéu para Whitney — ela era mais inteligente do que eu pensava. Pelo visto, contou para Alex o comentário sobre o "trágica" e uma delas, ou as duas, somaram dois e dois. Eu não podia culpar nenhuma das duas por não querer mais minha amizade. Que amiga deixa a outra sem sobrancelhas?

Eu não sabia como reagir à perda de Alex. Ela era minha amiga desde criança. Mas seria uma perda se aquela amiga a tratava como lixo? Sem ela para mandar mensagens sobre os pormenores de minha vida, eu escrevia o dobro do que fazia antes a Phil e, especialmente, a papai.

Dei de ombros.

— Ela viajou. Acho que vou voltar para Deadwick e ficar obcecada se a químio deu certo.

Papai me olhou feio.

— Não faça isso — ele estourou.

— Isso o quê?

— Querer que eu me sinta culpado. Eu me ofereci para ir a todas as suas sessões. Você não me quis lá.

— Bom, agora eu preciso de você. — Eu sabia o quanto era patética, mas o acampamento escorria por entre meus dedos. Espiei as botas de caminhada novas em folha — já podia sentir um calo se formar no dedo mínimo direito.

Papai pendurou a bolsa de viagem no ombro.

— Pelo amor de Deus — disse ele, exasperado. Gesticulou para a entrada de carros. — Quer nos ver partir ou não? — Eu o acompanhei pela rua até seu SUV.

Kim gritou de dentro de casa: "Anna, estamos saindo".

Alguns segundos depois, Anna veio saltitando da porta e correu pela entrada, segurando um frisbee, com uma mochila de arco-íris. Quando me viu, largou o frisbee e correu para o meu lado.

— Rose, Rose! — ela gritou, abraçando minhas pernas. — A Rose vai? — perguntou ela a papai.

Papai fez que não com a cabeça.

Eu me abaixei e abracei Anna.

— Eu quero ir — falei —, mas o papai não deixa.

— E por que não, papai? Por quê? — Anna desatou a chorar. — Quero que a Rose vá.

Papai enrijeceu o maxilar.

— Entrem no carro, crianças. — Ele não tirou os olhos de mim nem por um segundo.

Sophie e Billy Junior ficaram flácidos quando lhes dei um abraço de despedida. As crianças entraram no SUV e começaram a discutir o que iam fazer primeiro, um jogo ou ver um filme. Anna era a única incomodada com minha ausência. E eu que pensava que todos tinham me aceitado.

— Eu, sinceramente, juro que quero ir com vocês — falei com Kim, fazendo um último esforço. Odiei meu tom de súplica.

Kim não disse nada. Virou a cabeça de lado e me olhou. Seus olhos caíram nas pontas de meu cabelo, que agora roçavam o ombro. As crianças tinham se calado dentro do carro — entreouvindo, sem dúvida.

Papai rompeu o silêncio.

— Como você disse que se chamava o seu médico mesmo?

— Dr. Stanton — falei. — Por quê?

— Em que rua fica o consultório dele?

— Kinney — respondi. Uma gota de suor se formou na linha de meu cabelo.

Papai pegou o telefone.

— Por que não ligamos para ele — disse ele, impassível — para ter certeza se tem algum problema nisso?

Roí o lábio inferior. Meu coração se acelerava.

— Ele está de férias esta semana — falei. — Fora de alcance. — Eu não gostava do rumo que isso tomava.

Papai tocou alguns botões no celular.

— Deve haver uma assistente ou enfermeira com quem possamos conversar.

Dei uma espiada em Kim. Ela não me olhou nos olhos. Eu precisava sair dessa.

— Talvez vocês tenham razão — falei. — Talvez seja uma viagem grande demais para mim. Vou deixar vocês em paz.

Papai e Kim me olharam, ambos tensos.

Do carro, Billy Junior me dava um leve aceno e um meio sorriso triste. Agora que eu também estava na extremidade receptora da maldade de papai, ele se dispunha a reconhecer minha existência. Aposto que não era sempre que outra pessoa servia de saco de pancadas dele.

Fulminei meu pai com os olhos por uns segundos. Ele devia ser um homem gentil e decente.

— Pensei que você se importasse — cuspi, e fui a passos pesados pela calçada até a van.

Antes que eu chegasse à rua, ouvi passos atrás de mim. Meu pai me segurou pelo braço. Virei-me, torcendo para que minhas faces não estivessem tão vermelhas quanto eu sentia.

— Rose, escute, eu sinto muito. — Papai parecia arrependido. — Ando muito estressado, mas não devia descarregar em você. Eu me importo com você. É sério.

Esperei que ele continuasse.

— Eu sei que o pai aqui sou eu, então talvez eu devesse saber o que fazer. Mas não existe manual para conhecer uma filha desaparecida há muito tempo. Parece que estou estragando as coisas a cada passo do caminho.

— Ele passou a mão no rosto e pela primeira vez vi como estava exausto por tudo isso, por mim. — Por que você e eu não saímos depois que eu voltar desta viagem?

Concordei com a cabeça, sem confiar em mim mesma para falar. Ele me deu um abraço desajeitado e se retirou para o lado de Kim. Acenei para os dois e colei um sorriso falso na cara. Eles acenaram também, me olhando com atenção.

No carro, fingi pegar algo no porta-luvas para que não pudessem me ver. Que pais não deixam que a filha assolada pelo câncer participe da viagem da família? Quem eles pensavam que eram, decidindo minhas capacidades por mim? Papai já me abandonara uma vez: agora tentava abandonar de novo. Mas eles não iam se safar dessa com tanta facilidade. Quando as portas do carro deles bateram, eu me sentei direito.

Papai deu a partida no carro, então fiz o mesmo. Ele esperava que eu arrancasse, mas acenei para ele sair primeiro.

Eu não podia deixar que o desastre do *Disney on Ice* se repetisse.

Eles não iam fazer essa viagem sem mim.

A porta da garagem se fechou. Papai rodou pela entrada de carros com o Explorer. Buzinou quando passou por mim. Kim olhava bem para a frente. Eu os observei seguir pela rua e parar na placa do cruzamento. Engrenei a van e os segui.

Dez minutos depois, tínhamos chegado a uma estrada de duas pistas com um monte de shoppings dos dois lados e percebi que papai e Kim me vigiavam pelo retrovisor. Fingi que não os via. A primeira rodovia de que eles precisavam — a US-30 W — se aproximava à direita. Eu tinha decorado o trajeto de vinte e quatro horas, assim podia ajudar papai a navegar se não tivessem sinal de satélite.

Mas o SUV não entrou na rodovia. Em vez disso, papai trocou de pista. Fiz o mesmo. Depois, de repente, ele ligou a seta para a esquerda e entrou em um estacionamento do Subway. Encostei na loja de autopeças do outro lado da rua e observei os Gillespie perambulando dentro da lanchonete. Sophie deu uma espiada rápida em meu carro. Todos sabiam que eu os seguia.

Agarrei o volante até minhas mãos doerem. Mamãe uma vez me contou sobre sua viagem de infância, para acampar no Parque Estadual Pokagon. No segundo dia, quando um gambá vagava pelo camping, o pai dela pulou na mesa de piquenique e ficou petrificado, tentando não alarmar o gambá. Mamãe disse que foi a única vez que o viu assustado. Depois que o gambá se afastou, o restante da família caiu na gargalhada. Segundo minha mãe, ele parecia um robô desligado no meio de um movimento. Eles riram até a barriga doer, até que as lágrimas escorreram pelo rosto e caíram nos picolés que derretiam. Semanas depois, alguém apelidou a escapada por um triz de "Pepe Le Ufa".

Eu queria minha própria escapada, minha própria piada interna, uma história contada em toda reunião de família. Queria o cheiro da fogueira impregnado no casaco — pretendia não lavar por uns dois meses, assim podia sentir o cheiro todo dia em Deadwick. Quase podia sentir o gosto crocante por fora dos marshmallows tostados, depois o miolo grudento enquanto meus dentes se enterravam mais. Já estava sentada em um tronco, ouvindo Billy Junior contar histórias de fantasmas, com Anna no meu colo.

Pensei que tivesse feito tudo direito. Fui educada e engraçada, ri de toda as piadas deles e deixei minha vida de lado para ajudá-los em cada chance que tive. Quando Kim falou em calos de jardinagem, comprei um par de luvas para ela. Falei a papai inúmeras vezes da sorte que eu tinha por chamá-lo de meu pai. Ajudei Anna a aprender a amar algo que ela achava feio em si mesma; ela não tinha mais medo de ir à escola. Como é que decidiram quando eu era boa para ser um deles, e quando não era? Por que eu nunca prestava para ninguém?

Não fique com raiva. Vingue-se, ela disse num silvo.

As instruções dela clarearam minha mente. Primeiro eu precisava me livrar dessa van. Era grande demais, reconhecível demais. Procurei pela rodoviária mais próxima no Google.

Vinte minutos depois, eu via o horário dos ônibus e o mapa. No balcão, comprei uma passagem. Partiríamos em uma hora.

Vi um Subway do outro lado da rua e percebi que estava com fome. Sentada em um dos bancos amarelos e duros com um misto na mão, imaginei estar com a família de papai, almoçando com eles.

— Eca, presunto? — disse Billy Junior, torcendo o nariz. — Salame é melhor.

— Não, o melhor é peito de peru — Sophie o corrigiu.

— Rose Gold tem razão — disse Kim, com uma piscadela para mim.

— O que eu mais gosto é presunto. — Ela deu uma grande dentada em seu sanduíche e mastigou sorrindo.

Um minuto depois, Kim começou a tossir. A tosse se transformou em asfixia. Ela pôs a mão no pescoço, gesticulando para a garrafa de água de papai, mas ele também sufocava. Papai e Kim, vermelhos e esbugalhados, encaravam os quatro filhos.

Nós, os filhos, fulminávamos os dois com os olhos.

— Vamos andando — falei aos outros — se quisermos chegar lá a tempo de ver os vagalumes.

As crianças concordaram com a cabeça e esfregaram as mãos de alegria. Kim e papai caíram no chão, contorcendo-se. Ficaram com a cara roxa. Sophie e eu ajudamos Anna a passar por cima deles a caminho da porta.

Olhei para o relógio: meu ônibus sairia em vinte minutos. Eu me levantei, joguei fora a embalagem do sanduíche e voltei para a van. Deixei no carro a maior parte das coisas que tinha preparado, a não ser pela mala pequena e os marshmallows jumbo.

Andando pela longa fila de ônibus estacionados, parei no Ônibus 942 e corri os olhos pela lista de paradas até meu destino: Bozeman, Montana. Pronto. Segurei mais firme meu saco de marshmallows, entreguei a passagem ao motorista e embarquei.

Eu os alcançaria logo, logo.

15
PATTY

Ligo a seta e troco de pista. É bom estar ao volante de novo. Só Adam e eu na estrada livre.
Olho rapidamente para o bebê pelo retrovisor.
— Para onde? — pergunto a ele.
— Gadget World, Jeeves — respondo em uma voz estridente de bebê.
Adam olha fixamente, mas sorri quando ligo o rádio. Ele compartilha meu amor pela música dos anos 80. Aumento o volume da interpretação de "Didn't We Almost Have It All". Fiquei abalada na semana passada quando descobri que Whitney Houston tinha morrido. Adam rói o punho.
Depois de mais de um mês em meu melhor comportamento, enfim conquistei a confiança de Rose Gold e a convenci a deixar que eu cuidasse do bebê enquanto ela está no trabalho. Chega de Mary Stone cochichando mentiras horríveis a meu respeito nos ouvidos de meu neto. Tenho certeza de que Mary deu um ataque quando Rose Gold contou, mas Adam não é filho de Mary, ou agora é? Já estava na hora de parar de tentar tomar o que é meu de direito.

— Vai estragar seu apetite — aviso ao bebê. Ele ainda chupa os dedos. Também convenci Rose Gold a me deixar levá-la ao trabalho, assim posso ficar com a van. Ela se recusou no início, mas não tinha sentido deixar o carro em um estacionamento o dia todo, quando posso usá-lo para levar Adam ao médico ou para fazer compras. Sugeri que ela corresse do trabalho para casa, já que adora se exercitar, assim de uma hora para a outra. Não vou levar e buscar a mentirosazinha todo dia. Tenho coisa melhor para fazer com meu tempo. Além disso, a corrida só leva quarenta e cinco minutos.

Desde o Dia de Ação de Graças, Rose Gold tem sido ainda mais atenciosa com Adam, então minha preleção deve ter funcionado. Com o aumento no tempo passado com o filho, ela me contou fragmentos de sua vida. Para falar com sinceridade, acho que ela está aliviada por não ter de tomar todas as decisões sozinha. A vida adulta pode ser exaustiva. Ser cuidada é muito mais fácil. Estou felicíssima por prestar meus serviços.

Uma prova da necessidade de ajuda de Rose Gold: ela se esqueceu do almoço hoje. Sorte dela ter uma mãe disposta a levá-lo de carro até o trabalho. Ela nem mesmo pediu — vi o saco de papel pardo na bancada da cozinha, enfaixei Adam e o coloquei na van. Mas não sei por que me dou a esse trabalho: dentro dele tem alguns palitos de cenoura e uma maçã. Ela ainda não está comendo.

Levanto o pé do freio e piso no acelerador. A pele de meus tornozelos se estica. Estremeço. Os ferimentos nas duas pernas formaram casca. Quanto mais penso nisso, mais ridículo fica acreditar que Rose Gold teve alguma coisa a ver com o acidente na esteira. Não se pode mexer em uma máquina velha para trabalhar só quando você quer. Bom, tenho certeza de que não.

Espero encontrar Rose Gold nas caixas registradoras, mas não a vejo. Ela me disse que era caixa aqui, mas, pensando bem, nunca a visitei durante o expediente. Me pergunto, por um segundo, se ela mente sobre o emprego.

Paro no Caixa Dois, onde um garoto desengonçado toca uma bateria imaginária no balcão, de olhos fechados. Ele não vê minha aproximação.

— Arnie? — digo, vendo o crachá.

Os olhos de Arnie se abrem. Seu show termina. Espero que seja aplaudido de pé.

— Rose Gold está trabalhando hoje? — pergunto.

— Sim — Arnie gagueja. Fica vermelho. — Está na copa. Desde que voltou da licença-maternidade, o nosso gerente deixa que ela tire uns intervalos a mais durante o expediente.

Suspiro de alívio. Há um limite para as mentiras que uma casa pode suportar.

— Ela esqueceu o almoço. — Mostro o saco de papel. — Eu trouxe para ela.

Uma curiosidade que me é familiar demais cruza o rosto de Arnie.

— A senhora é a mãe dela?

Com cautela, digo que sim. Pensei que adorasse qualquer holofote, mas ser o bode expiatório da cidade já enjoou. Seria bom fazer alguma coisa na rua sem alguém me olhando torto.

— Esse é o filho dela? — pergunta ele.

Faço que sim com a cabeça.

— O nome dele é Adam. — Adam gorgoleja, como quem confirma.

Arnie sorri para Adam, mas o bebê não interessa tanto a ele quanto a mulher que segura o bebê.

— Há quanto tempo a senhora saiu da prisão? — ele solta.

O medidor de boas maneiras anda baixo ultimamente.

— Cinco semanas.

— A comida de lá é tão ruim como falam? — Ele parece esperançoso.

— Pior — minto, querendo alguma solidariedade.

— Qual foi a coisa mais terrível que teve de comer lá?

Ele está gostando um pouco demais disto, penso. Me inclino e sussurro.

— Miolo de rato.

Arnie afasta-se meio metro de mim, entre apavorado e incrédulo. Meneia a cabeça em negativa, em dúvida.

Ergo as sobrancelhas e mexo a cabeça em um sim.

Ele faz cara de nojo.

Eu podia torturar esse coitado o dia todo, mas preciso voltar a minha confortável poltrona em casa. De quanto tempo é o intervalo de que Rose Gold precisa?

Arnie olha primeiro para Adam em meu peito, depois para o saco de papel pardo em minha mão.

— Rose Gold nos contou algumas coisas. — Ele quer retribuir o choque.

— Ah, é? Que coisas? — pergunto com indiferença. Estou certa de que este palerma é a última pessoa com quem minha filha se abriria.

— Bom, que a senhora é controladora. — Ele observa minha reação.

Bocejo. Não é exatamente um segredo que Patty Watts adora um controle.

Arnie continua.

— E ela não pode comer qualquer comida.

Agora ele tem minha atenção. Será que Rose Gold contou a ele sobre seu suposto distúrbio alimentar? Preciso pisar leve aqui. Se parecer interessada demais, ele vai se fechar em copas.

— E por que isso? — Examino minhas cutículas.

Arnie fica em silêncio por tanto tempo que sou obrigada a desviar os olhos dos dedos e ver seu rosto. Alguma luta íntima acontece ali. Ele resmunga algo que não consigo entender.

— Fale alto, Tiny Tim — estouro.

Um pouco mais alto, ele murmura:

— Ela disse que a senhora tentou envenená-la.

Então eu tinha razão — ela *tenta mesmo* fazer todos pensarem que sou culpada. Mas por quê? Será algum estratagema para ter a solidariedade de nossos vizinhos, ou ela está atrás de algo mais sério? Ela realmente acredita que quero prejudicá-la?

Olho para esse inútil, sem saber qual deve ser minha resposta. Talvez ele esteja mentindo. Talvez a cidade toda esteja me provocando, tentando mais uma vez me fazer confessar um crime que não cometi. Até onde sei, ele pode estar gravando esta conversa. Quando não temos certeza se estamos em terreno firme, é melhor pisar de leve.

Abro um sorriso.

— Eu entendo por que a Rose Gold gosta de você... o mesmo senso de humor estranho. Não acho graça em piadas de veneno, mas gosto não se discute.

Arnie não diz nada, só me olha. Aceno despreocupadamente para ele e faço o máximo para ir de fininho ao corredor de DVDs.

Finjo observar o acervo. Grupos de funcionários congregam por perto. Arnie soou o alarme e agora uma dezena de vagabundos quer ter sua vez de me comer com os olhos. Dois funcionários mais velhos, desgrenhados e incrivelmente horrorosos, trocam cochichos e apontam a cabeça para o meu lado. Uma adolescente pega o celular e passa a me filmar. Um homem de cavanhaque faz uma careta enquanto torce um cabo de extensão que tem nas mãos. Os funcionários se aproximam aos poucos, nenhum deles sorri. Detesto os olhares fixos e atrevidos, o direito que eles acham ter.

— Mãe?

Eu me viro e vejo Rose Gold no final do corredor. Nunca fiquei tão aliviada ao ver sua caneca feia. A surpresa é evidente em seu rosto. Ela parece tão nova, tão inocente, parada ali. Talvez esteja mesmo doente e sou a única que consegue enxergar isso.

Ando na direção dela e estendo o saco com o almoço.

— Você esqueceu isto — digo, consciente dos colegas dela nos observando. Entrego-lhe o saco.

— Não precisava ter trazido. — Ela tira Adam de mim, acariciando com a ponta dos dedos seu cabelo fino. — Eu podia ter comprado meu almoço.

E então ela também toma conhecimento do número de pessoas que ouvem nossa conversa. Observo minha filha se transformar. Seus olhos vão de meu rosto para o chão. Ela se recurva, os ombros se aproximam do pescoço, como uma tartaruga que se retrai no casco. Quando volta a falar, sua voz é um sussurro.

— Obrigada — diz ela.

Levanto a mão para colocar atrás de sua orelha uma mecha de cabelo fora de lugar, decidida a demonstrar meu instinto materno a essa gente. Rose Gold se retrai quando minha mão chega perto de seu rosto. Se eu fosse uma estranha vendo esta interação, pensaria que ela tem medo de mim.

Passa de novo pela minha cabeça a alegação de Arnie. Talvez ele tenha dito a verdade.

Sorrio para minha filha, deixo a mão cair em seu ombro e aperto de leve.

— A gente se vê em casa — falo em voz baixa.

Rose Gold assente, ainda de olhos fixos no chão. Tiro Adam dela e saio da loja. Adam agarra um de meus dedos o tempo todo. Falo umas tolices para ele. Ele sorri quando eu falo — agora reconhece minha voz.

No carro, vejo mentalmente as possíveis hipóteses. Arnie podia estar mentindo, mas é improvável. Ou talvez tenha falado a verdade: Rose Gold está manchando meu nome com ele, Mary e qualquer outro que dê ouvidos. Mas por quê? Será que Rose Gold tem um distúrbio alimentar, ou tenta levar todo mundo a pensar que tem? Nesse último caso, por que mentir sobre isso? Talvez ela tenha se acostumado a ser o centro das atenções em minha ausência. Talvez goste de bancar a vítima. Talvez tenha encontrado o vidrinho marrom com a tampa branca em minha bolsa e esteja paranoica. Pego a bolsa, meto o dedo por um pequeno rasgo no forro e procuro até que o encontro. Passo o dedo em seu vidro frio. Meu peito se aperta. Dou a partida no carro.

Talvez não passe de um jogo de poder. Pode ser o jeito dela de revidar depois de meu cruzado de direita a respeito de seu vínculo com Adam. Consegui um nocaute, então talvez ela esteja me nocauteando para igualar o placar. Que menina trouxa. Uma novata não desafia uma mestra. Este não é um jogo que ela possa vencer.

Eu me lembro do verão em que Rose Gold tinha dez anos. Estávamos loucas de tédio em um daqueles dias quentes e úmidos, quando temos de ficar sentadas de forma que uma dobra de pele não se sobreponha a nenhuma outra, ou elas grudam, depois se rasgam quando a gente se mexe. Sem ar-condicionado na casa, estávamos infelizes. Nos revezávamos para colocar a cara na frente do ventilador, fazendo sons de alien para as hélices.

As atividades de fim de semana exigiam imaginação. As opções eram limitadas com pouco dinheiro ou mobilidade, devido à fadiga crônica de Rose Gold. Foi ela que sugeriu a barraca de limonada.

Ela havia visto as barracas de outras crianças ao longo dos anos. O conceito a deliciava: crianças donas de um negócio legítimo, lidando com dinheiro, falando com clientes. Tudo parecia muito adulto para ela.

Tínhamos alguns pedaços de papelão pela casa, então pensei: que seja, e deixei que ela se entusiasmasse. Primeiro ela desenhou as letras no papelão, depois coloriu o nome do negócio com marcadores perfumados:

"Limonada da Rose Gold". (Ela deve ter herdado a criatividade do pai.) Quando terminou a placa, preparamos limonada: um pacote de suco em pó misturado com água. Não tínhamos os meios para ter a fruta fresca, ou qualquer outra fruta exótica que as crianças colocavam nos refrescos naquele tempo. Nossos vizinhos não saberiam a diferença mesmo.

Depois de empilhar os suprimentos no banco traseiro da van, minha filha e eu entramos no carro, animadas com uma aventura para romper a monotonia da doença dela. Colocamos mesa e cadeiras em um estacionamento vazio de shopping, pusemos a placa na frente da mesa e pegamos a limonada e os copos. Rose Gold fixou o preço de vinte e cinco centavos.

No início ela ficou em êxtase, gritando rimas cantaroladas, mas questionáveis, como: "O dia está quente, limonada é com a gente" e "Vinte e cinco centavos e o calor vai pelo ralo". Não tive coragem de dizer a ela que esta última era horrorosa. Sem um cliente à vista, logo seu entusiasmo vacilou. Depois de uma hora com vendas zero, ela usou o cartaz para se abanar, pendendo a cabeça no encosto da cadeira.

— Onde está todo mundo? — ela choramingou. — Passaram quatro pessoas. Já estamos aqui há horas.

Em vez de fazer meu sermão habitual de dois pontos sobre as lamúrias e a paciência — meu instinto natural —, contornei ao outro lado da mesa.

— Com licença, moça — falei —, gostaria de uma limonada, por favor.

Rose Gold revirou os olhos. Olhou em volta para saber se alguém testemunhava essa cena constrangedora com a mãe.

— Ainda tem limonada? — instiguei de novo.

Rose Gold estreitou os olhos para mim.

— Você tem vinte e cinco centavos?

— Claro — falei, pegando a bolsa embaixo da mesa e abrindo a bolsinha de moedas.

Rose Gold pegou o jarro cheio até a borda, usando as duas mãos para encher o copo vermelho descartável, fingindo que a tarefa era importante para ela. Fiz o máximo para manter a expressão séria e o decoro necessários para a ocasião. Ela me entregou um copo.

— Aqui está.

Dei-lhe vinte e cinco centavos.

— E *aqui* está.

Levando o copo à boca, tomei um longo gole.

— O que você pôs aqui? Pó das fadas? Faíscas? Qual é o seu ingrediente secreto?

A contragosto, ela riu.

— Mãe, você está bloqueando a placa. — Ela me enxotou do caminho.

De quem?, eu queria dizer, mas mordi o lábio. Voltei a me sentar, deixando que a acidez da limonada fizesse cócegas nas papilas gustativas. Ofereci o copo a Rose Gold. Ela devorou o refresco. Limonada era uma das bebidas que seu estômago tolerava. Às vezes.

Depois de mais meia hora, um total de dez carros tinha passado por nós. Sete aceleraram, dois reduziram para ler a placa antes de acelerar, e um idoso demente — aquele fóssil devia ser velho quando o Mar Morto ainda era doente — parou e tentou regatear o preço. Argumentou que uma limonada não valia mais de dez centavos. (E não devia valer mesmo em 1720, quando ele nasceu.) Minha filha se recusou a lhe dar um desconto. Ele ficou sem a bebida. Bem feito, mão de vaca.

Duas horas de esforço, com uma venda a um parente consanguíneo, não fazia uma garota feliz.

— Vamos para casa — disse Rose Gold. — Ninguém quer a porcaria da minha limonada.

Sugeri que fôssemos para a rua principal, uma área com mais trânsito de pedestres. Nada além de ar viciado e restos de empanados de peixe nos esperavam em casa, e ainda nem era meio-dia. Eu estava sem ideias para entretê-la e precisava arrumar alguma por pelo menos mais uma hora. Ela deu de ombros e concordou com a mudança de local, agora com indiferença.

Guardei a mesa e as cadeiras na van. Os olhos de Rose Gold se iluminaram.

— E se nós pegarmos a minha cadeira de rodas? — disse ela.

— Por quê? — perguntei. Minha filha nunca se oferecera para usar a cadeira de rodas.

Ela deu de ombros.

— Minha bunda está doendo da cadeira de metal.

Concordei com o pedido e fomos até em casa. Coloquei a incômoda cadeira no porta-malas, depois fomos ao novo local de nossa barraca, recomeçando todo o processo de montagem enquanto Rose Gold ficava em sua cadeira de rodas.

É verdade que a área nova tinha mais pedestres do que o local anterior. E é muito mais difícil para as pessoas a pé ignorarem a barraca de limonada de uma criança. Mas sempre me perguntei quantos tinham parado naquela tarde porque viram uma garotinha em uma cadeira de rodas tentando ao máximo vender uma limonada. Mais importante, eu sempre voltava à pergunta se Rose Gold era assim tão perspicaz, aos dez anos, para saber angariar a solidariedade dos outros. Para usar suas desvantagens de forma vantajosa, digamos assim?

Ela vendeu dois jarros de limonada em vinte minutos, por um total de seis dólares e quarenta. Comprou um brinquedo de pelúcia com esse dinheiro — o esquilo, se não me falha a memória.

Não sou a única manipuladora na família.

Naquela noite, acordo ao som de vidro quebrado do lado de fora. Bato no mostrador do relógio: três e trinta e cinco. Bocejando, eu me sento na cama e me arrasto até a janela. Esfrego os olhos e deixo que minha visão entre em foco. Quando entra, solto um grito.

Algo pegava fogo em nosso gramado.

As chamas estavam mais próximas da calçada que da casa, mas eram grandes para serem uma preocupação legítima. Corro ao quarto de Rose Gold e tento abrir a porta. Como sempre, está trancada.

Bato.

— Rose Gold.

Recuando um passo, espero pelo estalo da tranca, a porta será aberta a qualquer segundo. Mas não acontece nada.

— Rose Gold! — Bato na porta com a palma da mão.

Encosto a orelha e escuto Adam começar a chorar. Nenhum sinal ou som de minha filha.

Corro para meu quarto e olho pela janela. O fogo ficou maior. Em pânico, esmurro sua porta mais uma vez antes de disparar pelo corredor e sair da casa. Uma rajada enregelante espeta meus braços e pernas expostos. Chego à porta lateral para a garagem anexa. Abro-a e acendo a luz, os olhos correndo até encontrarem um extintor de incêndio no canto do fundo. Chutando o lixo do caminho, pego o extintor e corro até a porta que dá para a entrada de carros.

As luzes com sensores se acendem e iluminam o jardim. Agora vejo que é nossa lata de lixo que está em chamas. A caminho do fogo, noto um grande desenho de giz na entrada. As linhas cor-de-rosa cobrem toda a superfície do asfalto. Contorno, tento interpretar o significado. Depois vejo: uma caveira com ossos cruzados.

O símbolo universal de veneno.

O calor em minhas costas me lembra das chamas. Eu me viro e puxo o pino da alavanca do extintor. Apontando o bico para a base do fogo, aperto o gatilho. O líquido dispara e apaga algumas chamas. Continuo a movimentá-lo de um lado a outro pelo que parecem horas, mas não podem ser mais que trinta segundos. Quando a última chama se apaga, caio de joelhos na grama, olhando para a lixeira calcinada e ouvindo minha respiração trêmula.

O cheiro de gasolina me tira do estupor. *Alguém ateou fogo aqui*, penso estupidamente. Estreito os olhos para o escuro da casa de meus vizinhos, procurando pelos culpados. Não há sinal de vida ali fora, só a minha. Estremeço; meu cérebro registra como meu corpo está frio.

Encontro uma lanterna na garagem e a corro pela calçada e o alto das árvores. Estou com medo demais para deixar nossa propriedade. Talvez pela manhã eu faça uma busca mais completa atrás de provas. Por enquanto, quero voltar para dentro, na segurança da porta trancada.

Corro para dentro da casa e fecho a porta. Fico alguns segundos parada ali, concentrada na força da porta a minhas costas, depois puxo o ar mais uma vez, nervosa.

No final do corredor, bato de novo na porta do quarto de Rose Gold. Desta vez, a porta se abre de imediato.

Ela fica parada ali, piscando, despenteada.

— Que horas são? — pergunta, grogue.
— Como é que você não acordou? — exclamo.
— Tomei um comprimido para dormir. — Ela boceja. — O que aconteceu?
— Alguém colocou fogo na nossa lixeira. — Minha voz está histérica, é desconhecida para mim.

Rose Gold ergue as sobrancelhas, começando a despertar.

— Do que você está falando?
— Acabei de apagar um incêndio no jardim! — Como pode ser tão estúpida?

Rose Gold fica de queixo caído.

— Sério? — Enfim, a reação que eu procurava. Nós duas nos olhamos por um momento com idênticas expressões boquiabertas.

Depois Adam solta um grito estridente. Rose Gold me olha feio e vai até o berço para pegá-lo. Como foi que eu tive a ousadia de acordar o bebê enquanto impedia que seu gramado se incendiasse?

Esqueço do fogo por uns segundos e olho para o quarto escuro, procurando pelo motivo para minha filha precisar manter a porta trancada o tempo todo. Mas o quarto parece o mesmo do dia em que me mudei para cá. Nada fora do comum.

Rose Gold volta à porta, bocejando.

— Pode colocá-lo para dormir?

Ela vai voltar para a cama agora? Vou passar semanas sem conseguir dormir.

Tiro Adam dela. Ela sorri e fecha a porta com delicadeza em minha cara. Levo o bebê para a sala de estar, embalando até ele parar de chorar. Ele mostra a língua e eu rio, apesar da situação. Meu coração pulsa contra seu corpinho.

Desta vez alguém levou longe demais a raiva que sente desta família. Eu imaginava que as pessoas de Deadwick seriam mesquinhas quando eu saísse da prisão, mas nunca pensei que a cidade se tornaria insegura. Mas é exatamente insegurança que sinto agora. Quebro a cabeça para saber quem está por trás disso: Mary Stone, Tom Behan, Bob McIntyre, Arnie, os outros funcionários da Gadget World? Qualquer um deles pode estar bancando o cavaleiro branco, pode estar determinado a me dar uma lição.

Olho para o fardo inocente que tenho nos braços. Seria muito melhor que ele crescesse em outro lugar, longe dos loucos de Deadwick.

Com um suspiro, tento desfrutar desses últimos minutos de descanso. Ficarei acordada a noite toda, se for preciso, para limpar cada resto de giz da entrada de carros. Nenhum dos defensores de Rose Gold terá a satisfação de ver suas ameaças à luz do dia.

Nem Rose Gold.

16
ROSE GOLD

Depois de vinte e quatro horas no ônibus, fizemos seis paradas em Indiana, um traslado longo em Chicago e duas paradas no Wisconsin. Atravessávamos a divisa para Minnesota quando meu telefone vibrou. Uma mensagem de papai. Apesar de sua grosseria anterior, ainda fiquei feliz por ver seu nome em minha tela.

> Queria que você soubesse que estamos quase chegando.

> Kim está dirigindo na última parte da viagem.

> E me desculpe por não deixar você vir.

> E por ser ríspido antes.

> Estou muito feliz por você derrotar essa doença, mas ainda acho que é cedo demais para fazer uma viagem grande e cheia de atividades como esta.

O fluxo de mensagens se interrompe por um tempo.

> Eu sei que disse que íamos ficar juntos depois das minhas férias, mas, agora que você está melhor, acho que preciso de espaço por algum tempo.

O quê? Quanto tempo é algum tempo?

> Quero que saiba que foi ótimo ter conhecido você.

> E falo sério.

Por que parece que ele está terminando comigo?

> Foi proveitoso para mim tanto quanto para você.

> Mas, com as idas e vindas a Deadwick e as mensagens de texto e e-mails constantes e a preocupação com você, deixei minha família de lado.

Começo a digitar: "EU SOU da sua família", mas apago a frase.

> Com a promoção, o trabalho vai ser maior do que nunca.

> Quero ficar com minha esposa e meus filhos no pouco tempo livre que tenho.

Pisco, livrando-me das lágrimas. E se ele nunca mais quiser me ver?

> Eu sei que você é minha filha também, mas você já é adulta, e olhe para você... vencendo o câncer, pelo amor de Deus!

> Você tem a sra. Stone e os vizinhos, mas meus filhos não têm mais ninguém.

> Anna só tem sete anos.

> Nunca vou me perdoar se eles crescerem sem um pai.

Um grito violento ameaçou escapar de meu peito. Segurei bem o maxilar, louca de fúria. Como ele podia fazer isso comigo?

> Já cometi esse erro antes.

> Eu sinto muito.

> Me desculpe, Rose.

O uso que ele fez de meu apelido — o único que já me deram — murchou minha raiva. Pela primeira vez desde que entrei no ônibus, vi o que eu fazia com a clareza de um cristal: meu pai não me deixou ir com sua família a Yellowstone, então eu os seguia. No que eu estava pensando? Que ia roubar a comida deles? Cortar as cordas das barracas? Abrir um buraco na canoa deles? Agora que minha fúria tinha sossegado, percebi que o afastaria para sempre se aparecesse e estragasse suas férias de verão. Eu precisava dar passos menores e mais sensatos para conquistar a família Gillespie. Não podia ir a Bozeman agora.

Eu me levantei e fiquei de pé no corredor.

— Pare o ônibus! — gritei.

Os olhos da motorista se voltaram para mim pelo retrovisor.

— Sente-se, por favor, senhorita — pediu ela, entediada.

Peguei meus pertences e fui para a frente do ônibus.

— Preciso sair — pedi.

— Você acha que está em algum set de filmagem? Nós estamos em uma rodovia — ela me repreendeu, sem acreditar. — Agora, vá se sentar.

Sentei-me na primeira fila.

— Mas eu estou indo para o lado errado — falei, quase chorando. — Cometi um erro.

— Mineápolis em dez minutos — a motorista disse ao grupo. Para mim, falou em um tom mais baixo. — Todos nós cometemos erros. Sempre é possível começar de novo.

Eu me agarrei ao banco à minha frente, pensando na vara de pesca nova em folha em minha van, em Indiana. Eu podia ver os Gillespie no barco para seis que eles alugaram, cinco varas enfileiradas e esperando para ser usadas. Papai ajudava cada criança a colocar a isca no anzol. Kim tentava passar filtro solar em Anna enquanto ela se contorcia, olhando para a água e dando nome a cada peixe que via. Em meu lugar vago, papai colocou um cooler cheio de bebidas, as crianças brigando para saber quem ia ficar com o Gatorade azul. Quando eu ia poder andar de barco ou aprender a pescar? A ideia de experimentar essas coisas sozinha me parecia absurda. Outro passeio em família tinha escapado por entre meus dedos.

Enxuguei os olhos. Meu problema não era culpa de papai. Em uma família normal, eu não teria de entrar à força em viagens de verão. Não existiria isso de prolongar minha acolhida. Se não fosse mamãe, eu não estaria compensando o tempo perdido. Àquela altura, ela estava na prisão fazia quase três anos. Não tinha falado com ela desde que fora presa. Torcia para nunca mais ver sua cara mentirosa e podre. *Ela* é que merecia ser feita em pedacinhos, não papai.

Quando o ônibus parou no estacionamento, corri para fora, desculpando-me e agradecendo à motorista.

Como foi que cheguei ali? Não a Mineápolis, mas a este lugar em minha vida. Minha melhor amiga, apesar de ser uma imbecil, não falava mais comigo. Meu pai queria espaço, longe de mim; minha mãe estava presa. Eu não tinha ninguém. Estava sozinha.

Não suportei a ideia de dar meia-volta e ir para casa. Não quando eu tinha pedido uma semana de folga a Scott. Podia ficar aqui, mas não conhecia ninguém em Minnesota.

Pela segunda vez em vários dias, olhei o horário dos ônibus e o mapa. Precisava ir para algum lugar — não podia ficar nessa rodoviária. Para onde a gente vai quando está só?

Meus olhos pararam de examinar o mapa. Eu não estava só. Em todos esses anos, tinha prometido fazer uma visita. Quando seria mais perfeito do que agora? Estava com tempo livre, já me dirigia para oeste.

Fui a passos firmes ao balcão de passagens. Tinha avançado muito para o norte, mas podia corrigir o curso. No fim de semana eu chegaria lá.

— Posso ajudá-la? — perguntou o homem do balcão. Ele usava um tapa-olho: um presságio muito bom.

— Uma passagem para Denver, por favor — falei.

Havia muito tempo passara da hora de conhecer Phil em carne e osso.

Às dez da manhã, quando o ônibus estava a uma hora de Denver, decidi mandar uma mensagem a Phil com meu nome verdadeiro. Não queria que a primeira conversa que teríamos pessoalmente começasse comigo corrigindo quando ele me chamasse de "Katie". Não podia fingir que era outra pessoa para sempre.

> Não tenho sido sincera com você.

> Como assim?

> Meu nome verdadeiro é Rose Gold.

> Menti porque não queria que você descobrisse na internet ou nos jornais a história ferrada da minha família.

> Me desculpe.

 Larguei o celular no colo, com as mãos tremendo, e soltei um suspiro de alívio. Eu me arriscava confessando que mentira, mas me senti bem por colocar tudo em pratos limpos com Phil. Torcia para ele não procurar meu nome no Google pela hora seguinte e deduzir como eu era, ou ele nunca ia querer me conhecer. Esperei pela resposta dele.

> Sei.

> Estou ao mesmo tempo surpreso e não. É a internet, afinal de contas.

> Peço mil desculpas.

> Olha, eu entendo.

 Um buraco se formou em meu estômago. Precisei perguntar.

> Ainda quer falar comigo?

> Claro que sim.

> Que bom, porque estou quase em Denver.

> Como é que é?

> Eu sabia que você nunca ia concordar com um encontro, a menos que eu fizesse uma surpresa. Estou no ônibus, quase chegando.

> Me encontre na rodoviária de Denver daqui a uma hora. Aquela na rua 19. Estou com um casaco de capuz roxo.

Meu coração estava aos saltos de novo, mas eu também sentia orgulho de mim. Cada vez mais, ultimamente, eu assumia o controle de minha vida. Enfrentei Alex e lhe dei uma lição. Exigi que meu gerente me desse essa semana de folga. Consegui conhecer meu pai e romper com minha mãe. E agora dava ordens a Phil. A tímida Rose Gold tinha sido deposta.

> Tudo bem, estarei lá.

Pisquei algumas vezes para a mensagem dele, sem acreditar. Eu ia encontrar meu namorado virtual.

> Vou estar de boina cinza.

Fiquei tão empolgada por não ter sido deixada de lado que tentei ignorar o mau presságio de um chapéu cinza. Nunca vi um snowboarder usar boina, mas também nunca conheci nenhum snowboarder. Eu teria de esperar para ver.

A última hora da viagem de ônibus se arrastou. Passei a maior parte do tempo vendo tutoriais no YouTube sobre maquiagem. No fim, fiz a minha como vira Alex fazer a dela. Depois disso, pratiquei poses que me permitissem falar com Phil escondendo os dentes — mas eu nem precisava de treino. Anos atrás, havia deduzido cada jeito de cobrir a boca.

O ônibus parou no estacionamento. Senti palpitações. Bom ou ruim, este dia seria memorável. Olhei pelas janelas, tentando dar uma primeira espiada em Phil. Mas o estacionamento estava praticamente vazio. Alguns carros esperavam, mas não consegui ver nenhum dos motoristas.

O ônibus parou. As portas se abriram. Algumas pessoas desembarcam comigo, bocejando e esticando as pernas. Queria que elas andassem mais rápido. Desci os três degraus até a calçada, a última a sair do ônibus. Vi alguns passageiros se dirigirem a carros que os aguardavam. Metiam a cabeça pela janela do motorista, dando abraços e beijos em entes queridos invisíveis. Corri os olhos pelo estacionamento, mas não vi nenhuma boina cinza.

E se ele tivesse me dado um bolo?

Bati o pé no concreto e cruzei os braços. *Ninguém aqui está prestando atenção em você*, disse a mim mesma, *e, se estiverem, vão supor que sua carona está atrasada*.

Eu daria quinze minutos. Se ele não aparecesse até lá, teria minha resposta. Já estava morta de medo de voltar ao ônibus.

Alguém me deu um tapinha no ombro esquerdo.

— Rose Gold?

Eu me virei e vi um homem parado atrás de mim, com os braços rígidos junto do corpo. Em uma das mãos, segurava duas margaridas amassadas. Embaixo da boina cinza havia um rabo de cavalo louro-arruivado. Ele tinha barriga e bigode com uns fios brancos, usava óculos e tinha pelo menos sessenta anos.

Este não podia ser Phil.

O homem estendeu a mão para mim.

— Phil — disse ele.

— Rose Gold — falei num torpor, apertando sua mão.

O cara tinha idade para ser meu avô, e eu dissera que o amava mais de uma vez durante nossos bate-papos virtuais. Eu ia vomitar em projétil em suas sandálias Birkenstock.

— Está com fome? Pensei em comermos alguma coisa no Crispy Biscuit, aqui na rua. Um ótimo restaurante. — Phil coçou o cotovelo. Voaram umas escamas de pele. Me ocorreu que eu tinha sido muito burra e cometera um erro gigantesco.

Phil caminhou na direção de uma picape preta. Fui atrás dele, embromando. Não queria entrar no carro daquele sujeito. Recentemente tinha começado a ver filmes de terror e parecia que todos os personagens se colocavam em perigo — deixando de chamar a polícia, escondendo-se em lugares óbvios, entrando em carros de estranhos — enquanto eu gritava para eles por serem idiotas. Jurei que não seria uma idiota duas vezes no mesmo dia.

— Esse restaurante fica longe? — perguntei.

— A dois minutos de carro. Perto daqui — disse Phil, pigarreando para se livrar do catarro na garganta.

— Talvez a gente possa ir a pé — falei. — Fiquei sentada por umas vinte e quatro horas.

Phil me olhou de lado.

— Tudo bem. — Ele parou de andar, então eu parei também. — Não está pensando que eu vou fazer mal a você ou coisa assim, não é?

Dei um leve sorriso.

— Claro que não. Só quero um pouco de ar fresco.

Andamos em silêncio pelo resto do caminho ao restaurante. Phil se ofereceu para levar minha mala, mas declinei, embora não tivesse nada de valor dentro dela. Se eu precisasse deixá-la para trás numa emergência, tudo bem.

No Crispy Biscuit, uma garçonete apática nos colocou em uma mesa pegajosa e entregou os cardápios. Phil tirou a boina e revelou uma careca incipiente que me fez estremecer. Ele cantarolava ao olhar o cardápio. Enquanto isso, eu planejava uma rota de fuga.

Eu passaria pela refeição, depois inventaria uma desculpa sobre ter uma tia na cidade que ia me buscar. Na verdade, talvez eu devesse contar sobre a tia agora, assim ele saberia que alguém ia notar se eu desaparecesse. Mas quantas vezes eu dissera a ele, em conversas passadas, que não tinha parentes vivos além de minha mãe? Talvez essa fosse uma tia havia muito desaparecida. Não, espere, eu contei a ele que tinha descoberto meu pai. Podia dizer que meu pai estava em uma viagem de negócios em Denver e que me pegaria depois desse encontro. Talvez eu realmente devesse mandar uma mensagem a papai para ele saber que eu corria perigo. Ele disse que precisava de espaço, mas duvido de que isso inclua emergências. Talvez até nos unisse de novo. Ele iria se sentir culpado e esquecer todas as coisas que dissera. Ele podia ser o pai proverbial, sentado em sua varanda com a espingarda, esperando que o namorado sexagenário da filha a levasse para casa. Tentei imaginar papai segurando uma arma. Não consegui.

— O que vai ser? — perguntou Phil, olhando para mim. Aposto que Phil tinha muitas armas.

Tomei um susto.

— O quê?

— Vou pedir a omelete Denver. Tem alguma coisa que agrade a você?

Apesar de meu nervosismo, percebi que estava faminta. Não fazia uma refeição de verdade havia dois dias. Olhei rápido para o cardápio e escolhi a primeira coisa que vi.

— Panquecas de mirtilo.

— Boa pedida. — Phil sorriu e se inclinou para a frente. — Sabe de uma coisa? Não precisa ficar tão assustada. Não sou um assassino louco do machado nem nada disso.

Soltei uma gargalhada.

— Não seria exatamente isso que diria um assassino louco do machado?

— Eu parecia a minha mãe.

— Você me convidou para te conhecer — Phil me lembrou.

— É que você é... — me interrompi.

— Velho? — Phil adivinhou.

— Você disse que tinha largado o ensino médio.

— E larguei. Há muito tempo. — Phil deu uma risadinha.

— Você disse que morava na casa dos seus tios.

— E moro. Eles me venderam algum tempo atrás.

Fiz uma careta.

— Você é diferente do que eu esperava.

Ele me olhou de cima a baixo.

— Posso dizer o mesmo de você.

O que isso significava? Eu era mais feia do que ele previa? De peito achatado? Mais esquelética? Me perguntei se ele estava me avaliando, adivinhando quanto eu pesava, o quanto eu lutaria se ele me carregasse para sua picape. Ou, por outra, e se ele não usasse da força, mas tentasse me seduzir? Em circunstância nenhuma eu ia fazer sexo com esse homem.

— Eu jamais quis ser um solteirão a vida toda, lendo Kafka sozinho em minha cabana na floresta — Phil se interrompeu. — Estou brincando... Kafka é um monte de merda. Já leu?

Fiz que não com a cabeça.

— Não se dê ao trabalho. Sou mais fã de Margaret Atwood. Li *O conto da aia* pelo menos trinta vezes. Cada leitura dá alguma coisa diferente para pensar, sabe? Mas sou o primeiro a admitir que gosto um pouco de *Comer, rezar, amar* mais do que qualquer outro cara. Elizabeth Gilbert é um tesouro nacional. — Pelo jeito como Phil tagarelava, me perguntei se ele tinha falado com alguém nos últimos sessenta anos. Eu precisava admitir que ele não me parecia o assassino do machado.

— Você realmente mora sozinho em uma cabana na floresta? — perguntei.

Ele riu de novo.

— Foi isso que você deduziu? Eu disse que morava em uma cabana.

— É, com os seus tios. — Olhei feio, agora com menos medo dele.

— Sejamos francos. — Seus olhos brilhavam. — Ninguém quer conversar na internet com um velho, mesmo que seja um velho legal. Às vezes nós precisamos ser criativos com a verdade. Você entende, não é, Katie?

— Ele se divertia, como se isto fosse só uma pegadinha.

Imaginei que sim. Passei cinco anos de minha vida pensando que estivesse em um relacionamento de verdade, mas não estava mais perto de meu primeiro beijo. Tinha vontade de rir e chorar ao mesmo tempo.

— Pelo que eu vejo, você também não faz snowboarding — falei.

Phil soltou uma gargalhada e bateu na barriga.

— Não desde que tive uma lesão nas costas, nos anos 80. Fiz uma aula uma vez. O Hunter disse que eu tinha um dom natural. — Ele ficou radiante.

Hunter — ora, esse era o nome de um plausível instrutor de snowboard de vinte e poucos anos. Eu queria me dar um soco.

— Não sente solidão, morando sozinho? — perguntei.

— Pensei que você tinha dito que morava sozinha também — disse Phil.

Olhei fixamente para meu chocolate quente.

— Eu nunca disse que era solitária.

A expressão de Phil se abrandou.

— Claro, eu preferia ter esposa e filhos a esta altura, até netos. Mas dava bola fora sempre que tentava cortejar alguém na vida real. Me decepcionei muitas vezes, então aceitei o que a vida me dava. — Meu rosto deve ter se enchido de pena, porque ele continuou: — Olha, eu tiro o melhor disso. Tenho uma horta e faço pão. Compro minha carne em um açougue em Denver. Estou tentando tornar minha casa autossustentável, mas não sou um recluso completo nem nada disso. Canto no coral da igreja uma vez por mês. Como disse Thoreau: "Nunca encontrei uma companhia mais sociável que a solidão".

Em qualquer outra história, Phil seria um serial killer. Nesta, ele era um eremita filósofo.

A garçonete largou nossa comida. Despejei um monte de calda de mirtilo por cima das panquecas de mirtilo, cortei um pedaço e comi. Um estremecimento ainda corria por mim quando dava a primeira dentada em uma refeição especialmente deliciosa, e desta vez não foi diferente. As panquecas eram grossas e fofas, e derretiam na boca. Comi uma garfada depois de outra, sem me importar se parecia uma louca.

— Como assim "autossustentável"? — perguntei entre as garfadas.

— Eu tiro água da minha horta hidropônica. Uso sistemas de aquecimento e refrigeração próprios. Não tenho conta em banco. Pago e recebo em dinheiro.

— Você trabalha em quê?

— Vendo minhas verduras, dou aulas particulares a alunos do ensino médio, tiro a neve no inverno. — Ele se inclinou e gesticulou para eu fazer o mesmo. — Crio identidades falsas.

Eu quase ri, depois percebi que ele falava sério. Onde estava esse cara quando precisei fingir que tinha vinte e um anos para ir com Alex e Whitney ao Kirkwood?

— Phil é uma identidade falsa?

Phil ergueu as sobrancelhas, sugerindo que a resposta era afirmativa.

— Qual é o seu nome de batismo?

Phil meneou a cabeça.

— Desculpe, garota. Não posso contar. Mudei de nome há trinta anos para me livrar do passado. — Ele olhou para a omelete. — Também tenho uma mãe que preferia esquecer.

Nem acreditei que o Phil verdadeiro e eu tivéssemos algo em comum. O tempo todo, eu tinha me esquecido de que contara a ele sobre o show de horrores que era a minha mãe.

— Entendo o que você quer dizer — falei, a raiva entrando de mansinho na voz. — Minha mãe acabou com a minha vida.

Phil me abriu um sorriso triste.

— Não guarde toda essa amargura, meu bem. Ela vai esmagar você.

— Como você superou?

— Essa é a pergunta de um milhão de dólares. — Ele deu a última garfada na omelete.

Notei que naquele momento eu precisava mais do Phil verdadeiro do que da versão virtual que pensara estar namorando. Sorri para ele, um sorriso genuíno para que ele soubesse de minha felicidade por estar ali, a gratidão por me sentar na frente de outro ser humano que tivera uma infância horrível.

Phil se encolheu um pouco — por causa dos meus dentes, o que mais seria? Fiquei vermelha. Esse tempo todo, pensei que eu é que tinha de sentir repugnância. Imaginei encontrar Phil nesse restaurante de novo, dali a alguns anos, depois que eu tivesse meus dentes brancos e reluzentes. Nunca mais ficaria constrangida ao sorrir.

— Com licença. — Phil se levantou e dobrou o guardanapo. Colocou-o onde estivera sentado. — Preciso usar o banheiro.

Quando ele saiu, peguei o telefone e mandei uma mensagem a meu pai.

> Decidi me encontrar com um cara no Colorado com quem estive conversando pela internet.

> Por acaso ele tem uns 60 anos e mora sozinho na floresta. Pensei que tivesse 20.

> Ele parece legal, mas, se não tiver notícias minhas por algum tempo, procure a polícia de Denver, pode ser?

Reli as mensagens. Tudo que eu dizia era verdade. E daí se tinha deixado alguns detalhes menores de fora, que podiam amenizar os temores de meu pai? Agora ele não podia me ignorar de jeito nenhum. Eu teria de esperar que seu telefone tivesse sinal; ele me avisou que ficaria fora de alcance enquanto estivessem acampando. Devolvi o celular à bolsa.

Phil voltou do banheiro e se sentou. Notou meu prato vazio, impressionado por eu ter terminado.

— Estava bom? — perguntou ele.

— Uma delícia — respondi.

— O Crispy Biscuit nunca decepciona.

A garçonete trouxe a conta. Phil colocou duas notas de vinte na mesa. Fiz menção de pegar a carteira, mas ele dispensou com um gesto. Não protestei.

Ele deu um pigarro.

— Bom, acho que nenhum de nós espera alguma coisa física.

Fiz que não com a cabeça. Parte de mim ficou eufórica por Phil não ter interesse; outra parte teve vergonha de ser rejeitada por um solitário de sessenta anos.

— Para mim, nossa relação nunca foi física mesmo — disse ele, remexendo-se. — Todos aqueles anos, você parecia precisar de um amigo.

Abri a boca, mas não consegui pensar no que dizer. Eu me sentia patética, ouvindo Phil descrever uma Rose Gold de dezesseis anos. O pior de tudo é que, cinco anos depois, a descrição ainda cabia.

— Eu também precisava de uma amiga — ele tentou me tranquilizar —, por isso não quis deixar você esperando na rodoviária hoje. Já fui um garoto que fugia de maus-tratos.

Era o que eu estava fazendo? A pergunta piscava enquanto Phil continuava.

— Minha ideia é a seguinte: por que eu não te levo para o aeroporto? Vou te dar quatrocentas pratas para uma passagem de avião e você pode ir aonde quiser. Você pode recomeçar.

Ele me olhava com esperança. Entendi totalmente errado esse homem. Ele não ia me fazer mal — queria ajudar. Eu estava cansada e sobrecarregada demais para chorar.

— Não quero voltar naquele ônibus. — Ri, fraquinho.

— Nem precisa. Me deixe ajudar você — pediu Phil. — Quando eu tinha a sua idade, alguém me ajudou a me reerguer. E eu jurei que um dia faria o mesmo.

— Tem certeza?

— Absoluta — respondeu Phil.

Saímos do restaurante juntos. Tive o impulso de abraçar aquele estranho que eu conhecia fazia muito tempo, mas não queria me arriscar a dar os sinais errados. Só por precaução.

O percurso de trinta minutos até o aeroporto de Denver foi tranquilo. Enquanto Phil dirigia, eu pensava aonde ia. Podia ir para a Califórnia e ver o mar pela primeira vez. Ou a Estátua da Liberdade, em Nova York. Eu me perguntava se quatrocentos dólares bastavam para comprar uma passagem para o México — devia ser ensolarado e quente, e ninguém ali conheceria minha história. Eu podia ser Rose ou escolher um nome novo, como Phil.

Me permiti aquelas fantasias, mas já sabia para onde ia quando cheguei ao balcão. Reservei uma passagem no próximo voo para Indianapolis. Dali eu estaria a duas horas de carro até a rodoviária para pegar minha van, e a quatro horas de viagem até minha casa.

Não podia desistir de meu pai, nem da vida que eu reconstruía. Eu tinha um emprego, um carro, uma poupança com dinheiro de verdade. Dali a alguns anos, poderia pagar pelo tratamento dentário. Ainda não tinha acabado em Deadwick. Não podia dar no pé, como fez Phil, por mais tentador que fosse.

Phil parou a picape perto da área de embarque. Da carteira, tirou cinco notas novinhas de cem dólares.

Ele sorriu e me entregou o dinheiro.

— Promete que vai se cuidar?

Fiquei radiante.

— Prometo. Obrigada, muito obrigada.

Tomada de gratidão, dei um beijo em seu rosto. Nós dois nos retraímos, mas fingimos não perceber. Saí do carro, acenei uma vez e vi a picape arrancar.

17
PATTY

O Natal em Deadwick é patético. Não temos uma praça, então as "festividades" são montadas no estacionamento do shopping. Lojas de tecido e de ferragens, um salão de manicure, uma pizzaria e uma Hallmark — pensei que eles tivessem seguido o caminho da Blockbuster —, todas são tristes testemunhas do espetáculo das festas de fim de ano.

Milhares de bolas de algodão foram espalhadas no calçamento. Ainda não bastou para dar a quem passava a impressão de neve, e havia mais asfalto aparecendo do que os tufos brancos. Em um canto do estacionamento há uma fileira de casinhas de pão de mel — tenho de supor que seus decoradores estavam vendados. As renas são esculturas de cervos de jardim, feitas de um plástico fino e sem chifres. Alguém desenhou com tinta vermelha um sorriso em cada uma das bocas, assim elas têm uma semelhança impressionante com o Coringa de Heath Ledger. (Rose Gold e eu vimos *O Cavaleiro das Trevas* outra noite — meu Deus, o gosto de minha filha para os filmes tem ficado sinistro.) No meio disso tudo tem uma árvore de Natal de três metros no estilo Charlie Brown. Os enfeites estão arranhados, a guirlanda está careca e o anjo no topo olha constrangido para todos nós. Uma placa caseira de contagem regressiva diz: "Nove dias para o Natal".

As casinhas de pão de mel no cantinho são o motivo para estarmos aqui: Papai Noel. Embora sejam dez da manhã, já se formou uma fila, todas as crianças vestidas de verde e vermelho. Algumas pulam de empolgação; outras parecem esperar por uma sentença. (Sei como é isso.) Uma garotinha está chorando. Queria poder me juntar a ela.

Eu queria levar Adam ao Papai Noel do shopping a duas cidades daqui, mas Rose Gold me pediu para ir com ela ao "Natalpalooza" de Deadwick. Ela quer que todos vejam que somos unidos como três ervilhas numa vagem — e também a linda fantasia de rena de Adam (esta é completa, tem chifres). Observo as coisas que ela aponta para Adam, como se ele tivesse noção do que está acontecendo. A emoção dela é cativante. Fico feliz por ter vindo.

No dia seguinte ao incêndio em nosso terreno, confrontei Rose Gold sobre seu estranho comportamento na noite anterior. Ela admitiu que achou que eu exagerava. Em seu estado induzido pelo sonífero, não percebeu a gravidade da situação. É claro que *ela* não teve nada a ver com isso, insistiu, ofendida por eu ter insinuado tal coisa. Rose Gold desconfiava do envolvimento de Arnie. Ele tinha uma queda por ela e algumas semanas antes dissera algo sobre me dar uma lição. Ela prometeu que ia investigar um pouco.

Dois dias depois, ela chegou do trabalho com uma atualização: Arnie disse que não botou fogo na lixeira, mas Rose Gold tinha a sensação de que ele sabia quem foi. Pensou que a culpa fosse do irmão mais novo dele, Noah, e dos amigos.

— Mas por que eles viriam atrás de mim? — perguntei.
Rose Gold deu de ombros.
— Muita gente em Deadwick tem mágoa de você... até gente que você não conhece.
Minhas sobrancelhas chegaram à linha do cabelo.
— Precisamos chamar a polícia.
Rose Gold fez que não com a cabeça.
— Deixa de ser boba. Eles são inofensivos.

— Eu não chamaria de inofensivos uns delinquentes juvenis com tendência a incendiários. — Mordi o lábio.

Rose Gold suspirou.

— Não sei o que te dizer, mãe. As pessoas na cidade acham que é o dever delas zelar pela minha segurança, e elas acreditam que o melhor jeito de fazer isso é afastando você de mim. Olha, por que nós não vamos ao Natalpalooza no fim de semana que vem, assim podemos provar a todos como estamos próximas?

E é por isso que agora estou parada em um estacionamento dilapidado, com o braço dela enganchado no meu, esperando para colocar meu neto no colo de um estranho. Não estou satisfeita com a explicação de Rose Gold — vi Arnie, Noah e seus amigos desajeitados pela cidade. Eles parecem incapazes de operar um mata-moscas, que dirá vandalismo na propriedade dos outros.

Decidi deixar isso de lado, por enquanto. Não quero assustar Rose Gold com acusações ou perguntas diretas. Preciso dela por perto, assim posso deduzir o que está aprontando. Depois que tiver mais respostas, posso recuperar o controle desta família.

Faço um carinho no braço de minha filha. Ela sorri para mim.

Cinco famílias esperam na fila à nossa frente. Felizmente, não reconheço nenhuma delas e elas não me reconhecem. Papai Noel também é um rosto desconhecido, um cara de quarenta e poucos anos, se eu tivesse de adivinhar. Bob McIntyre sempre fez o Papai Noel da cidade. Talvez este ano não tenha achado a dentadura a tempo.

Dois garotinhos pulam do colo de Papai Noel depois que os pais tiram quatro milhões de fotos. O que aconteceu com só uma e pronto? Eles não vão aparecer na *National Geographic*, pelo amor de Deus. Papai Noel faz ho-ho-ho e "Feliiiiiiiz Nataaaaaal" para enxotá-los. Enquanto os pais seguintes na fila endireitam as melhores roupas de domingo dos filhos, o olhar de Papai Noel percorre o estacionamento e cai em mim. Ele estreita os olhos, depois os arregala, reconhecendo. Talvez eu não o conheça, mas ele me conhece.

Ele me fulmina com os olhos. Tento fincar pé, encaro também, mas me parece horripilante trocar olhares com Papai Noel. Viro a cara. Seus olhos ainda estão apontados para mim, mesmo quando o novo grupo de crianças sobe em seu colo.

Talvez seja paranoia minha. Talvez ele não esteja me encarando.

Olho por cima do ombro para saber se ele está observando alguém atrás de mim, e vejo no estacionamento o boneco de barro ambulante que é Arnie Dixon e, presumivelmente, as criaturas dele. Forma-se dentro de mim uma fúria que não sinto desde que Rose Gold subiu no banco das testemunhas em meu julgamento.

Atravesso o terreno na direção deles. Arnie me vê chegando e fica assustado. Paro diante da sua figura e coloco as mãos nos quadris.

— É melhor que você e o vagabundo do seu irmão piromaníaco fiquem longe da minha família — grito.

Arnie fica boquiaberto e olha em volta, como se eu falasse com outra pessoa. Os pais dele, gente magra e de óculos com cheiro de quem adora gatos, são apanhados desprevenidos.

— Fale para a sua turminha ir alimentar a piromania em outro lugar. Se eu pegar um de vocês no meu terreno de novo, vou chamar a polícia. — Minha cabeça martela da gritaria.

A mãe de Arnie se intromete, elevando a voz de fala mansa.

— Fique você longe de meus filhos, sua bruxa louca.

Eu me viro rapidamente para ela.

— Os seus filhos atearam fogo na minha lata de lixo.

Um homem alto me segura pelo braço e se agiganta sobre todos nós.

— Que tal você deixar em paz o espetáculo para Papai Noel e os Dixon? Tom.

Ele não é o único espectador, pelo que percebo. A agitação de atividades no estacionamento entrou mais ou menos em ponto morto. Cretinos de cara de lua embrulhados em suas parcas de sacos de dormir me encaram, os rostos cheios de animosidade. Um casal apressa a filhinha até o carro, mas os outros ficam e assistem de braços cruzados. Eles querem um barraco? Tudo bem.

Arranco meu braço da mão de Tom e elevo a voz ainda mais, agitando os braços para dar ênfase. Quero que todos me ouçam.

— Vocês têm sido horríveis comigo desde que eu voltei. Vocês não sabem nada da minha relação com a Rose Gold, o quanto nós duas ficamos próximas. E ainda estão todos conspirando contra mim.

As mães da associação de pais e mestres fazem estardalhaço puxando os filhos para perto. Um grupo de lutadores do ensino médio estala os dedos. Percebo que estou furiosa. Quem não sabe do incêndio deve achar que sou uma louca. Tenho a sensação desagradável de que a turba da cidade vai me obrigar a ir embora de novo, quando uma voz áspera fala atrás de mim.

— Por que não deixamos a Patty desfrutar das festas e todos nós podemos desfrutar da nossa?

Eu me viro rapidamente e vejo Hal Brodey, um velho amigo de meu pai, olhando para mim. Não via Hal desde que era criança. Ele agora deve estar batendo os noventa anos, mas, tirando a cara enrugada e a postura um tanto recurvada, não parece muito desgastado. Hal nunca se incomodou em ser gentil comigo quando eu era mais nova, então não sei bem por que me defende agora.

Tom encara Hal, incrédulo.

— Vai defendê-la? Depois do que ela obrigou a Rose Gold a passar?

Hal tira o boné dos Chicago Bears e o ajeita na cabeça.

— Eu sei o que ela fez, Tom. — Enquanto ele fala, seus olhos nunca deixam os meus. — A maioria de vocês não conheceu a Patty quando criança, as coisas por que ela passou. Eu conheci.

A multidão se cala. Meus pulmões parecem ter perdido o ar.

— O pai de Patty tirou o couro dela durante anos. — Hal tem uma expressão assombrada, a mente em algum lugar obscuro. — Ainda lembro dos hematomas.

Então é por isso. Hal Brodey precisa aliviar a consciência depois de fazer vista grossa enquanto o melhor amigo espancava os filhos até que virassem uma paçoca. Eu não sabia que Hal sabia. Não sabia que algum adulto sabia, além de minha mãe. O sangue sobe para meu rosto — estou meio apavorada por reviver as lembranças, meio humilhada por ter minha vergonha partilhada com muita gente de novo.

— Muitos de nós apanhamos de cinto quando crianças — resmunga alguém na multidão. — Nenhum cresceu e virou um monstro. Não envenenamos nossas filhas, nem matamos de fome os filhos.

O resto do grupo rosna sua aprovação. Alguém aplaude.

Hal franze o cenho.

— Ora essa, você tem uma porcaria de estrela de ouro no Paraíso. É isso que quer ouvir? Só estou dizendo que esta mulher teve uma vida difícil e agora precisa de uma segunda chance. Talvez nós devamos dar isso a ela.

Ninguém diz nada. Eu queria poder congelar este momento bem aqui. Ninguém me disse uma palavra gentil em seis anos. Sinto uma lágrima se formar e pisco para me livrar dela.

Hal continua.

— E o perdão? Pelo que me lembro, é uma parte importante da Bíblia que vocês vivem pregando.

O estacionamento fica em silêncio. Eu podia beijar em cheio a cara enrugada de Hal Brodey. Este é o momento que eu esperava. Olho para Rose Gold. Ela parece furiosa.

— Sabe de uma coisa, Hal? — fala alto Jenny Wetherspoon, nossa bibliotecária moloide. — A última coisa de que preciso agora é de um sermão sobre a minha fé. O perdão tem seus limites.

O marido de Jenny, Max, avança um passo.

— Se a Patty quer uma segunda chance, deve tentar em outra cidade. O povo de Deadwick tem boa memória.

Max cospe de lado. Eu me pergunto se ele ainda anda com um revólver enfiado no cós da calça.

— O que ela estava esperando? Uma festa de boas-vindas? — continua Max, olhando para mim.

A mamãe da associação de pais e mestres dá uma risadinha.

Jenny finge pensar no assunto.

— Ela sempre adorou uma caridade. Não teve problemas para comer a nossa comida, "pegar emprestado" o nosso dinheiro. Quanto ela tirou de nós naqueles anos, Max?

Max dá um pigarro e vem na minha direção.

— Alguma coisa acima de setecentos dólares, pelos meus cálculos. — Por um segundo, sua máscara de durão escorrega e vejo a dor em seus olhos.

Jenny assente, evitando meu olhar.

— Mais todas aquelas contas de hospital. A biblioteca fez pelo menos meia dúzia de arrecadações para pagar por elas.

Não é por causa do dinheiro, mas eles fingem que é assim. Tomei Jenny e Max nos braços depois de cada consulta na clínica de fertilização, ajudei-os a pesquisar e pensar em outras opções até que ficaram sem nenhuma. Rose Gold e eu levamos para eles sopa Campbell de macarrão com frango e gravamos vídeos caseiros bobos, o que eu conseguisse pensar para animá-los. Vinte anos antes de decidirem que eu era um monstro, eles me chamavam de anjo da guarda.

Recuo um passo.

— Deixem minha filha e eu em paz — grito para todos eles. — Estou enjoada de seus sermões.

Max mete as mãos nos bolsos do casaco e o abre bem. No lado esquerdo do cinto, o metal reluz.

— Se está cansada da conversa, vou ficar feliz em te mostrar como todos nós nos sentimos — diz ele, em um tom agradável.

Meu sangue gela. Olho para Hal, na esperança de ele falar de novo. Ele masca a face interna da bochecha, de olhos estreitos para Max Wetherspoon, mas não fala nada.

— Você não é bem-vinda em Deadwick, Patty — diz Jenny. — Não podemos obrigá-la a sair da cidade, mas não pense que não vamos tentar.

Rose Gold se aproxima rapidamente, de cabeça baixa, e me segura pelo cotovelo.

— Vamos sair daqui — murmura ela. Não está mais com raiva. Voltou a ser a gentil e subserviente Rose Gold. Estou penando para acompanhar suas alterações de personalidade.

Concordo com a cabeça, atordoada. Ela passa o braço por mim e me conduz para a van. Os olhos negros que piscam da colmeia humana nos encaram. Hal Brodey meneia a cabeça, o único triste em me ver partir.

Em casa, ando de um lado a outro da sala, ainda furiosa. Rose Gold volta depois de alimentar Adam no quarto, cantando "Brilha, brilha, estrelinha" ao seguir pelo corredor. Quando chega à sala, levanta Adam até seu rosto e o beija quatro vezes: na testa, nas faces e no queixo. Ele ri.

— Eles não têm o direito de me tratar assim — digo, observando minha filha. — Todo santo dia tento ser gentil com eles. E todo santo dia só o que fazem é me atormentar.

— Por que você não brinca um pouco com o Adam? — sugere Rose Gold, animada, abraçando o bebê antes de passá-lo para mim. — Vou preparar o nosso jantar.

— Desta vez eles foram longe demais. — Abaixo o tom, agora que tenho Adam nos braços.

— Eu sei, mãe. — Rose Gold tenta parecer solene. Pego um indício de sorriso antes de ela se virar. — Olha só, vou fazer o seu prato preferido.

Ela desaparece na cozinha. Seu bom humor me irrita, mas resisto ao impulso de dar um fora nela. Eu me sento em minha poltrona e tento me concentrar em Adam, balançando-o de lado. Pelo menos ele nunca vai se lembrar da pavorosa cena do Natalpalooza. No jantar, talvez eu levante o assunto de criá-lo em outro lugar, não em Deadwick. Rose Gold pode estar pronta para um recomeço, se eu conseguir afastá-la da influência dessa gente desprezível. Eles não têm nada melhor para fazer senão fofocar e tramar como magoar as pessoas. Estou farta desta cidade.

Meia hora depois, Rose Gold me chama à mesa da cozinha. Ela encheu dois pratos com salsicha polonesa, salsichão, batatas cozidas e uma salada — minha refeição preferida. Ela coloca um dos pratos à minha frente. Apesar dos acontecimentos deste dia, abro um sorriso. Este é o primeiro jantar que ela prepara para nós desde que saí da prisão. Colocamos Adam no moisés e nos sentamos à mesa para comer.

— Você vai ter que me dizer como ficou — diz ela, gesticulando para nossos pratos. — Nunca fiz isso sozinha. Espero não ter estragado alguma coisa.

— Tenho certeza de que está tudo perfeito. — Corto um pedaço de salsicha. Coloco na boca. — Muito bom. — Corto outro pedaço.

Rose Gold fica radiante e pega os talheres. Corta toda a salsicha e as batatas, depois começa a comer. Eu me assusto quando percebo o significado desta atitude tão simples.

Minha filha está comendo. Ela não remexe a comida pelo prato nem tenta condensar tudo em pilhas menores. Mastiga e engole, mastiga e engole, assim como eu. Por que o apetite repentino? Talvez esteja cansada da farsa. Talvez sinta pena de mim, agora que viu a ira implacável dos moradores de Deadwick. Talvez se sinta culpada pelo papel que tem no ódio deles. Talvez esteja pronta para começar a agir como se fôssemos uma família normal.

Puxo as travessas para mais perto, para me servir de novo. Meu estômago ronca.

Que estranho.

Uso a pinça para pegar outra salsicha e corto uma fatia. A salsicha está a meio caminho de minha boca quando uma onda de náusea me atinge com tanta força que deixo o garfo cair.

Rose Gold pula da cadeira.

— Que foi?

Outra onda de náusea — esta mais intensa que a primeira — me invade. Vou vomitar. Minha cadeira guincha no chão quando a empurro para trás. Corro para o banheiro. Rose Gold me chama, "Mãe?", mas só consigo pensar na privada.

Assim que minha cabeça está no vaso de louça, começo a vomitar. Fecho bem os olhos, sem querer ver o reaparecimento do conteúdo de meu jantar mastigado. Agarrada à base da privada, fico tonta e trêmula, e suo frio. O fedor de vômito enche o ar. Continuo com ânsia. Puxo a descarga, desesperada para tirar aquele cheiro de meu nariz, mas com medo demais para levantar a cabeça da privada. Sou lembrada de um artigo que li: quando você dá a descarga, partículas de fezes disparam uns cinco metros no ar, cobrindo a pia, as escovas de dente e, agora, meu rosto. Mas estou enjoada demais para sentir nojo. Não vou parar de vomitar nunca.

Ouço uma batida na porta.

— Mãe, você está bem? — chama Rose Gold.

Fico com a cara na privada. Agora só sai bile de mim.

— Acho que a alface estava estragada.

— Eu estou bem — diz a limítrofe bem-disposta.

Quer uma medalha?, sinto vontade de gritar.

— Pode me trazer uma 7 Up? — pergunto.

Ela anda pelo corredor e volta um minuto depois com um copo e uma lata de 7 Up. Serve o refrigerante no copo, depois bate o copo na bancada para se livrar de todas as bolhas — como eu costumava fazer quando ela ficava nauseada.

— Deixe na bancada — digo, com a cabeça ainda na privada, esperando pela rodada seguinte das náuseas.

— *Uf.* — Rose Gold geme. — Que cheiro horrível aqui. Não sei como você aguentou todos aqueles anos.

Não digo nada, querendo que ela cale a boca e vá embora.

— Me chame se precisar de mais alguma coisa — diz ela, saltitando pelo corredor.

Como é possível que eu, com meu estômago de aço, fique enjoada enquanto o sistema digestivo fracote de Rose Gold esteja ótimo?

Depois de cinco minutos sem vomitar, levanto a cabeça da privada e afundo no piso frio, exausta demais para pegar o copo de 7 Up ou escovar os dentes, ou até me sentar. Rezo para que este pesadelo tenha acabado. Fico deitada e o mais imóvel possível, sem querer provocar nenhum de meus órgãos.

Rose Gold vem me ver algumas vezes e dá pequenas dicas que me irritam. São as mesmas coisas que eu dizia quando ela era mais nova: tome uns golinhos de 7 Up, uma toalha de rosto fria na testa, respire fundo.

Não sei quanto tempo se passou, mas por fim ela mete a cabeça para dentro e diz:

— O Adam e eu vamos dormir. Espero que você esteja melhor de manhã.

O bebê se agita em seus braços, fazendo minha filha sorrir.

Não digo nada.

Ela me olha no chão, agora sua voz é monótona.

— Não sei como você fez todos aqueles anos.

Ela já não disse isso?, penso com impaciência. Levanto a mão.

— Boa noite, querida.

A porta do quarto principal se fecha. A tranca estala. A casa fica em silêncio. Fico sozinha com meus pensamentos.

Eu me coloco de pé e cambaleio para a sala de estar. Minha poltrona se estende para meu corpo. Afundo nela. Fecho os olhos.

Não, antes ela disse *Não sei como você aguentou isso*. Agora há pouco disse *Não sei como você fez isso*. Meu corpo, desidratado e exausto, pergunta *E daí?* Mas algo importuna meu cérebro.

Quando disse "fez", ela quis dizer cuidar dela em todas aquelas vezes que ela vomitou? Ou algo mais acusatório?

Abro os olhos.

Rose Gold preparou o jantar. Rose Gold comeu o jantar. Rose Gold não ficou enjoada.

Mas eu, sim.

Esta linha de raciocínio é absurda — mas será? Minha própria filha envenenou minha comida?

Talvez Arnie, Mary ou Tom a tenham influenciado. Talvez ela acredite na mídia, no juiz e no júri. Talvez esta seja a lição que ela queira me dar, o motivo para me deixar ficar aqui. Ela quer minha atenção. Bom, meu amorzinho, você já tem.

Ninguém nesta cidade me quer aqui, nem minha própria filha. Uma coisa são táticas de medo e intimidação, outra bem diferente é me fazer mal. O acidente na esteira, o fogo no jardim, a comida envenenada: algumas pessoas nesta cidade são perturbadas, e minha filha é uma delas. Devo esperar que me queimem em uma estaca?

Minha mente gira, tirando conclusões e tomando decisões com mais rapidez do que estou preparada. Como pude ser tão ingênua, pensar que ela me aceitava com intenções sinceras, por ter um coração bom? Pode esquecer tentar consertar Rose Gold. Pode esquecer tentar entender seus planos. Isto ficou mais sério do que uma luta por poder.

Não posso ficar aqui. Preciso ir embora. Se minha filha é instável, também pode ser perigosa. Provou que *é* perigosa, na verdade, o que significa que também não posso deixar Adam aqui.

Ele terá de ir comigo.

18
ROSE GOLD

Novembro de 2015

Não via meu pai fazia quatro meses. Ele andava de um lado a outro da lateral de um campo de futebol, gritando palavras de estímulo para seu time. Cinco garotinhas estavam sentadas atrás dele no banco, vendo a partida se desenrolar.

No campo, Anna tinha tentado chutar a bola, mas errou. Notei que seu cabelo estava em um rabo de cavalo e sorri. Uma menina do outro time passou correndo por Anna, roubando a bola. Ela estava no meio do campo antes de Anna perceber que a bola lhe foi tirada.

Papai se esforçava muito para demonstrar paciência com a filha. Talvez ele supusesse que ela teria a aptidão atlética de Sophie, ou pelo menos as habilidades manuais de Billy Junior. Anna não tinha nem uma coisa nem outra — ela era mais Billy que Kim, mais eu que Sophie. Seu andar sem entusiasmo pelo campo me fazia amá-la ainda mais.

Kim estava sentada na arquibancada com os outros pais, torcendo pelo time de Anna e rindo com os amigos. Parecia anos mais nova quando sorria. Nunca tinha sorrido para mim desse jeito.

Quatro meses antes, papai tinha me pedido espaço e eu dera. Mas pensei que "espaço" significasse menos mensagens de texto e menos visitas, e não cortar completamente a comunicação. Ele me respondeu por mensagem, alarmado, quando viu meus comentários sobre Phil. Mas depois que o tranquilizei, que disse que estava bem, ele voltou a se calar. Desde a viagem para Yellowstone, ele respondera a metade de minhas mensagens e as respostas eram de uma palavra, no máximo uma frase. Não atendia quando eu telefonava. Não nos víamos desde a manhã em que os Gillespie partiram em viagem. Tentei ser paciente. Me concentrei no trabalho e em economizar o dinheiro necessário para meus dentes — já estava a meio caminho —, mas ainda era solitária. Tinha medo de que, se eu parasse de fazer contato, nunca mais soubesse de meu pai.

No dia em que entrou na Gadget World, papai agiu como se quisesse um relacionamento de verdade comigo. Mas agora, depois de um ano e meio, já estava jogando a toalha pela segunda vez? Quem ele pensava que era? Pelo visto, ninguém lhe contara que o amor de um pai deve ser incondicional. Eu não pedia muito — só queria fazer parte da família Gillespie.

Então, fiz o que faria qualquer boa filha ou irmã: acompanhei a família pelas redes sociais. Quando descobri que Anna tinha uma partida de futebol naquela tarde, entrei em minha van e dirigi cinco horas rumo norte para torcer por ela. Ainda não criara coragem para sair do carro, mas tinha uma vista decente do campo dali, do estacionamento. O placar estava zero a zero. Não era um jogo emocionante, mas fiquei admirada com a facilidade com que o grupo de meninas de sete anos corria de um lado a outro do campo. Não havia limites para sua energia, as pernas eram fortes e obedientes. Passaram a infância correndo e rolando na grama, e não presas a intravenosas ou confinadas a leitos hospitalares. Tinham mais sorte do que sabiam; para elas, tudo isso fazia parte da vida.

Um apito soou, sinalizando o fim da partida. Cada time fez fila para trocar apertos de mão. Eu me espreguicei e abri a porta da van, pulando no concreto, com um nó no estômago. Vendo Anna bater um high-five nas meninas do outro time, não pude deixar de sorrir e relaxar um pouco. Eu amava minha irmã e senti falta dela em todos esses meses. Queria mais que tudo seus braços rechonchudos em volta de mim. Quando tinha sido a última vez que me abraçaram? A última vez que outro ser humano me tocara, aliás?

Fui diretamente até Anna, ignorando os olhares dos pais na arquibancada, dos árbitros saindo do campo e das meninas dos dois times. Quando Anna me viu, seus olhos se iluminaram.

— Rose! — gritou. Ela correu para mim, muito mais rápido do que tinha perseguido qualquer bola nas últimas duas horas.

Quando nos encontramos no meio do campo, ela jogou seu corpinho em mim. Eu a levantei e rodei com ela. Anna ria, deliciada, gritando. Girei cada vez mais rápido. Queria ser boa com ela, como Phil fora comigo. Queria passar essa bondade adiante.

— Eu vou vomitar — disse Anna, mas ainda ria, então continuei girando. Esse reencontro estava do jeito que eu tinha imaginado. — Olha meus brincos novos!

Parei de rodar e baixei Anna. Nós duas vacilamos, esperando a vertigem passar. Exclamei com ooohs e aaahs para os brincos da Minnie. Tive o impulso de me deitar na grama, parar a tarde exatamente ali.

— Rose, o que você está fazendo aqui? — disse uma voz atrás de mim. Kim.

— Ela veio me ver jogar — disse Anna.

Meu olhar passou de Anna para a mãe. Às vezes eu nem acreditava que elas eram parentes. Tentei adotar o tom despreocupado de Anna.

— Eu estava com saudade de vocês.

Kim colocou a mão no ombro de Anna e puxou minha irmã para si.

— Vá se juntar ao time, querida — disse ela, apontando para a roda de meninas a quem papai fazia um discurso pós-jogo. Anna saiu trotando.

Kim observou Anna se afastar e se virou para mim.

— Você não devia ter vindo — disse ela. — O Billy te disse que precisava de espaço.

Franzi a testa para Kim por um minuto, me debatendo sobre a melhor maneira de abordar essa conversa. Ela cruzou os braços.

— Prefiro falar sobre isso com o meu pai — rebati. Eu teria mais chance de me fazer entender com ele.

— O Billy está ocupado — disse Kim. — Sobre o que é essa conversa?

Nunca xinguei ninguém, mas Kim daria a perfeita primeira candidata. Mordi a língua, vendo o time de Anna juntar as mãos no meio do grupo e gritar "Um time!" na contagem de três. Kim acompanhou meu olhar e se deslocou alguns passos, tentando bloquear minha visão de papai e as meninas.

Anna puxou a manga de papai e apontou para mim. Papai acompanhou seu dedo, estreitando os olhos, e me reconheceu. Ele a empurrou para outras duas meninas e veio correndo na direção de Kim e eu, de prancheta e mochila nas mãos.

Quando nos alcançou, estava sem fôlego. Abri os braços para abraçá-lo.

— Papai! — falei.

Ele me abraçou, mas rigidamente. Tentei não pensar nos olhares ou na mímica de palavras que ele e Kim trocavam pelas minhas costas. Papai se afastou do abraço.

— O que você está fazendo aqui? Nós conversamos sobre isso.

Sorri, apesar do nó que tinha no estômago.

— Eu já te dei quatro meses de espaço. De quanto espaço você precisa?

Tentei manter o tom leve, mas a pergunta saiu desesperada. Pior, ninguém respondia. Papai fechou a cara para mim, ruborizando. Kim parecia prestes a explodir — se seus braços se cruzassem com mais força, ela ia virar um pretzel.

Os segundos pareceram horas. Queria que alguém falasse alguma coisa, qualquer coisa. Até a voz de Kim teria sido preferível ao silêncio. Desejei cedo demais.

— Billy — estourou Kim —, se você não falar, falo eu.

Papai se virou para a esposa.

— Kim — sua voz era perigosamente baixa —, vá para o carro.

Kim fez um bico, mas se afastou.

Ele me olhava sem emoção alguma.

— Nós sabemos, Rose.

— Sabem do quê? — Meu coração se acelerava.

— Pare de se fazer de burra — disse ele, com veemência. — Eu sei que você mentiu.

Tentei manter a cara inexpressiva.

— Menti sobre o quê?

Pais e mães pegavam as filhas. Os pais tinham os braços em volta das pequenas, dando os parabéns pelo grande jogo. As mães pegavam os coolers.

As crianças batiam papo e bebiam seus sucos de caixinha. Todos vinham na nossa direção, para seus carros no estacionamento.

— Sobre o câncer — sibilou papai, lutando para falar baixo, consciente dos pais próximos. Nunca o vi tão zangado. — Você mentiu sobre ter câncer! Qual é o seu problema, inferno?

Ruborizei. Minha indignação tinha de fazer par com a dele para ser crível.

— Como é?

Os pais por perto olhavam, seu interesse desperto. Aposto que nunca ouviram Billy Gillespie alterar a voz.

— Eu liguei para o consultório do dr. Stanton — disse ele.

Merda.

— Ele é clínico geral, e não oncologista. — Suas mãos tremiam de fúria. — Tem alguma ideia do quanto me senti humilhado?

Eu tinha medo que isso pudesse acontecer. Fiz o que minha mãe teria feito — negar, negar, negar.

— O dr. Stanton é meu clínico, mas eu tenho um oncologista — falei, a indignação crescendo. — Aliás, por que você ligou para o meu médico?

— O bilhete de seu médico era do dr. Stanton — disse papai, os músculos do maxilar mais tensos.

— É. — Empinei o queixo. — Ele é capaz de decidir se tenho saúde para viajar.

— Você nos disse que era o dr. Stanton que estava tratando você. — Papai agitava os braços como um doido. — Então, quem é esse oncologista misterioso?

Respondi em voz baixa.

— Pedi para o meu oncologista me escrever um bilhete, mas ele se negou. Então convenci o dr. Stanton a fazer isso.

Papai franziu a testa.

— Por que o seu oncologista disse não?

Dei de ombros.

— Ele disse que o meu corpo já havia passado por muita coisa, que eu devia descansar mais algumas semanas e depois veríamos.

Papai ficou em silêncio por uns minutos, olhando para mim.

— Rose — sua voz era cheia de dor —, uma viagem de família realmente vale arriscar sua saúde?
Respondi sem hesitar.
— Para mim, vale.
Essa parte era verdade.
Nossos olhos se encontraram. Mordi o lábio.
Por um segundo, eu o tinha na mão.
Depois ele piscou algumas vezes e passou a mão na testa, como quem desperta de um feitiço.
— Meu Deus, o que estou falando? — Ele se enfureceu. — Por que um médico diz que sim se o outro diz que não? Você nunca pareceu doente. Foi vaga a respeito do tratamento. Queria todo o apoio, mas depois não me deixou ir às sessões. — Ele se interrompeu, a nova raiva fermentava. — Você fingiu ter linfoma de Hodgkin para me pegar pela culpa. Assim eu te deixaria ir acampar. Mas qual é o seu problema? — Agora ele gritava.

Os outros pais trocavam olhares de choque: viam o técnico do time de futebol das filhas dar uma bronca em uma jovem indefesa. Imaginei-os falando aos cochichos depois: *É esse homem que queremos perto dos nossos filhos?* Imaginei se iam expulsá-lo do time.

Eu me sentia com meio metro de altura. Agora podia ver o erro colossal que cometera. Minha mãe nunca tinha sido apanhada numa mentira — até o fim. Como foi que isso saiu tão mal? Eu só queria uma família, a minha família.

Dei um pigarro e abri a boca, sem ter ideia do que dizer.

Papai me interrompeu antes que eu pudesse falar.

— Não se atreva a continuar mentindo. Não se atreva nem a pensar em abrir a boca e dizer mais uma palavra sobre câncer ou estar doente ou o quanto você precisa de mim e da minha família.

Anna chegou correndo, o cabelo despenteado, mas sorrindo. Parou de súbito quando viu a expressão colérica do pai.

— Papai? — perguntou ela, hesitante.

Os olhos de papai foram rapidamente a Anna.

— Vá para o carro ficar com a mamãe.

Anna não protestou. Foi direto para o carro, virando-se uma vez para me olhar.

Tentei não me encolher sob o calor da encarada de papai. Olhando para cima, admirei o dia de céu azul. O sol brilhava, nem uma nuvem à vista. Como meu mundo pôde virar farelo em uma tarde tão bonita? Nos filmes, agora estaria caindo um temporal e eu estaria sem guarda-chuva. Bem que eu podia ser apanhada por um tornado de bom tamanho e levada para outro lugar. Algum lugar longe, bem longe.

Bani a voz dentro de minha cabeça no último ano, mas ainda me via querendo que ela me dissesse o que fazer. No entanto, ela estivera em silêncio desde que cheguei ao campo de futebol. Percebi que, pela primeira vez na minha vida, essa voz tinha sumido. Ela estivera me guiando diariamente na maior parte de meus vinte e um anos. Me dizia como comer, me vestir, me comportar, maquinar. Eu não tinha notado o quanto estivera dependente de suas orientações até que ela as levou embora e odiei querer sua ajuda. Tinha certeza de que nunca mais precisaria de nada daquela mulher, mas estava me enganando. Agora, quando mais precisava dela, tinha de depender só de mim mesma.

Papai avançou um passo e agitou um dedo na minha cara.

— Fique longe da minha família, entendeu bem? — Ele tentava me intimidar, mas parou a certa distância. Eu não tinha medo de papai; tinha medo do *não* papai. Tinha medo do vazio que sabia que viria. Com todos os seus defeitos, ainda era melhor ele do que não ter ninguém.

— E *me deixe* em paz também, que inferno — acrescentou. Ele começava a me irritar com esse moralismo. Como se ele fosse um santo. Como se nunca tivesse cometido um erro. Ele tinha se omitido por vinte anos. Foi *ele* que procurou *por mim*, que pendurou na minha cara a promessa de uma família, depois a tirou de mim.

Tínhamos chegado a um caminho sem volta. Não haveria como retroceder. Essa não seria uma grande família feliz — pelo menos, não que me incluísse.

— Espero que o meu filho faça as suas artes — disse ele, o rosto ainda vermelho de raiva —, mas as meninas têm que saber se comportar.

Acho que minha mãe nunca recebeu esse memorando.

Papai viu as outras famílias colocarem as coisas nos porta-malas, entrarem em seus veículos e irem embora. Alguns retardatários embromavam por ali, queriam ver nosso pequeno drama chegar a uma conclusão.

— Você é igualzinha à sua mãe — ele zombou de mim.

Eu queria que ele calasse a merda da boca e fosse embora. Imaginei fazer feitiços contra os quatro Gillespie mais velhos, envolvendo-os em tumores e punhaladas até que virassem múmias presas no próprio sangue.

Mas ele não podia saber disso. Precisava pensar que eu não era ameaça nenhuma, que eu até me arrependia. Açúcar, perfume e outras coisas finas? Era isso que ele esperava.

— Peço mil desculpas — falei, estremecendo com o desespero patético de minha voz, embora soubesse que era necessário. — Não foi minha intenção magoar você.

Papai pôs a prancheta na mochila. Antes de sair a passos duros, meneou a cabeça.

— Lamento um dia ter ido procurar você.

Fiquei imóvel, estreitando os olhos. Ele não devia se livrar com tanta facilidade. Engoli a raiva.

— Papai, me desculpe — chamei, encarnando a velha Rose Gold, a garota submissa, toda mole, sem fibra. Ela estava a uma vida de distância. Tinha morrido. Eu dançava sobre seu túmulo. — Eu pedi desculpa.

Papai se virou, me olhando feio.

— De uma coisa eu tenho certeza — disse ele.

Tínhamos o mesmo nariz pequeno e olhos castanhos. Ele cerrou as mãos.

— Você merece cada coisa ruim que tem.

19
PATTY

Encaro os olhos azuis lacrimosos no teto de meu quarto, exausta demais para ter medo deles. Depois de meu abraço de quatro horas com o trono de louça na noite passada, não tenho mais nada para dar. Jogo as pernas pelo lado da cama. Preciso levar Rose Gold ao trabalho. Primeiro, quero confrontá-la a respeito de ontem.

Eu me arrasto para a sala bem a tempo de ouvir a porta da frente se fechar. Rose Gold passa pela janela com roupas de corrida: camiseta sem manga, short de malha e tênis. Fica ridícula com essa roupa no frio do meio de dezembro. Observo-a por um minuto. Ela parte em um ritmo laborioso pela Apple Street, toda cotovelos, omoplatas e joelhos. Afugento o impulso de correr atrás dela com um cachecol e luvas. Ela entra à direita na Evergreen e some da vista.

Tudo bem, a conversa pode esperar até que eu a tenha acuada na van.

Quarenta minutos depois, saímos de casa juntas, em nosso horário de sempre. Enquanto tranco a casa, ela afivela Adam na cadeirinha, depois sobe a meu lado. Seguro o volante, dou a partida no motor e pegamos a estrada.

— Está se sentindo melhor? — pergunta Rose Gold.

Digo que sim, mas meu estômago ainda está meio estranho. Não quero trair nenhum sinal de fraqueza.

Rose Gold brinca de esconde-esconde com Adam enquanto me debato sobre a melhor maneira de abordá-la. Talvez ela não tenha nada a ver com a esteira ou o incêndio no jardim, mas sei que esteve se fazendo de vítima com Arnie, Mary e Deus sabe com quem mais. E agora envenenou minha comida. Isso já foi longe demais.

— Não dá para acreditar que você não ficou enjoada — digo.

Rose Gold dá de ombros.

— Claro que a comida da prisão mexeu com o seu sistema digestivo. Você ainda deve estar se adaptando.

— Já saí há um mês e meio. Nunca fiquei enjoada na vida. — *Compostura, Patty, fique fria.*

— É verdade... — Rose Gold se interrompe, satisfeita por deixar que meu enjoo seja um mistério.

Mas hoje estou decidida a apanhá-la. Não vou permitir suas desculpas esfarrapadas e o dar de ombros indiferente.

Olho bem para a frente. Estamos a oitenta em uma área de setenta quilômetros por hora. *Muito bem, Patty. Ande acima do limite permitido, mas não tão veloz para ser apanhada.*

— Você pôs alguma coisa na minha comida? — pergunto, em tom seco.

Rose Gold vira-se para mim, de olhos esbugalhados.

— O quê?

— Nós comemos a mesma comida. Como você pôde continuar bem enquanto eu fiquei um trapo?

A expressão de choque, a inocência fingida — quero arrancar da cara dela a tapas.

— Você está sugerindo que eu tenha te envenenado?

Ela fica ofendida. O velocímetro sobe para noventa e cinco. Adam balbucia no banco traseiro.

— E de que outro jeito se explica isso? — *Calma, Patty. Fique tremendamente calma.*

— Não sei, *mamãe*. — Lá está de novo, aquela ênfase sarcástica ao se referir a mim. — Você tem ideia da merda que é você pensar *nisso* primeiro? Depois de tudo o que eu fiz por você?

Meus dentes trincam com tanta força que o maxilar treme. Depois de tudo o que *ela* fez por *mim*? Ela me recebeu por seis semanas inteiras. Eu dei a ela cada pedacinho de mim por dezoito anos. Até o momento em que ela me agradeceu pelo sacrifício me mandando para a prisão.

E ela sabe que é proibido usar palavrões.

O velocímetro chega a cento e dez.

Rose Gold eleva a voz.

— Por que diabos eu ia te envenenar?

Sou a superfície de um lago tranquilo, um cacto no calor imóvel. A mente racional sempre vence.

— Talvez para se vingar.

Rose Gold estreita os olhos e fala em tom sarcástico.

— Por que eu precisaria me vingar se você é inocente?

Seu sorriso malicioso enche o ar entre nós, me provoca, me desafia a sugerir que ela saiba mais do que eu, que ela de algum jeito foi mais esperta. A insolência.

— Talvez a mídia tenha metido na sua cabeça a lavagem cerebral que fez em todo mundo.

Saio da estrada e sou obrigada a reduzir. Vejo o estacionamento da Gadget World depois da curva.

— Todo mundo menos você, né? — Rose Gold tripudia. — Todo mundo na cidade enlouqueceu, menos Patty Watts. Sempre é culpa dos outros, não é? Você nunca, jamais é culpada de nada.

Posso sentir a carne macia do pescoço escorrer entre meus dedos. Meus polegares silenciam as cordas vocais. A espinha dorsal se curva à minha vontade.

Como se atreve?, penso sem parar.

Não vou suportar esse abuso.

* * *

Adam e eu olhamos para o lago congelado, procurando sinais de vida no parque. Mas os animais se mudaram para passar o inverno no Sul. O vento aumenta. Fecho a roupa de inverno de Adam até o queixo.

O tempo está meio frio para um dia no parque, mas eu precisava sair daquela casa. Dirigimos por quarenta minutos ao sul para encontrar um parquinho onde ninguém nos conhecesse. Nenhuma Mary Stone, nenhum Tom Behan, nem Arnie Dixon para tentar nos magoar. Ninguém — o parque hoje está vazio.

Tiro Adam do carrinho e o balanço no joelho. Ele já desenvolve sua pequena personalidade: sorrindo quando solta pum, mastigando as mãos, babando em cada peça de roupa que lavei. Agora ele se acostumou comigo; nas últimas semanas passou mais tempo sob meus cuidados do que os de Rose Gold. Pelo menos ele não vai partir com uma estranha.

Porque temos de ir embora. Agora sei disso. Nenhum de nós está seguro com a mãe dele.

Minha filha virou esta cidade contra mim, ostentando seu corpo de pele e ossos nas corridas pelo bairro. Mary e os outros acham que a estou envenenando. Os colegas de trabalho acreditam que a torturo. Esse tempo todo, culpei Tom e Arnie, ou talvez alguns vizinhos que se juntaram para me destruir.

Mas Rose Gold sempre se superou no papel de vítima.

Não importa toda a atenção que ela recebeu enquanto esteve doente. Não importam os brinquedos gratuitos e pirulitos a mais das enfermeiras e a completa adoração de cada cidadão de Deadwick. Rose Gold tinha a todos comendo na palma de sua mão — e escolheu jogar tudo isso fora. Agora quer tudo de volta.

Tentei ser a mãe apaixonada que pensei que minha filha queria. Mas não sofri por cinco anos na prisão para ser transformada em vilã de novo. Ela quer me mandar embora? Tudo bem, eu vou.

Olho para o bebê em meus braços.

— Você é parecido com sua mãe quando ela tinha a sua idade — digo. Os mesmos olhos castanhos, o mesmo nariz pequeno. Espero que ele seja mais forte quando crescer.

Lanço Adam no ar e o apanho, passando-o pelas minhas pernas e levantando. Ele ri de prazer, me olhando com aqueles olhos arregalados e curiosos.

Até agora, ele foi um bebê saudável.

Isso não vai durar muito tempo.

Afinal, os problemas digestivos de Rose Gold começaram mais ou menos na idade de Adam. Ele não mostra sinais de apneia, nem de pneumonia, como a mãe, mas deve haver algo sinistro à espreita por trás dessas faces rosadas. Nenhum bebê é perfeito.

Coloco Adam de bruços na grama congelada. Um pouco de exposição aos elementos o deixará mais forte. Ele estica as pernas e chuta, com a cara virada para o frio.

— Adam — sussurro. — Adam, olhe para a vovó.

Como se me entendesse, a criança levanta a cabeça. Fecha as mãos em punhos, esperneando ainda mais. Sua boca se abre. Me pergunto se devo deixá-lo chorar.

No último segundo, me abaixo e o pego no colo, atirando-o no ar de novo. Já chega por um dia. Seu lamento se transforma em risos. Rio também e coloco a palma da mão em sua testa. As faces estão rosadas — ou estariam verdes? Será que ele tem resfriado ou gripe? Penso em uma ida ao médico no futuro. Melhor prevenir que remediar.

Recoloco Adam no carrinho e o levo para a van. Depois de ligar o motor, vou diretamente para Deadwick.

É estranho como podemos nos adaptar a novas circunstâncias na vida. Já me acostumei a parar na entrada de carros da casa de minha infância. Agora meu estômago se contrai ao ver a casa, mas por um motivo diferente.

Na cozinha, passo dois sacos do leite congelado de Rose Gold do freezer para a geladeira, depois pego uma mamadeira gelada. Temos nossas rotinas estabelecidas: Rose Gold bombeia leite materno e coloca no freezer, depois eu o descongelo e dou a Adam. Talvez tenha de passar a dar fórmula infantil a ele, mas não é o fim do mundo. Eu cresci tomando fórmula e ficou tudo bem.

Adam suga a mamadeira. Ele tem muito apetite e raras vezes vomita a comida. Seu peso e altura não convenceriam nenhum médico de que tem problemas digestivos. Neste aspecto, ele não é filho de sua mãe. Ele me olha, a essência da bondade, enquanto mama. O que eu mais amo nos bebês: sua dependência. Eles precisam de nós para sobreviver.

Tudo o que eu sempre quis, como mãe, era ser necessária. Nos primeiros anos da vida de sua filha, ninguém é mais importante para ela do que você, nem mesmo o pai. Esse imperativo biológico exige ser satisfeito, incessantemente. E depois sua filha faz dez ou doze anos, ou dezoito, e de súbito você não é mais essencial. Como lidar com isso? Nós, mães, abrimos mão de tudo por nossos filhos, até que eles decidem que não querem mais o nosso tudo.

Não é típico de uma filha colocar a culpa na mãe por todos os seus defeitos? Se o cabelo é fraco ou se tem tendência a mentir, cada falha de caráter é nossa culpa, e não delas. Então, todas as virtudes de nossas filhas não têm nenhuma relação com a gente. Que outras armadilhas ela tem esperando por mim atrás de portas fechadas? Ela preparou essa casa desgraçada para me matar.

Coloco Adam no moisés, deixando-o com a roupa de inverno. Não vai fazer mal sua temperatura aumentar, porque as faces parecem um pouco mais vermelhas do que o normal. O bebê começa a chorar. Talvez precise de uma troca de fraldas.

Sigo pelo corredor até o banheiro. Por hábito, experimento a maçaneta do quarto de Rose Gold. Trancada, como sempre.

Abrindo o armário embaixo da pia, pego uma fralda da caixa de Luvs. Adam chora mais alto. Corro de volta e o troco. Ele ainda chora. Tento fazê-lo arrotar, balançando-o, distraindo-o com brinquedos — tudo isso no piloto automático materno. Preciso que ele pare, assim posso pensar em um plano. Preciso de um minuto para raciocinar.

Ele se aquieta antes que eu recorra a colocá-lo no quintal.

Olho para o bebê em meus braços. Não posso deixar Adam com Rose Gold, não se ela ficou assim tão desequilibrada. Haverá tempo para levá-lo à médica depois. Além disso, uma médica nova em outro estado não saberá meu nome, nem me reconhecerá. Por que ela não acreditaria na história de uma avó criando o neto sozinha depois de uma tragédia familiar?

Pego o telefone e procuro por voos para Chicago. Para onde iremos? Califórnia? Maine? Montana? Só morei nesta cidade amaldiçoada. Talvez deva reservar uma passagem no primeiro avião que partir, para onde quer que vá.

— Espere um minuto, Patty — digo, tentando me acalmar. — Pense bem. A racional na família é você. Ela é a emotiva.

Olho para o relógio: 16h58. Rose Gold deve voltar do trabalho em quarenta e cinco minutos. Preciso de mais dianteira do que isso. Se eu levar Adam, Rose Gold moverá montanhas para encontrá-lo. Ele e eu nunca teremos paz.

Isso seria muito mais fácil se ela simplesmente... desaparecesse.

Pela janela, a neve começa a cair. O Natal será daqui a oito dias. Nem Rose Gold nem eu decoramos a casa. Somos as únicas na quadra sem luzes verdes e vermelhas margeando o telhado. Sem dúvida ela esperava que eu assumisse a responsabilidade pelas festividades deste ano. Para ela, tudo é garantido — os flocos de neve cortados a mão, a aldeia em miniatura, os biscoitos *kotaczki* que eu comprava na padaria polonesa. Eu trabalhava incansavelmente, todo ano, por ela.

Aperto Adam, aliviada por não estar sozinha nessa. Não vamos a lugar nenhum enquanto Rose Gold não chegar do trabalho. Viro minha poltrona reclinável para a porta de entrada.

Por enquanto, nós esperamos.

20

ROSE GOLD

Novembro de 2016

O guarda de cara amarrada no Centro Correcional Mordant bateu com a caneta na linha pontilhada.
— Preciso que você assine aqui — disse ele, me encarando.
Assinei o formulário e empurrei a prancheta para ele.
— Sente-se. Alguém vai levá-la até lá. — Ele gesticulou para a fila de cadeiras de plástico atrás de mim. Vi rapidamente a arma em seu cinto. Me perguntei como seria dar um tiro em alguém.
A prisão era mais silenciosa do que eu esperava — ou, pelo menos, a área de recepção. Eu era a única pessoa à espera. Olhei fixamente para o linóleo feio, sentindo os olhos dos guardas em mim. Torcia para ser levada logo.
Já fazia mais de um ano que meu pai se mostrara horrível. Eu não falava com Alex nem com Phil fazia muito tempo. Tentei fazer novos amigos no trabalho, mas nenhum de meus colegas teve interesse, então optei por começar a ver os filmes que ganharam um Oscar. Também comecei a desenhar nas horas de folga. Para minha surpresa, eu era boa de verdade. Não digo que minha arte acabará em um museu nem nada, mas minhas

representações dos ossos de papai se quebrando em um instrumento de tortura medieval eram de um realismo chocante. Eu tinha um dom para desenhar rostos.

Na época, eu estava perto de ter dinheiro para consertar meus dentes, para ser alguém que *sorria de verdade*, com as mãos junto do corpo em vez de bloqueando a boca. Depois de meus dentes, pretendia economizar para dar entrada em uma casa. Todo dia, na Gadget Word, lembrava a mim mesma por que motivo eu trabalhava.

Ainda assim, ver minha poupança crescer não conseguia ocupar todo o meu tempo livre. Um ano depois de papai explodir comigo no jogo de futebol de Anna, percebi que era infeliz. Tinha aprendido do jeito difícil que nossos pais não têm todas as respostas que queremos que tenham. Acreditamos no que eles fazem nas duas primeiras décadas de nossa vida, dependendo dos pais e de sua competência para limpar a própria barra. Mas, no fim, descobrir que nossos pais são reles mortais não é diferente de descobrir sobre o Papai Noel ou o Coelhinho da Páscoa.

Agora, todo dia era igual: acordar, ir para o trabalho, jantar na frente da TV, ver um filme, desenhar, dormir. Depois que a família Gillespie me baniu, eu disse a mim mesma que não precisava deles para ser feliz. Comprei uma samambaia, dei-lhe o nome de Planty e disse a mim mesma que ela seria companhia mais que suficiente.

E então minha colega Brenda, aquela que implicava comigo para visitar Phil, não foi trabalhar certo dia. Nem no dia seguinte, e assim por diante. Ninguém sabia para onde ela fora, só souberam semanas depois, quando Scott nos reuniu na copa antes da abertura da loja. Disse que Brenda tinha recebido o diagnóstico de câncer pancreático em estágio quatro. Um mês depois, ela morreu. Sua filha de quatro anos e o filho de dois ficaram sem mãe.

Nunca tinha sido amiga de Brenda — Brenda tinha filhos, estava em seus trinta anos; estávamos em fases diferentes da vida —, mas não conseguia parar de pensar em todas aquelas tardes na copa com ela presa àquela bomba mamária. Agora ela estava morta. Nunca mais eu falaria com ela. Foi a primeira vez que morreu alguém que conheci pessoalmente.

Parece idiotice, mas a morte de Brenda me fez perceber que eu não ia viver para sempre. Se não gostava do que fazia de minha vida, ninguém ia consertar para mim. Eu precisava fazer alguma coisa. Precisava voltar ao começo, voltar à primeira curva errada — o que significava voltar para minha mãe.

Quando consegui a ordem de restrição contra ela, será que acreditava de verdade que nunca mais veria nem falaria com minha mãe de novo, pelo tempo que nós duas vivêssemos? Talvez gostasse de pensar assim durante ataques de raiva, mas a resposta sincera era não, claro que não. Eu tinha cortado de minha vida outras pessoas por menos que isso, mas nenhuma delas era minha mãe. Mamãe ainda tinha a chave para muitas informações que eu queria: a infância dela, a minha infância e, acima de tudo, *por quê?*

O hino de duas palavrinhas martelava em meus ouvidos quando eu acordava de manhã e me deitava à noite: por quê? *Por quê?* POR QUÊ? Eu precisava que ela explicasse, me dissesse a verdade, que ela pedisse desculpas.

E era por isso que enfim eu tinha ido até o Centro Correcional Mordant.

Eu me esforçava para não depositar grandes esperanças nesse reencontro. Mamãe era a maior mentirosa que eu conhecia — talvez não fosse capaz de ser sincera ou de pedir desculpas. Se fosse para ser assim, eu iria restituir a ordem de restrição. De agora em diante nossa relação, e sua segunda chance, correriam de acordo com os meus termos. Depois de quatro anos sozinha, não me interessava mais ser a marionete de alguém.

Um homem uniformizado, enorme, de bíceps grossos, passou pela porta.

— Ela é a única visita? — perguntou. Tinha bigode: um mau presságio.

O primeiro guarda fez que sim com a cabeça.

— Venha comigo — disse o segundo guarda.

Deslizei da cadeira e enxuguei as mãos úmidas na calça. Disse a mim mesma que não me importava a ponto de ficar nervosa.

O guarda gigante me levou por um longo corredor de concreto. Uma lâmpada piscava no teto. Havia palavrões e iniciais rabiscados nas paredes. Uma mancha no chão tinha cor de ferrugem.

Chegamos a uma porta no final do corredor e paramos. O guarda passou o distintivo por um leitor ótico e a porta estalou, destrancando-se. O guarda abriu a porta. Eu o acompanhei ao passar por ela. Uma placa ao lado da porta dizia *Centro de Visitantes*.

A sala era repleta de cadeiras e mesas vazias, arrumadas para grupos de duas, quatro e seis pessoas. Em um canto, alguns desenhos infantis tinham sido presos à parede com fita adesiva. Fizeram perus de Ação de Graças com cartolina. As penas foram coloridas de vermelho, laranja e marrom. "Eu te amo, mãe", estava escrito em um deles. Eu não queria pensar em onde estavam aquelas crianças, nem em como era sua vida.

— Sente-se — disse o guarda. Ele saiu da sala. Fiquei sozinha.

Puxei uma cadeira — do mesmo plástico duro da sala de espera — e me sentei. Talvez não devesse ter ido.

Uma porta se abriu do lado da sala oposto ao de minha entrada. O mesmo guarda voltou, seguido por minha mãe. Ela parecia menor do que eu me lembrava. Seria possível que tivesse encolhido? Ou eu fiquei maior? Talvez fosse a postura dela. Ela costumava andar por Deadwick de cabeça erguida, mas os ombros dessa mulher estavam arriados. Era recurvada, uma tartaruga querendo se enroscar no casco. A transformação era um choque.

Seu olhar foi rapidamente do guarda para mim e todo o seu rosto se iluminou. *Olhos de Natal*, pensei.

Seu andar arrastado se transformou em passadas largas quando ela se aproximou. Não queria dar a ela a satisfação de um abraço, não queria que ela pensasse que estava perdoada. Mas meu peito doía por um dos famosos abraços de urso de minha mãe. Antes que eu tivesse tempo de decidir se lhe permitiria esse gesto íntimo, ela me envolveu em seus braços carnudos. Meu corpo relaxou no dela.

— Ah, minha neném — ela falou em voz baixa em meu ouvido, acariciando meu cabelo. — Não faz ideia de como é bom ver você.

Eu me obriguei a enrijecer e me afastar. Precisava me lembrar de que os abraços e carinhos de minha mãe nunca foram amor: foram formas de controle. Uma terapeuta me ajudou a deduzir isso. Fui a algumas sessões, até concluir que preferia gastar o dinheiro com meus dentes.

Estendi a mão para as costas da cadeira, estava prestes a voltar a me sentar, quando vi o lábio inchado — feio, roxo e cortado.

— Ai, meu Deus. O que houve com a sua boca? — perguntei, incapaz de me conter.

Mamãe se sentou de frente para mim e tocou o ferimento com um só dedo.

— Ah, isto — disse ela. — Eu estava andando na pista outro dia, tropecei e me cortei. Que trapalhona.

Nunca soube que minha mãe fosse desajeitada.

— Você caiu de boca?

— Bom, não, caí de quatro. Mas mordi o lábio durante a queda.

Suas mãos estavam na mesa na minha frente. Não estavam cortadas, não tinham hematomas nem curativos — pareciam bem, a não ser por mais sujeira embaixo das unhas do que o habitual.

Eu supunha que minha mãe mandasse na prisão. Imaginei que ela tivesse o carcereiro no bolso, que tivesse destronado quem reinava suprema por aqui. Ela era a cintilante e efervescente; ela é que devia ser intocável. Ela era a protetora dos maltratados.

Agora ela própria era maltratada.

A mulher na minha frente tinha os olhos injetados, o cabelo despenteado e a tez opaca. A uma pessoa estranha, teria parecido a mesma que me criou. Para mim, não era nada parecida com a mulher com quem cresci. Lembrei-me de tudo o que falei no banco de testemunhas: como a humilhei, sem deixar de fora nenhum detalhe sórdido. Seu lábio ferido era, em parte, culpa minha. Se eu não tivesse me voltado contra ela, ela nunca teria parado na prisão.

— Tem certeza de que está bem, mãe?

Xinguei a mim mesma. Eu pretendia chamá-la de Patty para impor algum espaço entre nós — e ferir os sentimentos dela.

Isto não é sua culpa. Ela está presa porque maltratou você.

Enfim eu começava a ouvir minha própria voz, não a dela.

Ela desprezou a pergunta com um gesto e abriu um sorriso forçado.

— Estou ótima, querida, não se preocupe comigo. — Ela apoiou o queixo na mão, depois estremeceu de dor e ajeitou a posição do corpo. — Agora, me conte tudo o que está acontecendo com você. Está trabalhando? Tem namorado? Quero saber de tudo.

Contei a mamãe sobre a Gadget World, sobre o dinheiro que eu economizava e que eu tinha sido nomeada Funcionária Padrão três vezes nos últimos anos. Ela ficou radiante. Depois contei a ela sobre Phil, meu primeiro namorado de verdade, e nossa ida a Denver. Deixei de fora o fato de que não nos falávamos havia um ano e meio — e que ele era mais velho que ela. Pensei em lhe contar sobre meu pai, mas decidi guardar a história para outra ocasião. Alguma coisa em minhas entranhas me dizia para deixar isso longe dela.

— E Deadwick? — perguntou mamãe.
— O que tem?
— Ainda fala com alguém? Nossos velhos vizinhos e amigos?
— Agora raras vezes vejo a sra. Stone, se é isso que você quer dizer — falei, sem pensar. Eu sabia que essa notícia agradaria a mamãe, mas também era a verdade. Mary Stone tinha falhado comigo, como todos os outros. Ainda me tratava como criança e ficava me lembrando de que era um ombro no qual eu podia chorar. Mas eu estava cansada de chorar, cansada de gente se preocupando mais com quem eu era do que com quem sou. A sra. Stone gostava mais da Rose Gold destroçada. A cada boa ação, precisava da confirmação de que era minha salvadora.

Eu seria minha própria porcaria de salvadora, muito obrigada.

Como era previsível, mamãe ficou satisfeita. Quando a sra. Stone desceu o malho nela com os repórteres durante o julgamento, minha mãe não ficou feliz. Até ser presa, ninguém nunca tinha se voltado contra Patty Watts.

— E como está a minha velha amiga? — Escorria uma falsa doçura da voz de minha mãe. Essa era a mãe que eu conhecia: a cor voltara a suas faces, os olhos eram brilhantes e atentos. Ela se agarrava a cada palavra minha, notando todos os detalhes.

— Irritante — falei, tentando dar um fim ao assunto. Fui ali em busca de respostas e até agora só eu falava. Minha mãe me manipulava como manipulava a todos, como controlara toda a minha infância.

— Escute, mãe — falei, desistindo em definitivo de chamá-la de "Patty".
— Se nós vamos recomeçar, eu preciso que você seja sincera comigo. Chega

de tentar conduzir a conversa, ou se desviar das minhas perguntas distorcendo-as e fazendo os seus questionamentos.

Mamãe me encarava, sem dizer nada.

— Se você mentir para mim, vou embora daqui. — Eu olhava fixamente para a mesa entre nós. Me obriguei a olhar nos olhos dela. — E não vou voltar.

Passou-se um segundo de silêncio que pareceu três eternidades.

— Estamos combinadas? — perguntei.

Mamãe concordou com a cabeça.

— Claro, querida — respondeu em voz baixa. — Eu nunca faria nada para estragar a nossa relação de novo. Já perdi você uma vez.

Não sabia se ela me dizia a verdade, mas esse parecia o caminho certo. Eu tinha muitas perguntas para testar seu compromisso com a sinceridade.

— Ótimo. Então, vou te perguntar de novo: como você machucou a boca? — Cruzei os braços e me recostei na cadeira (minha melhor pose não-me-venha-de-papo-furado).

Mamãe entrelaçou as mãos no colo. Eu sabia que, se olhasse embaixo da mesa, ela estaria rodando os polegares. Ela me disse ter pegado esse hábito de meu avô. Eu me apanhei rodando os polegares enquanto via televisão uma noite no mês passado. Me sentei nas mãos pelo resto do episódio.

Mamãe suspirou.

— Uma detenta me bateu.

— Por quê? — exigi saber.

— Ela não gosta muito de mim.

— Mãe — alertei —, não seja evasiva.

Suas sobrancelhas se ergueram de surpresa. Eu me perguntei se ela questionava onde eu aprendera a palavra "evasiva". Ela não me ensinou o termo durante nenhuma de suas centenas de aulas de vocabulário, então de onde eu teria tirado? Eu devia ser uma extensão dela, um produto de sua criação e aperfeiçoamento.

Ela esfregou os olhos.

— A Stevens fica contra mim desde que vim para cá. De tantos em tantos meses ela reúne seu bando de comparsas para implicar comigo.

Duas delas me prenderam em uma parede enquanto ela me batia. — Mamãe deu de ombros. — Não me pergunte por que ela me odeia. Não fiz nada para ela.

Com base no histórico de mamãe, eu duvidava disso, mas decidi deixar passar, por ora. Tinha coisas mais importantes para resolver.

— Por que você mentiu sobre o ferimento na boca?

— Porque não queria que você se preocupasse — disse mamãe, exasperada. — Porque é o que as mães fazem. Nós protegemos os filhos das verdades mais duras para mantê-los seguros. Levamos o golpe para que eles não sintam a dor.

— Não sou mais criança — falei calmamente. — E tive de lidar com algumas verdades bem duras nos últimos anos.

Mamãe fez um carinho na minha mão.

— Não importa a sua idade. O desejo de proteger uma filha nunca passa. Não vou pedir desculpa por isso. — Ela estremeceu. Que bom; ela levava a sério minha ameaça de ir embora.

— Você vai ver quando tiver seus próprios filhos — acrescentou ela.

Bufei. Até parece que um dia vou ter filhos, depois da infância f-dida que suportei.

— Eu quero que você me fale de sua família — pedi. — Sempre que perguntei sobre ela, você só dizia que teve uma infância difícil. Quero os detalhes. Foi difícil em quê? Como eram os meus avós? E o meu tio David?

Mamãe gemeu.

— É assim que você quer passar a nossa primeira tarde juntas em quase cinco anos? Falando dos nossos ancestrais degenerados?

— Mãe — alertei de novo —, você prometeu que seria sincera.

— Isso não quer dizer que eu precise gostar — ela resmungou. Ela arregaçou as mangas e inclinou o tronco para a mesa. — O meu pai foi recrutado com dezenove anos e foi para a Bélgica em 1944. Isso depois de ele conhecer minha mãe, mas antes de eles se casarem.

Nos trinta minutos seguintes, mamãe pintou um quadro de sua infância para mim. Ela me contou, em detalhes nauseantes, sobre os maus-tratos de meu avô. Me contou sobre o suicídio do irmão. Falou sobre os abortos espontâneos da mãe: três, para ser exata, entre David e ela. Explicou que os Watts eram uma família de cada-um-por-si. A mãe não a defendia. Nem o irmão. Assim que mamãe fez dezoito anos, mudou-se da casa para um apartamento do outro lado da cidade e encontrou um emprego como auxiliar de enfermagem credenciada. Cortou todos os laços com os pais. Às vezes via um deles no Walsh's ou no banco e dava meia-volta, saindo sem dizer nada. Mamãe nunca se reconciliou com nenhum deles.

— Desculpe por nunca ter lhe contado nada — disse mamãe. — Você merece saber, se quiser. — Ela se recostou na cadeira, cansada, e entendi que tinha terminado.

Eu também estava cansada. Esperava uma história triste, mas não tão triste. Entendia agora por que ela tinha sido tão reservada em todos aqueles anos quando eu pedia detalhes sobre o restante de minha família. Ela não tentava me magoar: estava sendo protetora. Pensei na manhã em que menti para papai, sobre o câncer. Eu não tentava magoá-lo — só queria que os Gillespie me aceitassem. Nossos métodos talvez fossem tortos, mas mamãe e eu tínhamos boas intenções. Precisávamos ser amadas.

Ninguém nunca me olhou como minha mãe. Nem papai, nem Phil, nem Alex. Quando eu abria a boca, os outros no ambiente deixavam de existir para ela. Quando eu me machucava, ela ignorava a própria dor. Mamãe queria mais do que eu destruir aqueles que me provocavam. Eu podia tê-los perdoado, mas minha mãe jamais se esqueceria.

A dívida entre uma filha e sua mãe jamais pode ser paga; é como disputar corrida com alguém que está cinquenta quilômetros à sua frente. Que esperança você teria? Não importa quantos cartões de Dia das Mães você desenhou, quantos clichês e juras de devoção colocou neles. Você pode dizer que ela é sua preferida, piscar como se as duas participassem de uma conspiração, enchê-la com cada detalhe banal de sua vida. Nada disso basta. Precisei de anos para entender isso: você nunca vai amar sua mãe tanto quanto ela ama você. Ela formou lembranças desde que você era uma sementinha na barriga. Você só começou a formar suas lembranças aos três, quatro, cinco anos. Ela teve uma boa dianteira. Conhecia você antes mesmo de você existir. Como se pode competir com isso? Não é possível. Aceitamos que nossas mães despejem seu amor por nós, deixamos que desfilem por aí como uma quinquilharia brilhante, porque o amor delas *é mesmo* superior ao nosso.

— Obrigada — falei. — E lamento por tudo o que você passou.

Mamãe deu de ombros, com o rosto corado. Eu sabia que ela não queria mais falar nisso.

As histórias de infância de minha mãe eram um aquecimento para as perguntas que eu realmente queria fazer. Me senti mal por seu passado, mas me sentia pior pelo meu. Queria que ela admitisse que tinha tirado a infância de mim, como a dela foi tirada. Queria que mamãe assumisse a responsabilidade por seus erros. Precisava que ela me olhasse nos olhos e pedisse desculpas.

Ensaiei essa fala desde o dia em que suspendi a ordem de restrição. Durante meses depois disso, hesitei em ligar para a prisão. Eu queria mesmo reabrir esse drama? De nada adiantaria mexer nesse vespeiro.

— Mais uma coisa — falei.

Mamãe levantou a cabeça.

— Qualquer coisa — disse ela. Foi a atitude mais sincera que vi em minha mãe. Ela sabia fazer a sincera como uma ganhadora do Oscar de melhor atriz.

A porta do outro lado da sala se abriu. O guarda de antes apareceu.

— Acabou o tempo, Watts — gritou ele.

— Já? — perguntou ela.

Ela se levantou, então fiz o mesmo. Ela me envolveu em outro abraço de urso e sussurrou em meu ouvido:

— Continua?

A primeira visita tinha sido melhor do que eu esperava. Fui ver minha mãe como último recurso, esperando que o encontro terminasse com minha saída intempestiva, e nunca mais a vendo. Até agora, ela estivera disposta a se encontrar comigo no meio do caminho. Ela não mentira, até onde eu sabia. Talvez pudéssemos superar nosso passado, afinal.

— Que tal na semana que vem? — respondi em um sussurro.

Ela saiu do abraço e me segurou pelos ombros, procurando em meu rosto sinais de que eu estivesse brincando. Quando viu que falava sério, seu rosto se abriu em um sorriso largo, de lábio ferido e tudo. Ela apertou minha mão.

— Eu adoraria.

Vi minha mãe acompanhar o guarda pela porta, de ombros para trás, a cabeça erguida Ela assoviou, piscou e acenou mais uma vez antes de a porta se fechar.

Essa era a Patty Watts que eu conhecia.

21

PATTY

Rose Gold ainda não chegou em casa. Deveria ter voltado uma hora atrás. Não telefonou, nem mandou mensagem nenhuma.

Talvez a Gadget World esteja movimentada hoje. Talvez seu gerente tenha lhe pedido para trabalhar até tarde. Talvez ela esteja bebendo com amigos que não conheço.

Mando uma mensagem para ela.

> Oi, querida, vai chegar em casa logo?

Olho fixamente para a tela. Não vem nenhuma resposta.

Adam gorgoleja no moisés, sem saber que a mãe está desaparecida. Saio da poltrona e vou até a cozinha, tiro sua mamadeira da geladeira, transfiro mais leite congelado do freezer para a geladeira. Graças a Deus Rose Gold bombeou e armazenou todo esse leite.

Amorno a mamadeira e levo para a sala de estar. Aninho Adam nos meus braços.

— Os meninos grandes e fortes precisam comer, comer, comer — canto. Ele toma o leite.

Me distraio cuidando de Adam. Depois que ele termina a mamadeira, coloco-o para arrotar. Dou um banho extralongo nele, cuidando para que fique imaculado. Visto-o com o pijama de patinhos. Depois o embalo. Imagino cada noite como esta daqui em diante: Adam e eu relaxando em uma casa sossegada em algum lugar. Só nós dois.

Nasci para ser mãe.

Transfiro o moisés da sala para meu quarto. Às sete e meia, Adam dorme profundamente dentro dele. Por ora, o moisés vai servir. Seu berço fica trancado no quarto de Rose Gold.

Ligo para o número dela duas vezes. Ninguém atende.

Podemos ir embora amanhã bem cedo.

Obrigo essa linha de raciocínio a sair de minha cabeça. Ficaria suspeito se eu partisse de manhã, depois de Rose Gold não ter voltado para casa.

Ligo para a Gadget World, mas ninguém atende. Ligarei de novo de manhã, se ela não tiver chegado até então. Será bom ter um registro das mensagens e telefonemas, prova de que me preocupei e procurei por minha filha. Caso ela não apareça.

> Estou preocupada com você, querida. Por favor, responda.

É claro que ela não responde.

Ando da sala à cozinha, dali ao corredor e do corredor à sala. Fico andando em círculos, com o telefone firme na mão. É o que faria uma Mãe Preocupada, não é? Esse é o papel que preciso representar.

No corredor, puxo fios do papel de parede verde, como costumava fazer quando era nova e entreouvia discussões de meus pais. Formo uma bolinha com o fio entre o polegar e o indicador. Esses cômodos são assombrados pelos espíritos de todos eles — mamãe, papai, David e agora Rose Gold.

Ligo para o celular de minha filha mais uma dúzia de vezes, deixando recados estressados, até martelo o aparelho, então grito no último recado. Às onze, desisto e me preparo para dormir. Lavo o rosto e escovo os dentes. Vou lidar com minha querida desaparecida pela manhã.

Mal dormi a noite toda, entre as mamadeiras noturnas de Adam e minha ansiedade com Rose Gold. Às seis horas, saio da cama.

Ela não voltou para casa.

Verifico o telefone, embora tenha colocado o volume do toque no máximo, caso ela ligasse no meio da noite. Sem e-mails. Sem mensagens. Sem chamadas perdidas.

Dou uma mamadeira a Adam e peso minhas opções. Uma Mãe Preocupada ligaria para a polícia, mas eles farão muitas perguntas. Além disso, a Mãe Preocupada não tem certeza se Rose Gold corre algum perigo. Até onde sei, minha filha pode ter ficado farta de Adam e de mim e decidiu ir embora.

Gosto dessa explicação. Se alguém nos localizar, posso dizer que fui embora porque Rose Gold foi embora primeiro. Ninguém prendia Adam e eu a Deadwick. Queríamos um novo começo.

Enquanto coloco Adam para arrotar, penso em procurar informações nos noticiários, mas decido pelo contrário. Tem cinco anos e dois meses que não vejo notícias, e não vou começar agora. Além disso, as autoridades me alcançariam antes que os repórteres soubessem de algum "furo". Eles nunca entendem a história direito mesmo. Penso em um editorial publicado no *Deadwick Daily* pouco antes do início de meu julgamento: COMO AS PATTY WATTS DO MUNDO COLOCAM TODAS AS CRIANÇAS EM PERIGO. Ridículo. Deito meu neto no moisés e prometo que serei rápida.

Ligo para Rose Gold, tomo um banho, ligo de novo. Cruzo o corredor até o quarto para me vestir e paro na porta de Rose Gold. O que ela esteve escondendo de mim nas últimas seis semanas? Talvez a Mãe Preocupada vá descobrir pistas do paradeiro da filha.

Depois de me vestir e ver como estava Adam, que tinha dormido, volto ao quarto principal. Experimento a maçaneta pela milionésima vez —

ainda trancada, é claro. Com um grampo que peguei no banheiro, tento abrir a fechadura de novo. De novo o grampo se parte ao meio.

Saio e contorno a casa até o exterior do quarto de Rose Gold. Todas as cortinas estão fechadas, cobrindo as janelas, como sempre. Não faz sentido abrir uma janela quando posso arrombar uma porta. Além disso, meus vizinhos xeretas não poderão ver o que faço se estiver dentro de casa. Volto para dentro, acelerando o passo.

Penso em procurar no Google "como arrombar uma porta", mas concluo que não há tempo. Uma Mãe Preocupada não seria tão racional a ponto de pesquisar os passos para encontrar a filha desaparecida. Ela age e arromba a porcaria da porta.

Eu me aproximo da porta de novo. Primeiro tento jogando o ombro. Ela não cede, mas tenho certeza de que adquiri um hematoma no braço. Esbarro na porta repetidas vezes, trocando de lado quando o ombro direito começa a doer. Depois de cinco minutos, a porta começa a ceder, mas ainda não se abriu.

Vou a meu quarto, calço um par de botas pesadas, amarro os cadarços. Volto à porta do quarto, suspiro e começo a chutar. No quarto pontapé, a madeira começa a lascar. No sexto, forma-se uma rachadura. No oitavo, a porta cede completamente. Bate na parede. Consegui.

Olho ali dentro, quase temerosa. O quarto parece o mesmo do dia em que saí da prisão, quando Rose Gold me mostrou a casa. A cama está arrumada. O berço está em ordem. As janelas estão fechadas.

Passo os dedos pela cômoda. Abro as oito gavetas: não falta nenhuma roupa. Procuro em sua caixa de joias: todos os brincos e pulseiras baratos estão no lugar. Passo ao armário, abrindo a porta espelhada de correr. Uma olhada rápida me diz que não falta nada ali também — o armário está tão abarrotado de lixo como antes.

Em sua mesa no canto, vasculho as três gavetas à direita da cadeira. Estão apinhadas de papéis amassados e jornais antigos. Vejo as datas dos jornais, mas não há nada aqui com menos de alguns meses ou até dos últimos cinco anos. Recoloco os jornais na gaveta. Antes da prisão, eu costumava ler, então já sei o que contêm suas páginas.

O computador está desligado. Espeto o cabo de força no laptop e aperto o botão para ligar. O aparelho ganha vida, zumbindo. A Mãe Preocupada bate o pé.

Em vez de perder tempo esperando, tiro o edredom, depois o lençol de cobrir, depois o lençol de elástico da cama. Só o que encontro é o cobertorzinho que costurei para Rose Gold quando ela era um bebê. Surpreendo-me que ela ainda durma com ele. Jogo de lado o objeto puído.

Grunhindo, levanto o colchão da cama box, certa de que vou encontrar alguma coisa entre eles. Nada. Me coloco de bruços com uma lanterna e olho embaixo da cama. Tem uma pilha empoeirada das revistas *Cosmopolitan* e *National Geographic*, as mesmas publicações que Alex costumava ler. Enquanto folheio as revistas, imagino Rose Gold sentada aqui, sozinha e sem amigos, tentando copiar a vida da amiga mais velha e descolada, Alex — fazendo compras nas mesmas lojas, usando a mesma maquiagem, lendo as mesmas revistas. É de dar pena.

Nada cai de nenhuma revista. Nada de estranho escrito em nenhuma de suas páginas. Volto ao laptop. É protegido por senha.

Experimento diferentes combinações dos nomes de Rose Gold e Adam, seus aniversários, até o meu nome, mas sei que este último é improvável. Depois da sexta tentativa fracassada, o computador bloqueia meu acesso. Dou um murro na mesa. A Mãe Preocupada, a esta altura, já está pra lá de desesperada. Passo a mão na testa. Minha mão sai dali úmida.

Sentada na cadeira à mesa de minha filha, examino seu quarto — agora uma bagunça, graças a mim, mas nada de incomum ou suspeito. Nenhum segredo a ser revelado.

Por que esta porta ficou trancada por todas essas semanas?

Olho para o relógio — nove da manhã. A Gadget World deve estar aberta.

Redigito o número da noite passada e espero. O telefone toca. No terceiro toque, alguém atende.

— Gadget World, aqui é Zach. Em que posso ser útil? — diz uma voz jovem e animada.

— Oi, Zach. A Rose Gold está aí? — pergunto.

— Não, mas ainda não abrimos, então ela pode chegar alguns minutos atrasada. — Zach parece que não tem nenhuma preocupação no mundo, o babaquinha.

Pondero sobre como verbalizar melhor minha pergunta sem soar alarme nenhum.

— Ela foi trabalhar ontem? — digo, com a maior leveza possível.

— Não sei. Não trabalhei ontem. Espere um pouco. Vou transferir para o meu gerente.

Zach me coloca na espera. O telefone toca duas vezes.

Uma voz infeliz finge entusiasmo.

— Scott Coolidge, gerente da Gadget World. Em que posso ser útil?

— Oi, estou ligando por causa de Rose Gold Watts — digo.

— O que tem ela? — diz Scott depois de um segundo.

Hesito.

— É a mãe dela, Patty.

Scott não fala nada.

— Eu queria saber se ela trabalhou ontem. — Fecho os olhos, tento parecer natural.

— Não, ela não veio — diz Scott, irritado. Bingo.

Solto um muxoxo que pode significar qualquer coisa.

— Ela nem se deu ao trabalho de telefonar para avisar — resmunga Scott. — Liguei para o número dela três vezes. Ninguém atendeu.

— Eu sei que ela lamenta por isso, Scott — digo. — Também não consigo falar com ela.

— Então, ela também não vem hoje? — diz Scott, nem um pouco preocupado com o bem-estar de Rose Gold. — Escute, ela sabe que eu cuido de uma loja tensa por aqui. É só afrouxar com um deles, e todos pensam que você é um banana. Vai ser a primeira advertência dela.

— Me parece justo. Eu sei que ela respeita a sua autoridade — digo, tentando encerrar o telefonema. — Vou pedir para ela entrar em contato assim que eu conseguir falar com a Rose. Tchau, então.

Encerro a ligação antes que Scott me dê outro sermão sobre responsabilidade e digito de novo o número de Rose Gold. As aparências são tudo. Ela não atende. Coloco meu telefone na mesa.

Um choro alto rompe minha concentração. Adam. Esse tempo todo, esqueci que ele estava no outro quatro. Ah, que seja, ele pode chorar à vontade. Acalmar-se sozinho é uma lição importante a ser aprendida cedo — alguns de nós passam a vida inteira aprendendo.

Com as mãos nos quadris, ando pelo quarto, tento me concentrar, pensar no que deixei passar. Depois de um minuto, o choro de Adam aumenta para guinchos, me fazendo parar subitamente. Este é mais que um choro de fome ou de cansaço, ou de um bebê que quer colo. Já ouvi isso muitas vezes. Reconheço esse som em qualquer lugar.

Corro para o moisés. Adam está de bruços, agitando braços e pernas.

Embaixo de sua cabeça há uma poça de vômito verde. Ele me olha com o rosto raiado de lágrimas.

Como Rose Gold fazia.

22

ROSE GOLD

Novembro de 2016

Minha mãe se inclinou para mais perto e baixou o tom, embora a detenta mais próxima estivesse do outro lado do centro de visitantes, chorando ao lado de uma idosa.

— Tenho uma nova companheira de cela — disse mamãe.

Eu tentava ser otimista, mas não gostei do brilho em seus olhos ao dizer isso.

Antes que eu pudesse responder, ela continuou.

— Seu nome é Alicia. Ela não deve ter mais de vinte anos. Adivinha por que ela veio para cá.

— Por quê? — perguntei. Minha primeira ida ao centro de visitantes tinha sido duas semanas antes. Tivemos um bom começo, mas eu queria mais da segunda visita. Precisava que ela explicasse por que fez o que fez, que assumisse a responsabilidade pelo mal que me causou. Em um ano, ela sairia da prisão.

— Adivinhe — insistiu mamãe.

— Roubo?

— Não.

— Drogas?
— Não.
— Dirigiu embriagada ou coisa parecida?
— Você nunca vai adivinhar — disse ela, com alegria.
Eu me recostei, pensando. Não me importava com a colega de cela de mamãe, mas decidi entrar nesse jogo para chegarmos às coisas importantes.
Mamãe se inclinou para a frente.
— No último ano do ensino médio, ela teve um garotinho. Quando ele tinha dois meses, ela o levou até o zoológico... e o deixou lá. Em uma moita, perto da jaula do gorila.
Levantei a cabeça, sobressaltada.
— Os gorilas o machucaram?
Mamãe negou com a cabeça.
— Um dos funcionários do zoológico encontrou o bebê na manhã seguinte. Chorava como um louco, mas não estava ferido. Relacionaram o bebê a Alicia depois de alguns dias.
— E o que aconteceu com ele?
Mamãe deu de ombros.
— O Serviço de Proteção à Infância ou coisa parecida ficou com ele. Alicia foi presa.
— Por que ela não queria o filho?
— Ainda não arranquei isso dela. Ela é muito reservada. Mas um filho é muito para uma menina enfrentar. — Mamãe olhava insistentemente para a detenta chorosa, tentando descobrir o drama. A mulher era de meia-idade, tinha a constituição de um zagueiro. A papada se sacudia quando ela balançava a cabeça.
— Nenhum funcionário o encontrou quando foram fechar o parque à noite? — Tentei me imaginar como quem tinha encontrado o filho de Alicia. Nunca segurei um bebê.
Mamãe revirou os olhos.
— O que é isso? *Verdade ou Desafio?* Não sei, Rose Gold. — Ela virou a cabeça para trás e apontou seu nariz para mim. — Nós somos companheiras de cela faz uma semana. Ontem à noite ela foi para a emergência porque se cortou.

Tapei a boca com a mão.

— Que coisa horrível.

Mamãe concordou com a cabeça.

— Eu a encontrei sangrando no chão da nossa cela. — Ela parecia quase alegre, como costumava ficar quando conseguia um desconto no salame. Quando viu minha expressão de pavor, levantou a mão. — Não se preocupe comigo. Sou profissional médica treinada, lembra? Eu a levei para onde ela precisava. Salvei a vida dela.

E com muita humildade também.

— Eles fizeram curativos e a mandaram de volta para mim. Neste lugar não existe "fale de seus sentimentos". Vou ter que dar um jeito eu mesma. Acho que posso fazer diferença na vida da Alicia — mamãe tagarelou. — As outras mulheres têm feito da vida dela um inferno. Elas tendem a ver com maus olhos o abandono de filhos.

Era a minha chance.

— Ah, é? E o que elas acham de molestadores de crianças?

— Ainda não fiz um levantamento formal — disse ela, na lata —, mas não devem ser muito fãs.

A chorona agora tinha se acalmado, não graças à mulher pétrea diante dela. A detenta se levantou e se virou para sair. Quando viu minha mãe, seu maxilar enrijeceu e ela ergueu a cabeça.

Mamãe mexeu os dedos e abriu um sorriso que era meio sarcástico.

— Stevens — disse ela, cumprimentando-a com a cabeça.

A detenta ignorou minha mãe e passou a passos duros por ela, batendo a porta do centro de visitantes. Minha mãe riu sozinha.

Fiquei curiosa sobre a relação de minha mãe com a mulher, mas precisava sustentar o assunto antes que ela me escapasse de novo.

— Sabe por que estou aqui? — perguntei.

Mamãe voltou a atenção a mim.

— Claro que sei, meu docinho — respondeu.

Nós duas esperamos que a outra dissesse alguma coisa. Quando ficou claro que ela não pretendia se explicar, dei um pigarro.

— Eu quero ouvir você dizer.

Ela franziu a testa, em dúvida.

Tentei de novo, com o olhar fixo na mesa entre nós.
— Quero ouvir você dizer em voz alta por que foi condenada. — Um fio de suor escorria pelo meu peito.
Mamãe estendeu bem os braços, formando um T. Como Jesus em sua cruz, ela poderia ter dito.
— Maus-tratos infantis com agravantes.
Arrepios estouraram em meus braços. Eu nem acreditava que ela falaria. Minha mãe enfim assumia a responsabilidade por ter me feito mal, de todo jeito. Estaria pronta para confessar que destruiu minha infância? Talvez esse fosse o ponto de virada em nossa relação. Talvez eu não precisasse evitá-la pelo resto da vida.
Quando levantei a cabeça, minha mãe cantarolava uma música animada cujo começo eu não tinha ouvido. Ela fungou.
— Mas você e eu sabemos que isso é um monte de bosta.
Não, pensei. *Não, não, não.* Até aquele momento, eu não tinha percebido o quanto queria que as coisas dessem certo entre nós.
Mamãe segurou minhas mãos.
— Você sabe o quanto eu te amo, neném. Eu nunca, jamais machucaria você.
Puxei as mãos, vermelhas e latejando, de seu aperto. Eu podia explodir em mil pedaços. Lava ferveria das orelhas e dos olhos.
— Então, está dizendo que é inocente? — perguntei, os dentes começando a trincar.
Mamãe deu uma risadinha e gesticulou com desdém.
— Eu nunca disse que era uma mãe perfeita, mas fiz o melhor que pude.
— Não faça isso.
— Já te contei do...
— Essa coisa em que você dá uma resposta vaga — falei, atropelando-a, como ela fez comigo incontáveis vezes. — Você desenha uma linha na areia. Está dizendo que me envenenou ou não quando eu era criança?
Meu coração se sacudia no peito. Eu tinha certeza de que ele ia descer até o estômago, ou então se projetar pela garganta e sair pela boca. Mamãe me viu enxugar as mãos na calça jeans. Ficou sentada ali, me observando por um tempo, com uma expressão irônica.

Ela sufocou o riso.

— Por isso eu controlava seu tempo de televisão quando você era criança. Quando você vê dramas demais, eles derretem o seu cérebro. Você começa a pensar que a vida real é como um filme.

— Sim ou não? — Qualquer coisa parecida com a afabilidade tinha deixado minha voz.

Seu sorriso sumiu. Ela me encarou, fulminante.

— Não, é claro que não. Agora, pare com isso. Está passando dos limites. Não se esqueça de quem te criou, sua pirralha ingrata.

Eu me retraí. Ela não tinha mudado nada. Eu devia saber. Cada pessoa que passou por minha vida me decepcionou.

— Não é culpa minha que você não tenha amigos, nem futuro no emprego — ela me insultou, ruborizando. Agora fervia. — Se você é desajeitada e feia, não tem ninguém a quem culpar, só a si mesma. Eu te dei toda a oportunidade do mundo. Abri mão da minha profissão e da minha independência, além de qualquer esboço de uma relação amorosa. Dei tudo para você, tudo de mim... Você não pode enfiar isso na sua cabeça dura? E você agradece pelo meu sacrifício se virando contra mim na primeira oportunidade que tem? Andando direto para o banco das testemunhas? Você acreditou no que aquela vadia da Alex e a mãe bocuda disseram de mim? É por *sua* culpa que eu estou aqui, e não minha.

Continue, pedi. *Queime tudo até o fim.*

— Como se atreve a entrar aqui, depois de quatro anos de silêncio, exigindo um pedido de desculpas? — gritou minha mãe. — É você que deve me pedir desculpa. Nem imagino que diabos eu fiz para merecer uma filha como você. Quando eu era criança, levava uma surra por muito menos. Agradeça aos céus por eu não acreditar no cinto.

— Fale baixo, detenta — trovejou o guarda no canto da sala.

A voz dele me lembrou de onde estávamos. Afrouxei as mãos nos braços da cadeira. Ela não ia me fazer mal aqui. Eu não precisava ter medo.

Mamãe se recostou, acalmando-se, como sempre acontecia. No passado, eu teria me atrapalhado para encontrar um jeito de compensar o que quer que tenha feito para ela, ser a filha perfeita que eu sabia que podia ser. Mas não tinha mais de ser gentil. Eu não era mais posse de minha mãe. Era livre para ir embora.

Peguei minhas coisas, com a expressão séria. Peguei os óculos de sol na bolsa. Ela continuaria a envelhecer em sua cela enquanto eu desfrutaria deste dia ensolarado. Empurrei minha cadeira para trás.

— Desculpe — soltou minha mãe. — Eu não devia ter falado no cinto. Essa foi longe demais. Você sabe que eu nunca encostei a mão em você.

Fiquei sentada ali, com a cadeira afastada da mesa, furiosa demais para formular uma resposta.

Minha mãe gesticulou para eu me aproximar.

— Vem cá, chega aqui. Eu trouxe uma foto do cachorro de outra detenta para te mostrar. — Ela a pegou no bolso. — Broccoli... é o nome do cachorro... mora com o marido da detenta na Califórnia. Ele ganhou faz pouco tempo o Concurso de Cachorro Mais Feio do Mundo. Vem ver. — Não me mexi, de braços cruzados, então minha mãe se levantou. — Vou te mostrar.

Ela pairou acima de mim, metendo a foto na minha cara, falando das hilaridades desse cachorro horroroso — voltara a ser a meiga e divertida mamãe. Não escutei uma palavra. Pela primeira vez em algum tempo, eu raciocinava com clareza.

Em menos de um ano, ela sairia daqui. Seu ciclo de Jack e Hyde começaria todo de novo. O calor humano e as piadas, seguidos pela inevitável oscilação de humor, que depois se metamorfoseava em maus-tratos, e voltava a ser a queridinha do pedaço. Uma disputa de gritos ou um tabefe na cara não bastavam para enfrentar esse nível de maldade.

Ela precisava de uma cicatriz. Algo permanente.

Olhei para o relógio na parede: faltavam seis minutos para o guarda anunciar o fim da visita. Eu podia fazer qualquer coisa por seis minutos. Então, fingi ouvir suas histórias. Sorri, ri e arquejei nos momentos certos. Fiz o papel da filha dedicada até que o guarda gesticulou para mim que o tempo tinha acabado. Para vencer minha mãe no jogo dela, a chave era fingir. Ela uma vez me disse, depois de se livrar de uma multa por excesso de velocidade na base da conversa mole, que era mais fácil manipular alguém se a pessoa não via você como uma ameaça.

Empurrei a cadeira para trás, contornei a mesa até ela e lhe dei um grande abraço.

— Sem ressentimentos? — perguntou ela, procurando pistas em meu rosto.

Abri um sorriso radiante e fiz que não com a cabeça. Fui para a saída, dizendo a ela, com o entusiasmo de mil animadoras de torcida:

— Te vejo na semana que vem!

No estacionamento do Walsh's, fiquei sentada na van, furiosa. Tirei as mãos do volante e vi, assombrada, o quanto tremiam: nunca tinha tremido de raiva. Na maior parte do tempo, minhas emoções saíam na forma de choro ou medo.

Nem imaginava chorar novamente. Eu envelheceria quarenta anos antes de entrar no centro de visitantes e sair. Enganada de novo. E de novo. E mais uma vez.

Ainda não estava pronta para enfrentar meus vizinhos no mercado — primeiro, precisava me acalmar. Respirar fundo, botar o ar para dentro e para fora. Peguei o telefone na bolsa.

Rolei pelo aplicativo de rede social em que eu tinha mais amigos: trinta e cinco. O Natal era dali a algumas semanas, então as atualizações de status de todos falavam das atividades festivas a que eles compareciam. Aqui estavam os Johnson, patinando no gelo no Riverfield Park. Aqui estava Kat Mitchum, postando fotos do cachorrinho que os pais lhe deram: um presente antecipado de Natal. Parei no nome de Sophie Gillespie: ela, papai e os outros Gillespie estavam ao lado de um pinheiro alto em uma fazenda de árvores de Natal. Papai tinha o polegar para cima e um sorriso brega. Feliz como eu nunca tinha visto. Estava claro que não tinha insônia por ter me perdido.

Suspirando, saí do carro e entrei no mercado. Precisava de um monte de refeições congeladas. Depois iria para casa, ficar com Planty.

Empurrei meu carrinho para o corredor de congelados, carregando-o com bife Salisbury. Alguém me chamou pelo nome.

— Rose Gold? Querida, é você?

Eu sabia, antes de me virar, que era a sra. Stone. Gemi por dentro. A última coisa de que precisava agora era seu papo furado animadinho. Torci o rosto em um sorriso duro e me virei para ela.

— Oi, sra. Stone.

Ela me abraçou e olhou para meu carrinho.

— Tem o suficiente para se alimentar? Você nunca come legumes.

Cala a porra da sua boca, eu queria gritar. Por que todo mundo que eu conhecia sentia necessidade de me dizer como levar a vida? Onde estavam todos esses adultos quando eu era envenenada em minha própria casa por dezoito anos? Nenhum deles percebeu na época: por que diabos achavam que agora sabiam?

— Os legumes são os próximos — menti, embora agora eu tivesse de pegar alguns vegetais, caso esbarrasse nela de novo no caixa. Eu só queria ir para casa, colocar uma pipoca no micro-ondas e ver *Amadeus*, o próximo ganhador do Oscar em minha lista. Era pedir demais?

— Ah, bom. Sabe, a deficiência de vitaminas pode provocar queda de cabelo. E você sempre foi muito sensível com seu cabelo...

— Me fale do seu dia — eu disse, relaxando o maxilar. — Alguma coisa importante?

— Na verdade, não — disse ela. A sra. Stone era da secretaria da Escola Primária de Deadwick, então eu não duvidava de que falasse a verdade. — Aliás, você conhece a Karen? A sra. Peabody? — acrescentou ela. Karen Peabody tinha sido minha vizinha e diretora da escola antes de eu começar a estudar em casa.

Quando assenti, a sra. Stone continuou.

— Os pais dela estão pensando em vender a casa na Apple Street. O câncer do Gerald voltou. As coisas não estão boas, Deus o abençoe. A Mabel acha que não consegue mais cuidar da casa. Uma pena.

Eu não sabia por que a sra. Stone achava que essa história seria do interesse de uma pessoa qualquer. Para sorte minha, era.

— Na Apple Street, 201? — perguntei, no que esperava que fosse um tom neutro.

— Isso mesmo — disse a sra. Stone. Ela se interrompeu por um momento. — Pensando bem, acho que é a casa onde a sua mãe passou a infância.

Assenti com a cabeça girando.

Ela me abriu um sorriso altivo e fez um carinho em meu braço.

— Você deve dormir bem à noite, sabendo que ela enfim está no lugar dela. — A sra. Stone não sabia que eu havia começado a visitar minha mãe na prisão. Como tinha aprendido recentemente, existiam muitas outras bisbilhotices que a sra. Stone não sabia sobre a ex-melhor amiga.

Dei um boa-noite e fui para a seção de hortifrúti. Talvez eu comprasse algumas mangas ou coisa assim, para aproveitar a viagem.

Duas semanas antes, mamãe me contara — à Rose Gold que era um túmulo, sua meiga e pequena confidente — o que tinha acontecido na Apple Street, 201. Disse que nunca tinha revelado os detalhes horríveis a ninguém. Patty Watts me contou seus segredos porque confiava em mim e em mais ninguém. Ou talvez não confiasse em mim. Talvez nunca tivesse pensado que eu usaria seu ponto fraco contra ela.

Talvez ela tenha me subestimado.

23
PATTY

Tiro Adam do moisés, aninhando-o em um só braço e sentindo sua testa com as costas da mão. Ele não 'arde — não tem febre. Embalo o bebê algumas vezes, mas ele ainda chora. O fedor de vômito chega a minhas narinas. Não posso deixar acumulado no moisés.

Coloco meu neto no berço no quarto de Rose Gold.

— Só uns minutinhos, querido — falo em meio a seus gritos.

Correndo até a cozinha, pego um rolo de papel-toalha e spray antisséptico. O choro de Adam não diminuiu, mas agora é mais difícil de ouvir. Eu podia sair pela porta lateral e andar pelo quintal um pouco, enquanto ele se acalma. Claro que não vou fazer isso. Autoritária? Talvez. Mas nunca fui negligente.

Endireito os ombros e volto a meu quarto, com produtos de limpeza e um saco de lixo na mão. Limpo o vômito do moisés e assovio a música de *Mary Poppins*, "A Spoonful of Sugar", lutando para superar o choro da criança.

Quando está tudo limpo, volto ao quarto de Rose Gold, curvo-me sobre o moisés e observo Adam. Ele ainda chora, mas com menos intensidade.

Eu o pego no colo.

— Agora somos um time — digo a ele. — Você precisa ser bonzinho com a vovó.

O lábio inferior de Adam treme e isso parte um pouco meu coração. Seu choro me dá pena.

— Qual é o problema, meu docinho? Está com fome?

Eu o levo à cozinha e tiro uma mamadeira da geladeira. Dois dias atrás, ela ainda estava aqui, bombeando leite materno e alimentando o filho. Agora me deixou sozinha.

Quando levo a mamadeira à boca de Adam, ele suga com fome, o que significa — ah, graças ao Menino Jesus — que para de chorar. Desabo numa cadeira e tento dar a mamadeira lentamente, deliciando-me com cada segundo de silêncio. Aquela velha máxima é verdade: é melhor ver que ouvir as crianças.

Com o bebê calmo, consigo raciocinar de novo. Preciso bolar um plano, descobrir onde minha filha está.

Quando a mamadeira está vazia, devolvo Adam ao moisés limpo em meu quarto. Ele reclama um pouco, mas nada que possa ser ouvido pela porta fechada. Deixo a porta entreaberta ao sair.

Estou procurando pistas na sala no máximo há quatro minutos quando ele começa a berrar de novo. Mordo o lábio. Esta é a última coisa de que preciso no meio de uma crise. Vou ao corredor para ver como ele está.

Ele vomitou de novo, e desta vez vomitou mais. Quebro a cabeça em busca de respostas: Gripe? Refluxo? Uma infecção gástrica? Cheiro a fralda e estremeço, levando-o na bancada de troca no quarto de Rose Gold. Ele está com diarreia porque é claro que está. Coloco uma fralda nova antes que ele faça sujeira em dois quartos.

Seu choro me dá dor de cabeça. Coloco-o no berço e parto para a limpeza do moisés pela segunda vez esta manhã. Estou quase terminando de limpar quando ouço um cuspido. Corro ao berço e o pego vomitando ali também.

— O pânico não vai resolver nada — digo em voz alta. O tremor em minha voz é inconfundível. Meu coração martela no peito. Eu devia estar acostumada com isso: cuidei de uma criança doente por anos e anos. Mas já fazia algum tempo, e estou sem prática.

Limpo o rosto de Adam e corro para o banheiro. Abro as gavetas e as portas do armário, jogo um frasco depois de outro no chão ao meu lado. Deve haver um Pedialyte aqui em algum lugar. Não é mais o tratamento recomendado para vômito em crianças? Não sei. Não estou na profissão médica há muito tempo. O choro de Adam fica mais alto.

Desmonto o banheiro atrás de um tratamento pertinente, mas não encontro nenhum. Rose Gold tem poucos vidros de remédios infantis: está inteiramente despreparada para um bebê doente.

Disparo pelo corredor, de volta ao lado de Adam. Seu choro passou das explosões curtas a um grito constante. Tiro-o do berço.

— Por favor, fique bem, miudinho — peço, tentando acalmá-lo. Ele vomita em toda a minha blusa.

— Qual é o seu problema? — exclamo, tentando tirar a blusa com um braço enquanto seguro Adam no outro. Ele vai ficar desidratado se continuar vomitando desse jeito.

Eu devia ligar para um médico, por segurança. Assim, outra pessoa saberá o que está acontecendo. Outra pessoa poderá me ajudar a encontrar uma solução para este problema. E, se por acaso for um germe de doze horas, tudo bem. Não há nada de errado em um telefonema por precaução.

Pego o telefone na mesa de cabeceira e pressiono o ícone dos contatos, mas percebo que não sei o nome do pediatra de Adam. Talvez Rose Gold tenha escrito em seu caderno de endereços. Vasculho a gaveta de cacarecos na cozinha, pego o caderno e folheio cada página. Quando chego ao "Z" e ainda não encontrei uma entrada para um título de doutor, quero me juntar a Adam em seu choro.

— E a mesa da mamãe? — digo ao bebê. Levo-o de volta ao quarto de Rose Gold. Já revirei cada gaveta em busca de pistas sobre seu desaparecimento, mas não tinha procurado informações de médicos. Talvez tenha deixado passar alguma coisa.

Procuro de novo nas prateleiras da mesa, desta vez mais frenética, sem me dar ao trabalho de recolocar tudo de volta onde encontrei. Nada nas pastas de arquivo. Nada nas prateleiras laterais. Nada na gaveta de lápis. Ela deve ter o contato do pediatra no celular. Grito de frustração.

Uma hora depois, Adam ainda chora e vomita. Ainda estou longe de um plano. Cheguei a meu ponto de ruptura, mais que tudo quero desabar no chão e ter um ataque de birra. *Não sei o que fazer*, fico pensando. *Alguém me diga o que fazer.*

Tenho um lampejo de inspiração: vou dar outra mamadeira a ele. Ele se aquietou por uns dez minutos quando lhe dei a outra. Só preciso de dez minutos — um tantinho de tempo para pensar direito e decidir por um curso de ação. E não quero que ele fique desidratado. Um pouco de leite vai fazer bem. Pelo que deve ser a quinquagésima vez hoje, corro do quarto para a cozinha.

Adam se agarra ao bico de borracha. Seus gritos diminuem. Quase caio de joelhos, de gratidão. Olho para o rosto raiado de lágrimas de Adam enquanto ele mama. Preciso de ajuda. E então tenho uma ideia.

Posso — não, eu devo — levá-lo para o hospital.

Um arrepio corre pela minha coluna. Imagino os médicos e enfermeiros reunidos à nossa volta, correndo para cuidar de meu bebê doente, me fazendo perguntas, bebendo cada palavra minha.

O que mais uma avó preocupada faz? Não tenho como falar com o pediatra de Adam. Ele já está vomitando há cinco horas. Isto, por definição, é uma emergência.

Deixo Adam tomar o resto da mamadeira, depois o coloco na cama de Rose Gold. Correndo pela casa, preparo a bolsa de fraldas com mamadeira, lenços umedecidos e assim por diante. Corro até meu armário para vestir uma blusa limpa. Saio da casa correndo, abro a porta da garagem e dou a partida na van, assim o interior estará aquecido quando eu trouxer Adam para cá.

Me virando rapidamente, volto a entrar na casa. Quando abro a porta lateral, a primeira coisa que noto é o silêncio. Está tão silencioso dentro da casa como fora dela.

Meu coração para.

Percebo que deixei Adam na cama de Rose Gold. Ele pode ter caído e se machucado — ou coisa pior. Passo a jato pela cozinha e vou pelo corredor, apavorada. E se alguém... não, não posso chegar a esse ponto. Só saí por um segundo.

— Tudo bem, está tudo bem — entoo para mim mesma.

Atravesso a soleira do quarto de Rose Gold. O choro de Adam bate em mim como um copo de água gelada. Sou tomada de alívio ao encontrar o bebê se debatendo na cama da mãe. Por um momento, nem me importo que ele tenha vomitado ali também. Ele está aqui. Está a salvo. Juro que nuca mais o deixarei fora da vista.

Meu alívio tem vida curta. Será possível que seu choro ficou mais alto ainda? No fundo, sei que tem alguma coisa errada. Adam precisa de assistência médica.

— Tudo bem, amiguinho, vamos lá. — Pego Adam no colo. Coloco a bolsa de fraldas no ombro e dou uma última olhada no quarto destruído de Rose Gold. Não era assim que eu esperava deixar a casa. Se ela voltar, vai saber que mexi em seus pertences. Mas então eu também terei restaurado a boa saúde de seu filho. Vamos chamar de empate.

Coloco Adam na cadeirinha do carro e me lembro de novo aonde vamos. Me pergunto como será a médica — jovial, com maneiras perfeitas à beira do leito, ou mais formal e focalizada nos fatos? Aposto que as enfermeiras vão me acariciar as costas, sussurrando que agi de maneira correta. Os outros na sala de espera vão arrulhar para Adam, dizer que ele é parecido comigo, tocar sua testa e propor suas próprias soluções. É isso o que adoro na comunidade médica: todo mundo quer ajudar.

Dou ré na van pela entrada de carros, sentindo uma leve onda de medo. Alguns médicos e enfermeiros antigos de Rose Gold ainda devem trabalhar no hospital. Pior ainda, há uma possibilidade de que Tom esteja lá. Mas ele sempre trabalhou à noite. Além disso, que alternativa tenho? Mesmo que guardem rancor contra mim, as pessoas ainda têm de cuidar de meu neto. Todos fizemos o mesmo juramento: *Antes de tudo, não causar danos.*

Talvez Adam tenha uma alergia alimentar grave que precise ser diagnosticada e tratada. Isso faria sentido, afinal. A mãe tem um longo histórico de problemas gastrointestinais.

Piso no acelerador. Talvez o pequeno Adam também precise de uma sonda gástrica.

24
ROSE GOLD

Dezembro de 2016

O lhei para as três refeições de TV na mesa dobrável diante de mim: bife Salisbury, lasanha e pimentão verde recheado. Decidi começar pela lasanha e a puxei para mais perto. Não podia mais me dar ao trabalho de cozinhar — que sentido tinha preparar refeições complicadas se eu ia comer sozinha na frente da televisão? Completei minha taça de Sutter Home White Zinfandel.

Devorei a comida e zapeei por um programa depois de outro na Netflix. Tinha acabado de sair o live-action de *A Bela e a Fera* — o filme da Disney preferido de minha mãe. Esmurrei o controle remoto, parando em um documentário sobre fuinhas, mas também me lembraram dela. Continuei zapeando. Depois de ter passado por todas as opções, desliguei a TV e terminei o jantar em silêncio.

Por duas semanas, um grito constante passava pela minha cabeça: *Mentirosa! Mentirosa! Mentirosa! Mentirosa! Mentirosa!*

Parecia um alarme de carro sem o botão de desativação que eu não conseguia desligar. Quebrei um prato ontem à noite ao pensar nisso.

Depois de jogar fora as embalagens plásticas, desabei na poltrona, tamborilando os dedos no braço. Já assistira a *A pequena sereia* quatro vezes esta semana. Vi Planty no canto. Quando encontrei uma tesoura, percebi que já havia podado as folhas mortas ontem. Meti o dedo na terra: já havia regado.

Vaguei pelo apartamento. Abrindo a geladeira, olhei para os condimentos arrumados por ordem alfabética. Era assim que ela os guardava, lembrei. Passei a mão pelos vidros, bagunçando as filas arrumadas até que eu tinha três prateleiras de caos. Meu cotovelo pegou em um vidro e o fez voar no chão, quebrando-o e espalhando picles de endro para todo lado.

Fechei as mãos em punhos e gritei.

Era bom gritar. Eu fazia muito isso. Normalmente gritava em travesseiros, para que meus vizinhos não ouvissem e chamassem a polícia.

Deixei os picles no chão e fui para o meu quarto. A primeira coisa que vi foi o travesseiro na cama. Peguei-o e puxei uma ponta com a maior força que pude, os braços tremendo de esforço ou fúria. O rasgo satisfatório do algodão me fez tremer. O recheio saiu, caiu em pilhas a meus pés. Eu estava de pé em uma nuvem.

Uma batida na porta do apartamento interrompeu meu transe. Pisquei, joguei na cama o que restava do travesseiro e corri para a porta.

Quando foi a última vez que alguém, além de mim, esteve neste apartamento? Recebi um pacote da Amazon aqui seis meses atrás...

Abri a porta rapidamente. A sra. Stone estava no corredor. Como entrou no prédio? Pensei em bater a porta na cara dela. Mas não vi problema em uma pequena interação humana com alguém não associado com a Gadget World. Talvez eu precisasse dela mais para a frente.

— Oi, querida — disse ela, me olhando de cima a baixo, como se eu pudesse ter uma bomba presa ao peito. Me perguntei o que ela via. Não me olhei no espelho hoje, nem tomei banho. Por que me dar a esse trabalho em meu dia de folga?

— A que devo este prazer? — Colei um sorriso na cara.

— Você não aparece há algum tempo. Pensei em fazer uma visita. Posso entrar? — A sra. Stone gesticulou para dentro de meu apartamento.

Abri bem a porta e deixei que ela entrasse, pegando seu casaco e colocando em uma cadeira. Ela passou por mim, os olhos percorrendo a sala.

Eu não sabia o que procurava. Esta mulher merecia uma placa por irritar as pessoas em tempo recorde — ela não devia estar aqui havia mais de trinta segundos.

— Como tem sido o trabalho? — perguntou ela, entrando na cozinha. Parou de repente na geladeira. — O que é isso?

Lembrei-me dos picles no chão.

— Eu ia limpar essa sujeira agora. — Me abaixei para pegar os legumes encharcados. — Foi um pequeno acidente.

A sra. Stone levou as mãos ao rosto, uma reação exagerada e grosseira.

— Ah, querida, você está bem?

Nunca demorava muito para eu ouvir essa pergunta. Eu começava a pensar que existiam coisas piores do que a solidão — por exemplo, companhia indesejada.

Joguei fora os picles e arrastei a lixeira para perto da geladeira. Ajoelhada no chão, catei os cacos de vidro.

— Ah, querida, não use as mãos desprotegidas. Vai se cortar. Tenha cuidado.

Fechei os olhos, pegando com cuidado um dos cacos, pensando em coisas não muito gentis que o vidro podia fazer com algumas veias muito importantes do pescoço da sra. Stone. Peguei caco por caco e joguei na lixeira, ignorando seu alerta. Olhei para ela quando falei.

— Está tudo bem, sra. Stone?

Ela hesitou um pouco. Depois:

— Eu soube que você esteve visitando a sua mãe na prisão. Que você suspendeu a ordem de restrição.

Meu Deus, ela morreria se cuidasse da própria vida?

Joguei o último caco de vidro na lixeira, depois passei a limpar com um pano o líquido dos picles. Olhei rapidamente para a sra. Stone, mas não falei nada.

— Então é verdade? — Ela brincava com um botão de seu cardigã fúcsia.

Fui ao armário do corredor, peguei vassoura e pá de lixo, depois voltei à cozinha.

— Sim, é verdade. — Varri os cacos de vidro menores em uma pilha. A sra. Stone olhava, depois se apressou a pegar a pá e segurou ao lado da pilha. Empurrei o lixo para a pá e ela jogou os restos na lixeira. Peguei da mão dela a pá de lixo e guardei com a vassoura no armário. A sra. Stone me seguiu até a sala de estar. Sentei-me em minha poltrona. Ela continuou de pé e ficou se remexendo.

— Talvez não seja da minha conta — ela deu um pigarro —, mas por quê?
É isso mesmo, merda, não é da sua conta.
Fiz meus olhos grandes e inocentes.
— Bom, ela é minha mãe, afinal.

A sra. Stone fez uma careta, como se eu tivesse sugerido que ela comesse o vidro de picles, com cacos e tudo.

— Depois do que ela fez com você, não deve um segundo do seu tempo a ela.

No passado, ela e eu evitamos falar em minha mãe. Acho que nenhuma das duas queria rever como mamãe nos enganou, como fomos idiotas por cair em suas mentiras em todos aqueles anos. Pelo menos eu era criança. A sra. Stone deve ter se sentido uma verdadeira imbecil, uma adulta sendo enganada. Percebi que ela ficou furiosa — nunca tinha visto suas narinas inflarem.

— Ela está presa há mais de quatro anos. — Entrelacei as mãos no colo. — Não acha que merece uma segunda chance?

Os lábios da sra. Stone se apertaram em uma linha fina.

— Não. Não acho que você deva ter alguma relação com essa mulher.

Talvez agora não fosse a hora de dizer a ela que eu tinha me encontrado com Gerald e Mabel Peabody. Eles concordaram em me vender a casa bem abaixo do preço de mercado. Mabel disse que era o mínimo que podiam fazer depois de minha infância "difícil". Ela tinha sido amiga de minha avó e disse que sempre desconfiou de que minha mãe era uma espécie de "semente ruim".

Comprar a casa significava abrir mão de meus lindos dentes brancos. Não era uma decisão fácil para mim. Desde que me entendo por gente, sempre que eu ficava feliz, sempre que os cantos de minha boca subiam, meu único pensamento era: *pare*. Sorrir era mau negócio. Por *um triz* não larguei mão daquelas ideias. Durante anos, sonhei em como seria ficar alegre sem constrangimentos. O que podia valer mais que minha confiança, minha felicidade?

E a satisfação tão profunda que fazia cada centímetro de minha pele formigar? E a felicidade diferente — daquelas que as pessoas que nunca foram maltratadas chamariam de perversa?

Quando minha mãe sair da prisão, sei que ela vai querer — não, esperar — que eu a leve comigo. Eu gastaria, satisfeita, meu suado dinheiro para ferrar com ela enquanto ela morasse debaixo do meu teto, em sua casa da infância. Haveria tempo para consertar meus dentes depois. A oportunidade diante de mim exigia uma ação imediata. Dessa vez quem estava no controle era eu.

A sra. Stone ainda tagarelava.

— Ela é perigosa, Rose Gold. Já fez mal a você uma vez. Não me surpreenderia se tentasse de novo.

A ideia de minha mãe me prejudicando agora, aos vinte e um anos, me divertia.

— Não sou mais criança, sra. Stone — provoquei, gentilmente. — Acho que posso lidar com um ou dois joguinhos mentais.

— Não estou falando só de joguinhos mentais — insistiu a sra. Stone. — Ela fez lavagem cerebral em nós, principalmente em você. O que a impede de fazer de novo? E se ela envenenar a sua comida quando você não estiver prestando atenção?

A ideia era absurda. Ou não era?

— Você acredita que ela faria isso? — perguntei.

Ela não hesitou.

— Eu ficaria mais surpresa se não fizesse. Se ela voltar a Deadwick quando for solta, todos vamos vigiá-la como falcões.

Esse tempo todo, eu estivera pensando pequeno demais. Fazer pegadinhas juvenis pela casa podia assustar minha mãe, mas não lhe daria uma lição. Comprar a antiga casa era a primeira de várias medidas.

A sra. Stone interrompeu minha linha de raciocínio.

— Querida, prometa que não vai deixar que ela volte para a sua vida.

— Não posso prometer isso. — Ajeitei minhas feições no que eu torcia para que fosse uma expressão sincera. — Quero recomeçar com ela.

A sra. Stone abriu a boca para argumentar, mas me levantei e passei o braço por seus ombros.

— Vamos combinar o seguinte: se ela recomeçar a fazer seus joguinhos ou encostar um dedo que seja em mim, você vai ser a primeira pessoa para quem eu vou telefonar. — Olhei bem em seus olhos, assim ela saberia que eu falava a verdade, porque falava mesmo. — Prometo.

A sra. Stone suspirou, insatisfeita com esse acordo.

— Não sei o que você espera ganhar com isso. Ela não é uma boa pessoa, querida.

Sorri.

— Ela é minha mãe, Mary — falei com doçura, notando a surpresa em seu rosto quando a tratei pelo nome de batismo. — O vínculo entre mãe e filha é sagrado. Você sabe disso melhor que ninguém: por mais horríveis que elas sejam, ainda encontramos o amor por elas em nosso coração.

A sra. Stone — Mary — ficou confusa, como se tentasse entender se eu acabara de insultar seu orgulho e alegria.

— Por falar em filhas — disse ela —, a Alex me falou que vocês duas não são mais amigas.

Alex e eu não nos falávamos fazia quase dois anos e só agora ela contara isso à mãe. Inacreditável.

Assenti com tristeza.

— Quando foi que isso aconteceu? Eu não sabia.

É claro que não sabia. Porque sua filha é uma vaca duas-caras que não te conta nada.

Virei o queixo para o chão.

— Detesto dizer algo de ruim sobre ela, mas a Alex não foi muito legal comigo. Eu a peguei falando de mim pelas costas com os amigos da faculdade.

A sra. Stone ficou mortificada.

— A Alex me disse que a culpa foi sua. Mas, se isso que você me diz é a verdade, então peço desculpas. Não criei a minha filha para se comportar desse jeito.

Não, você a criou para passar por cima de você e de qualquer um que ela conheça.

Peguei seu casaco e entreguei a ela.

— Peço desculpas por ter de interromper sua visita, Mary, mas vou me encontrar com um amigo do trabalho para tomar uns drinques — falei, conduzindo-a para minha porta. — Muito obrigada por vir aqui. Significou muito para mim.

Eu a levei pela soleira. Ela tentou continuar a conversa.

— É amizade nova? Como se chama?

— Arnie — falei, o primeiro nome que me veio à cabeça, quase rindo da ideia de ele e eu ficarmos juntos fora do trabalho.

— Esse Arnie é algum amigo especial? — disse ela, sorrindo.

Pelo amor de Deus.

— Só um amigo comum. — Sorri também e acenei. — Agora, tchau.

A sra. Stone se virou e andou pelo corredor.

— Tchau, meu bem.

Fechei a porta e fui para o outro lado do apartamento, esperando que seu corpo rotundo aparecesse no estacionamento. Um minuto depois, lá estava ela, parada na calçada, olhando para o escuro. Com medo dos crimes inexistentes em Deadwick, sem dúvida. Saí da janela para terminar de arrumar a casa.

Cinco minutos depois, fui à janela de novo. Mary Stone ainda estava no estacionamento, sentada em seu carro. Ligou o motor e acendeu os faróis, então não tentava ser furtiva. Mas o que esperava? Estava me investigando?

— Merda. — Gemi. Ia ter de entrar em minha van e ir a algum lugar para ela não saber que menti. Depois que a gente é apanhada em uma mentira, perde a confiança de todo mundo.

Vesti o casaco e peguei a bolsa. Correndo para a van como se tivesse pressa, fingi não ver o carro da sra. Stone a duas filas do meu. O estacionamento estava cheio. A maioria de meus vizinhos costumava se jogar na frente da TV às nove horas de uma noite de quarta-feira, inclusive eu mesma.

Dirigi por cinco minutos até o bar da cidade, olhando pelo retrovisor. Não achava que a sra. Stone me seguisse, mas, só por precaução, entrei.

O bar estava silencioso, a não ser por dois velhos sentados em um canto com um monte de garrafas vazias na mesa. Um deles me viu entrar. Sentei-me ao balcão, no lado oposto ao deles.

O bartender se aproximou — um cara desgrenhado, mais ou menos da minha idade — e perguntou o que podia me trazer. Pedi uma vodca com cranberry. Ele colocou a bebida diante de mim. Fiquei vigiando a porta de entrada do bar por cinco minutos. A sra. Stone não apareceu. Soltei um suspiro de alívio.

Tomei um gole da bebida e pensei bem em minhas novas opções.

Eu me dedicaria por algum tempo a fazer todos acreditarem que estava de volta a suas garras. Teria de fazer bem esse papel, embora tivesse dezesseis anos de experiência como vítima de Patty Watts, então não seria difícil. Eu teria de ser convincente. Teria de existir nada menos que um total compromisso, se eu quisesse mandar minha mãe de volta ao lugar de onde havia saído.

Os cantos de minha boca se viraram para cima.

— O que uma gata como você faz sozinha em um bar?

O bartender se reaproximara, de mãos nos quadris, os olhos brilhando. Nunca na vida tinha sido chamada de gata.

— O que parece ser? — perguntei, erguendo meu copo vazio.

— Mais uma? — Ele ergueu uma sobrancelha.

— É o seu trabalho, né? — Coloquei um cotovelo no balcão e apoiei o queixo nos nós dos dedos.

O bartender sorriu. Pegou uma garrafa de vodca barata.

— Eu gosto das atrevidas.

Não falei nada. Observei o bartender acrescentar suco de cranberry à vodca em meu copo.

Ele abriu o balde de gelo.

— Acabou o gelo. Volto logo. — Ele foi para a sala dos fundos, levando minha bebida.

— Ei — chamei. Ele se virou. Gesticulei para ele voltar. — Está tudo bem. Não gosto de gelo na bebida.

Um lampejo de decepção cruzou seu rosto, mas ele a trouxe de volta e colocou na minha frente. Pegou um canudinho novo no vidro e deslizou o copo no balcão.

Pus a boca no canudinho e chupei. O líquido frio desceu pela minha garganta. Nós nos olhamos nos olhos.

Ele estremeceu.

— Eu queria ser esse canudinho agora.

Levantei a cabeça e me recostei na cadeira.

— Quer? — Virei a cabeça de lado. Sorri, colocando cada dente podre de minha boca em plena vista.

O bartender se retraiu, depois resmungou alguma coisa sobre precisar reabastecer o gelo. Vi que ele foi correndo para a sala dos fundos.

Depois que ele se foi, saí de minha banqueta. Virei a bebida no balcão. O líquido vermelho escorria.

— Isto é por tentar colocar alguma coisa na minha bebida — falei em voz baixa.

Andei por todo o balcão e voltei, deixando cair a bebida do copo o tempo todo. Como alguém que só fazia parte da sociedade recentemente, eu agora podia confirmar que ela não era tão legal como diziam. As pessoas eram cansativas.

Voltei a minha banqueta, me inclinei sobre o balcão para o balde de gelo pela metade e peguei um cubo, esmagando o gelo entre os dentes. Depois passei os olhos pela fila de bebidas encostadas na parede em busca da garrafa de aparência mais cara e atirei meu copo com a maior força que pude. O copo se espatifou e a garrafa caiu de lado, derrubando outras na prateleira. Tomei um susto com o barulho, sentindo-me mais psicótica que durona.

Olhando para o bar para saber se alguém ia me prender, notei pela primeira vez um cara gato de cabelo louro sentado no canto. Ele me observava com um sorriso torto e piscou para mim.

Sorri também.

— Epa — fiz com a boca.

O bartender voltaria a qualquer segundo. — Eu precisava dar o fora dali. Peguei a bolsa e saí pela porta, me obrigando a não me virar para ver se o gato vinha atrás.

Tinha trabalho a fazer.

25
PATTY

Irrompo pelas portas do hospital com o bebê nos braços. A meia dúzia de pessoas na sala de espera se vira quando entro — é difícil ignorar o choro de Adam. Passo os olhos pelo salão. Algumas atualizações foram feitas desde que Rose Gold era criança, mas a maior parte do saguão está inalterada. Corro à mesa da recepção.

— Meu bebê precisa de um médico — grito, quando o jovem não se vira do game que tenho certeza de que jogava no computador. Ele me parece alguém que mora no porão da mãe há muito tempo.

Seus olhos vão rapidamente da tela para o bebê aos berros em meus braços. A solidariedade cruza seu rosto. Depois ele olha para mim e o ceticismo substitui a solidariedade.

— Ele é seu filho? — pergunta.

Ironizo.

— Só se for o Benjamin Button. É meu neto. Está vomitando há mais de seis horas. Não descobri qual é o problema, apesar de todo o meu preparo. Olha, sou enfermeira credenciada...

O recepcionista me interrompe.

— Ele é paciente registrado aqui?
— Sim, ele nasceu neste hospital — digo.
— Qual é o nome dele?
— Adam Watts.

O recepcionista digita o nome de Adam no banco de dados e espera.

— Ele nunca vomitou desse jeito. Tenho medo que tenha engolido alguma coisa quando eu não estava olhando. Ou talvez ele tenha estenose pilórica tardia. Li...

O recepcionista me interrompe de novo.

— Não tem nenhum Adam Watts no sistema.

Eu me curvo sobre o balcão, tentando ver sua tela.

— Talvez você tenha digitado errado. Watts é W-A-T-T-S.

O recepcionista se eriça, mas não ligo.

— E Adam é A-D-A-M.

— Eu sei como se soletra Adam — ele funga —, e foi como eu digitei os dois nomes antes. — Mesmo assim, ele os digita novamente e dá uma pancada na tecla "enter".

Depois de alguns segundos, ele (presunçoso) fala:

— Não tem ninguém com esse nome. Você vai ter que preencher um formulário para novos pacientes. — Ele estremece quando Adam solta um guincho paralisante.

Eu me obrigo a respirar fundo.

— E a mãe dele, Rose Gold Watts? — pergunto. — Ela deve estar no seu sistema.

O recepcionista me passa uma prancheta com um formulário em branco.

— Isso não adianta para a senhora aqui. Todo paciente precisa ter o próprio prontuário. — Ele gesticula para que eu escolha uma cadeira e fica aliviado quando afasto dele o bebê barulhento.

As pessoas na sala de espera não parecem animadas quando me aproximo com Adam. Abro a cada uma delas um meio sorriso de desculpa; uma idosa sorri para mim. Decido me sentar ao lado dela.

Começo a preencher o formulário. Eu podia jurar que Rose Gold me disse que pretendia fazer o parto de Adam aqui. Lembro-me de ter dito como era especial que ela tivesse Adam no mesmo hospital em que ela nasceu. Ela não pareceu se comover com isso, mas atribuí ao nervosismo da gravidez. Ela deve ter precisado trocar de hospital de última hora, talvez para Westview, a trinta quilômetros daqui.

Quando o formulário está preenchido, eu o levo de volta ao recepcionista rabugento. Penso em uns bons foras para dar nele, mas se tem uma coisa que aprendi sobre a comunidade médica é que você quer que fiquem do seu lado, ou nunca chegará a lugar algum. Entrego a prancheta a ele e sorrio.

— Alguém vem falar com vocês logo — diz ele.

Quero perguntar quando, mas sei que isso vai irritá-lo, então não pergunto. Em vez disso, volto a atenção a Adam. Seu rosto está vermelho de tanto chorar. Retornamos a nosso lugar. Pego uma mamadeira na bolsa de fraldas. Quando a coloco em sua boca, ele começa a mamar e para de chorar.

— Ah, graças a Deus — resmunga um homem de meia-idade, vestido com um conjunto de moletom. Olho feio para ele. As pessoas podem ser muito cruéis com as crianças.

Depois de trinta minutos intermináveis, uma enfermeira chama o nome de Adam. Eu me levanto em um salto e penduro no ombro a bolsa de fraldas, além de minha bolsa. Adam recomeçou a chorar e estou ansiosa para me afastar dos outros na sala de espera — a paciência deles está cada vez mais rala. Os olhos do Monstro de Moletom correm o risco de rolar para fora da cabeça. Por acidente, piso nos dedos de seus pés quando passo.

Acompanho a enfermeira por uma porta e um corredor branco e estéril. As salas de atendimento se enfileiram à esquerda e à direita. Lembro-me de um jogo infantil de bingo que eu fazia para Rose Gold — ela precisava preencher um quadradinho sempre que íamos a uma sala nova. Ela terminou o tabuleiro aos sete anos.

Entramos à direita no final do corredor, que nos leva a outro corredor comprido. A enfermeira anda muito mais rápido do que eu, embora, em minha defesa, eu *esteja* carregando uma bola de quase oito quilos, além de todos os acessórios. Olho para ver como está Adam e esbarro em alguém.

— Patty?

Reconheço a voz antes de levantar a cabeça: Tom. Isso não vai acabar bem.

Recuando um passo, viro a cabeça para meu antigo amigo, que está de jaleco.

— Oi, Tom.

— O que você está fazendo aqui? — pergunta ele, com uma preocupação autêntica. Ele procura ferimentos em mim, depois vê Adam. Seus olhos se estreitam.

— Preciso ir, Tom. Conversamos depois? — Tento passar por ele e correr atrás da enfermeira. A essa altura, ela sumiu em outro corredor.

Tom se move comigo, bloqueando meu caminho.

— Por que você está aqui? — pergunta ele de novo.

— O meu neto está doente — digo com impaciência.

Tom se curva para Adam, seu treinamento médico entra em ação.

— O quanto?

Sei que isso vai parecer suspeito. Vou parecer má, mas não vejo um jeito de contornar. Olho nos olhos de Tom.

— Ele não para de vomitar.

Os olhos de Tom se enchem de medo, depois de raiva. Ele dá um passo na minha direção, deixando espaço suficiente para dar a volta por ele. Tom me segura pelo pulso, mas eu me livro dele.

— Eu não fiz nada — sibilo. Apresso o passo e corro atrás da enfermeira. Pouco antes de virar no canto, olho para Tom, por cima do ombro. Está parado lá, me observando ir.

Quase me choco com a enfermeira.

— Eu me perguntava aonde a senhora teria ido — diz ela, me levando à sala 16. Rose Gold costumava chamá-la de sala da sorte porque 16 era seu número preferido.

A enfermeira se apresenta como Janet e fecha a porta depois que entramos. Ela me faz perguntas de rotina sobre os sintomas de Adam enquanto examina seus olhos, os ouvidos e a boca. Pega um estetoscópio para auscultar o coração e os pulmões. Examina a pele e os genitais, procurando assaduras. Quando pressiona a barriga de Adam, ele recomeça a chorar.

— Me desculpe, amiguinho — diz Janet. Ela parece sincera. Brinca com o pé de Adam e tenta acalmá-lo. Eu me sento, exausta, feliz por encontrar outra pessoa que sabe cuidar de crianças.

— Adam mama no peito? — pergunta Janet.

Faço que sim com a cabeça.

— E a senhora é avó do Adam, correto? — Janet ainda tenta acalmar Adam.

Assinto novamente.

— Como se chamam os pais dele? — Ela o devolve a mim.

— Rose Gold Watts e Phil... não sei o sobrenome do pai.

Janet para de digitar.

— Minha filha não tem mais contato com ele — digo.

O choro de Adam fica mais alto, então Janet precisa gritar para ser ouvida.

— E onde está Rose Gold?

Para meu alívio, Adam vomita em mim. Salva pelo cheiro.

— Está vendo? É disso que estou falando — digo, vingada. — Ele está assim desde as nove da manhã.

Janet se levanta rapidamente da cadeira e pega um punhado de toalhas de papel. Me ajuda a limpar o bebê e a mim.

Quando todas as toalhas de papel encharcadas foram para o lixo, Janet vai para a porta.

— A dra. Soukup vai chegar logo. — Fico radiante. Adoro conhecer médicos novos.

Embalando o bebê choroso, digo:

— Vamos tomar um remedinho, meu amor. Vai deixar sua barriguinha bem melhor. — Adam ainda chora, mas seu rosto está seco. Ele está desidratado. Eu o abraço mais forte.

Algum tempo depois, a dra. Soukup bate na porta e entra. É uma mulher equilibrada, com fios grisalhos e um jeito mais caloroso-porém-pragmático à beira do leito, minha raça preferida de médicos. Talvez fiquemos amigas. Posso encontrá-la no hospital em seu intervalo para o almoço e ela pode me mostrar as mais recentes inovações farmacêuticas. Depois me lembro que Adam e eu não ficaremos muito tempo em Deadwick. Que pena. Terei de encontrar uma dra. Soukup em nossa nova cidade.

Lendo a tela do computador, a dra. Soukup resume os sintomas que expliquei a Janet. Faço que sim com a cabeça, ansiosa para ouvir sobre o tratamento.

A dra. Soukup me olha com seus óculos de tartaruga estilosos.

— E onde está a mãe do Adam?

Não posso dizer exatamente. *Bom, não a vejo nem tenho notícias dela há vinte e quatro horas, então não sei.* Onde quer que minha filha esteja, ela merece o que tem.

— Em uma conferência do trabalho — digo. — Estou cuidando do Adam esta semana.

A dra. Soukup meneia a cabeça.

— Uma conferência uma semana antes do Natal? As empresas de hoje em dia não têm coração.

Concordo com a cabeça.

— Ela tem um horário puxado. Foi por isso que eu me tornei a principal cuidadora dele. Tento fazer o melhor que posso. Quer dizer, sou auxiliar de enfermagem credenciada, então prefiro pensar que sei o que estou fazendo. Mas, em dias como o de hoje, me sinto tão inadequada.

A dra. Soukup me acaricia o ombro.

— Não se preocupe, Patty. Você está fazendo um ótimo trabalho.

O velho e familiar calor humano começa em meu peito e se espalha pelo corpo, como um cobertor elétrico. A aprovação dela, seu encorajamento — procuro me lembrar de suas palavras *ipsis verbis*, assim posso guardar e usar nos meses que tenho pela frente.

— Eu gostaria de começar com pequenas doses de uma solução eletrolítica oral para reidratar o Adam — diz a dra. Soukup. — Está vendo que ele não tem lágrimas quando chora? É sinal de desidratação.

— Mas, doutora — digo —, com base no quanto ele vomitou e no tempo em que está vomitando, isso pode ser mais grave do que uma infecção gástrica, não acha? E toda a diarreia?

— Foram só oito horas — diz a dra. Soukup. — Em geral, só começamos a nos preocupar quando o problema passa de doze horas. Tem Pedialyte em casa? Deve esperar para dar a ele de trinta a sessenta minutos depois que ele vomitar.

Tive o trabalho de vir aqui para uma porcaria de Pedialyte? Acho que não.

— Acho que pode ser estenose pilórica — digo, aflita.

A dra. Soukup fica surpresa.

— Ele está vomitando depois de mamar?

— Sim — digo. — Vomita o tempo todo. — O que inclui depois de mamar.

A dra. Soukup pressiona a barriga de Adam.

— Em geral, na estenose pilórica, nós sentimos um volume em formato de azeitona no abdome... o músculo pilórico aumentado. Não estou sentindo isso aqui.

A dra. Soukup está a ponto de sair, mas preciso que ela fique. Ainda não quero que esta visita acabe. Quero uma receita, um tratamento de verdade — e não um fluido sabor morango comprado em farmácia que os irresponsáveis bebem quando estão de ressaca. Mas meu cérebro não tem a rapidez suficiente; meu conhecimento enciclopédico de problemas médicos está empoeirado, sem prática. Não consigo pensar em outra doença.

— Vou pegar um vidro de Pedialyte. Vamos dar uma primeira dose para o Adam aqui, está bem? Volto logo. — A dra. Soukup sai da sala antes que eu consiga protestar. Um tratamento gentil, mas eficiente dos pacientes; ela é uma profissional, beleza.

Enquanto ela está fora, penso em minhas opções. Eu podia dizer que ele engoliu um pedaço de um brinquedo pequeno. Ela perguntaria por que não falei nisso desde o começo, mas posso fingir vergonha, dizer que não queria que ela pensasse que eu sou uma avó ruim. Se o pedaço de brinquedo for bem grande, talvez ela tenha medo de deixar que ele o expulse por conta própria. Pode sugerir uma cirurgia.

E então tenho um *déjà vu*: correndo com Rose Gold para o hospital, nossa espera interminável pelo médico, pelo tratamento, para ela melhorar. Até o jeito como Adam vomita me lembra Rose Gold.

Com minha filha desaparecida, uma estada ampliada no hospital não é uma boa ideia. Complicar a situação é o contrário do que precisamos. Quero que Adam pare de vomitar, assim posso me concentrar nos próximos passos. Talvez eu deva dar Pedialyte a ele e torcer pelo melhor.

Olho para o relógio. Por que demora tanto? A médica esqueceu onde guardam os remédios no hospital? Abro a porta e meto a cabeça no corredor. Viro para os dois lados: nada. Saio alguns passo e olho pelo canto.

No final do corredor estão a dra. Soukup e Tom. Ele gesticula como um louco. Estão longe demais para eu que ouça o que ele diz, mas não pode ser bom. Por que esse caipira tem de se meter na minha vida sempre que pode? *Ninguém te pediu para bancar o herói, Tom Behan.*

Ele vira a cabeça e me vê. Antes que eu possa me esconder no canto, a dra. Soukup se vira e me vê também. Os dois me encaram. Volto à sala 16. O medo substituiu o calor humano trazido pelo elogio da dra. Soukup. Mas não posso ir embora agora.

Um ou dois minutos depois, a dra. Soukup volta com um vidro de Pedialyte na mão. Procuro evidências de que ela se voltou contra mim: uma ausência de olho no olho, braços cruzados, um tom seco quando fala. Mas ela tem as mesmas maneiras corteses de antes.

— Sabe de uma coisa, Patty? Acho que você tem razão — diz ela, abrindo a tampa do frasco e servindo uma quantidade mínima de líquido em uma colher. — Em vista da intensidade do vômito do Adam, acho que devemos ficar com ele por mais tempo. Por segurança. — Ela dá a Adam a solução para reidratação.

Um estremecimento involuntário de expectativa corre por mim diante da ideia de uma estada prolongada no hospital. Algumas pessoas gostam de acampar, ou de ir à praia. Eu? Sempre gostei de uma boa e longa visita ao hospital. Mas não hoje. Não agora. Estou apavorada demais até para pensar em curtir.

— Quanto tempo? — pergunto. Tom está tentando me prender aqui.

— Pelo menos algumas horas. Talvez passar a noite — A dra. Soukup observa Adam. — Queremos fazer alguns exames. Para excluir algo mais grave.

Ela me olha através daqueles óculos elegantes.

— Não seria um problema, seria?

— Claro que não — digo, engolindo em seco.

Não consigo decidir se o latejar em meu peito é de euforia ou pânico.

26

ROSE GOLD

Março de 2017

Acenei para Robert, o segurança, enquanto saía da Gadget World e ia para o estacionamento. Era um dia quente para o início de março. Logo seria a primavera, minha estação preferida. Na primavera, todos valorizam as coisas que são lugar-comum no verão. É uma época de recomeços, de novos planos. Tinha feito muita coisa desde a visita de Mary Stone, três meses antes.

Entrei na van e dei a ré para sair de minha vaga, me obrigando a ignorar os quatro carros brancos em fila à minha frente. Eu desperdiçava tempo demais com presságios e superstições. A hora era de seriedade: a mamãezinha querida sairia dali em oito meses. Eu estaria preparada para ela.

Quando ela e eu voltássemos a morar sob o mesmo teto, eu estaria esquelética. Estaria frio demais para andar por aí de camiseta em novembro, então decidi me dedicar ao jogging, assim teria uma desculpa para correr pelo bairro com pouca roupa. Com alguma sorte, podia até desmaiar em uma de minhas corridas e causar sensação. Já imaginava Tom Behan ou Mary Stone me ajudando a voltar para casa, tocando a campainha e fulminando mamãe quando ela abrisse a porta. Eles a imaginariam junto do fogão, esfregando as mãos e dando risadinhas de alegria enquanto virava gota por gota do líquido doce e enjoativo em meu prato de guisado.

A indignação deles seria só o começo.

Só precisaria restringir as calorias seriamente dali a vários meses. Eu já era magra, então não levaria tanto tempo para perder o peso extra. Mas queria me certificar de que estaria à altura da tarefa quando chegasse o momento. Tinha passado a amar a comida como se fosse gente. De certo modo, a comida era melhor — confiável, nutria e nunca te respondia.

Eu *não* ansiava por abrir mão de hambúrgueres e panquecas de mirtilo e macarrão com queijo. Nem estava animada para agir como se não soubesse fazer nada na cozinha. Àquela altura, sabia preparar uma bela fritada. Ainda assim, era preciso fazer sacrifícios pelo bem maior.

Para me preparar, instituí uma espécie de programa de treinamento. Tinha passado duas horas fazendo um lindo frango assado, depois despejei acetona em cima dele, assim não poderia comer. Em uma noite, pus um saco de Skittles na bandeja à minha frente e testei quanto tempo ficaria sem abri-lo. (Meu recorde foi de 42 minutos.) No mês anterior, tinha assado um lindo bolo formigueiro, dado uma dentada, depois me obrigado a jogar fora. Depois disso, vi que estava pronta.

Essas medidas drásticas eram mesmo necessárias? Estritamente falando, não, mas não subestime a importância do tédio.

Quando cheguei ao estacionamento de meu apartamento de quarto e sala, lembrei de que não morava mais ali. Xinguei. Um velho me olhou feio. Olhei feio para ele também.

Dez minutos depois, parei na placa do cruzamento da Evergreen com a Apple. À direita, uma esteira ergométrica velha e amassada estava no final da entrada de carros do sr. Opal. Se ele estava jogando fora, eu podia muito bem perguntar se deixaria eu ficar com ela. No dia seguinte, depois do trabalho, ia dar uma passada ali para descobrir.

Virei a van à esquerda na Apple e dirigi até a rua sem saída: Apple Street, 201, lar, doce lar. Esperei que a porta da garagem se abrisse, entrei com a van e estacionei.

Duas semanas antes, eu tinha me mudado para a casa da infância de minha mãe. Mabel Peabody torcia para só se mudar no fim do ano, mas o câncer de Gerald tinha piorado mais rapidamente do que qualquer um deles esperava. Ele tinha batido as botas fazia dois meses. Fui ao enterro — para lamentar, mas também lembrar a Mabel de que eu estava pronta para me mudar. Ela estava tão tomada de tristeza que ficou louca para ir embora. "Lembranças demais de momentos felizes ali", respondeu ela.

— Que merda de vida você teve. — Eu não disse isso.

Destranquei a porta de minha casa. A *minha* casa — eu ainda ficava tonta ao dizer isso. Era velha e arrepiante, e em algumas partes caindo aos pedaços, mas por enquanto ia servir. Eu não tinha móveis suficientes para preencher os dois quartos de hóspedes, mas um deles seria ocupado por um corpo quente muito em breve.

Tirei os sapatos aos chutes e dei uma olhada na correspondência. Contas, propaganda de restaurantes delivery e um envelope grosso. Abri — tinha levado meses para encontrar isso na internet. Quando era criança, era possível comprar em farmácias e nos mercadinhos, mas agora só precisávamos nos arrastar a cantos sombrios da internet para conseguir. Colocando a mão dentro do envelope, senti o vidro frio e redondo e o peguei: um vidrinho marrom de tampa branca. Impresso no rótulo em letras azuis, *Xarope de Ipeca*.

— É isso aí, Planty — falei com a samambaia no canto.

Olhei fixamente para o vidro — não era maior que minha mão, entretanto tinha provocado tantos danos a meu corpo. Quando criança, eu só o vira uma vez, na gaveta de meias de mamãe. Ela devia mudar de esconderijo, mantendo os vidros longe de "narizes abelhudos", como se referia a mim. Fechei os dedos nele, sentindo-me ao mesmo tempo poderosa e enjoada.

Eu não me deleitava com a perspectiva de me envenenar, mas era o único jeito concreto de provar que minha mãe tinha voltado a seus velhos truques. Não sabia se um júri acreditaria que uma adulta sofreria de inanição contra a sua vontade, mas certamente seria envenenada sem saber. Só uma idiota cairia no mesmo truque duas vezes, mas eu teria de ser essa idiota, foi o que pensei.

A vantagem disso é que eu não seria a única a adoecer. Era minha vez de brincar de Deus.

Meti o vidrinho marrom em uma meia na gaveta da cômoda. Ao voltar à sala de estar, parei na soleira do futuro quarto de minha mãe. Pretendia fazer uma surpresa para ela ali antes de sua chegada. Não queria mamãe olhando para quatro paredes velhas e tediosas — ela merecia uma ascensão.

Às vezes eu me convencia de que sentia a presença sombria de meu avô nessa casa. Como, eu me perguntava, minha mãe se escondia da ira dele? Será que procurava primeiro os lugares óbvios, o armário de seu quarto, embaixo da cama, atrás da cortina do box? E, quando ficou mais velha, ela ficou mais habilidosa? Escondida no carro, dentro da garagem, em cima de uma árvore, no freezer gigantesco do porão?

— O que você acha? — perguntei a Planty, enquanto andava pela sala.

— Acho que os Watts não passaram muito tempo no porão depois da morte do querido e velho tio David.

Na cozinha, olhei para o calendário na geladeira, xingando quando encontrei "TREINAMENTO DE RESTRIÇÃO" escrito na data de hoje. Era minha esperança pedir uma pizza para esta noite. Mas um plano era um plano e eu não me testava havia várias semanas. Preparei meu jantar — cinco bolachas, duas colheres de feijão cozido Bush's direto da lata e um nugget de frango perfeitamente cozido no micro-ondas — e levei para uma bandeja na sala de estar, assim podia comer em minha poltrona reclinável. Não via mais sentido em comer à mesa da cozinha, não quando tinha de ver a cadeira vazia diante de mim.

Liguei a televisão e deixei que *O poderoso chefão* passasse ao fundo. Já vira esse filme algumas vezes — a voz de Don Corleone me acalmava.

Afastei de mim a lata de feijão para não ficar tentada a comer mais. Peguei o telefone e rolei por alguns apps de redes sociais. Descobri que a sra. Stone tinha criado uma conta no Facebook e revirei os olhos.

— Outro jeito de ela se meter na vida dos outros — falei com Planty. Fiz um muxoxo e continuei rolando. A vida de todos era tão chata, tão pequenininha. Só o que faziam era mudar de emprego, de namorado e de casa.

Parei de rolar quando um nome chamou minha atenção.

— Ora, ora, olha só quem é — cantarolei para Planty.

Sophie Gillespie, do insuportável clã dos Gillespie. Eu não falava com nenhum daqueles imbecis havia um ano e meio. Eles não tentaram contato comigo, então por que ia me dar ao trabalho de tentar falar com eles? Recusava-me a remoer a falta que sentia de Anna. Eles perdiam muito mais do que eu.

Examinei o post de Sophie: uma foto de família que Kim tinha postado antes. Sophie compartilhava.

Os cinco estavam em um gramado com roupas idênticas: calça branca e camisa azul. Eles riam, resplandecentes, na maior felicidade. Olhavam para a matriarca megera no meio do grupo. Kim segurava um balão azul.

Impresso no balão, uma cegonha desenhada trazendo um bebê. Embaixo da cegonha, um texto berrante: "É UM MENINO!"

— Não — falei.

Meus olhos foram para a legenda da foto de Kim: "Billy e eu estamos muito ansiosos para dar as boas-vindas ao mais novo membro da família Gillespie em setembro."

— Não — repeti, vendo o sorriso bobo na cara de papai.

Continuei lendo.

"Há anos e anos queríamos um quarto filho. Nossas orações foram atendidas."

— VOCÊ. TEM. UM. QUARTO. FILHO! — gritei. Joguei o telefone pela sala. Ele bateu na parede e se quebrou no chão. Não me importei. Um soluço violento surgiu em meu peito, agitando a tristeza havia muito latente, por tudo o que eu tinha perdido. Mas não deixaria que essas pessoas me fizessem chorar de novo. Eu me recusava a ficar sentada aqui, aos prantos, até sentir dor na barriga. Era muito mais fácil ter raiva.

Joguei as pernas embaixo da bandeja. Voaram feijões e bolachas. Esmurrei o encosto da poltrona até que estalou um nó dos dedos. Gritei tão alto e por tanto tempo que meus ouvidos tiniram por vários segundos depois de eu ter parado. Mordi com a maior força que pude meu punho, até que a dor dos dentes se enterrando na carne me fez gritar de novo. Quando retirei a mão, estava sangrando.

Andei de um lado a outro da sala, puxando o cabelo, agitada. Aqueles babacas passeavam pelo país agindo como se fossem lindos e maravilhosos, mas ninguém sabia como jogavam de lado as pessoas a quem não davam a mínima. Ninguém sabia como eles eram medonhos.

Parei por um minuto e examinei minhas mãos trêmulas. Eu segurava vários fios de cabelo — quando foi que os arranquei?

Eles tinham — têm — uma quarta filha. Eles me rejeitaram.

Nenhum deles merecia esse bebê, em particular meu pai e Kim. Eles não podiam continuar a fazer o que bem quisessem, tendo o melhor de tudo na vida, enquanto nós sofríamos. Alguém precisava puni-los, mostrar a eles a dor que infligiam aos outros. Mostrar como era ter sua família tirada de você contra a sua vontade.

Fiquei sentada, fervilhando, bem depois de o sol se pôr e as luzes de todos os meus vizinhos terem se apagado. Não conseguia ver nada além do sorriso bobo de meu pai naquela foto. Jurei que só sairia de minha cadeira quando pensasse num jeito de tirar aquele sorriso da cara dele.

Lá pelas duas da madrugada, enquanto estava sentada no carpete catando grãos de feijão secos e bolachas esfareladas, percebi que, mais uma vez, eu estivera pensando pequeno. Não era uma estrategista nata, mas, se me dessem tempo suficiente, me vinha uma ideia. E agora tinha uma das boas.

— Uma ideia muito boa mesmo — falei, me virando para Planty. Notei que Planty havia sido jogada na parede, seu vaso quebrado em dezenas de cacos, a terra espalhada pelo carpete. Dei de ombros. Eu a limparia depois. Às vezes, sem querer, a gente magoa os que ama.

Sorrindo, peguei alguns feijões no chão e os segurei entre o polegar e o indicador antes de colocá-los na boca. Desta vez infringi minhas próprias regras e comi um pouco mais. Afinal, estávamos comemorando.

Eu estava tão feliz e orgulhosa de mim que podia cantar. Uma clássica música infantil passou pela minha cabeça — uma escolha perfeita, muito maternal de minha parte. Cantei e peguei mais feijões.

E lá vai o neném, com berço e tudo.

27
PATTY

Uma das lâmpadas fluorescentes do teto pisca, interrompendo o silêncio com um zumbido irritante. Paro de andar para encarar o teto. Devia pedir a alguém da enfermagem que mande uma pessoa aqui para consertar.

Vejo Adam, que dorme no leito. Com um verdadeiro anseio, penso na cama de solteiro que espera por mim na Apple Street. Se eu quisesse, podia dormir na cama de casal, agora que Rose Gold desapareceu.

Adam e eu estamos neste hospital há horas sem que alguém venha nos ver. Essas quatro paredes viraram uma cela de prisão. Em geral gosto do cheiro de hospitais: existe algo de reconfortante em seus odores estéreis e limpos — um lembrete constante de que a ajuda está bem ali. Agora o cheiro me dá ânsia de vômito, me sufoca.

Talvez eu deva tirar Adam furtivamente daqui e cuidar dele eu mesma.

Começo a reunir o conteúdo de sua bolsa de fraldas quando alguém bate na porta. Largo a bolsa e recuo, como se fosse um crime cuidar de um bebê.

Eu me viro para a porta, esperando a dra. Soukup ou Janet, a enfermeira. Posso lidar com qualquer um, menos Tom.

O que eu não esperava são dois policiais uniformizados. Posso lidar com qualquer um, menos Tom e a polícia.

A primeira policial é alta e magra, parece um ponto de exclamação. O brilho em seus olhos sugere que ela seja favorável a castigos físicos. Ela entra no quarto, com o outro policial atrás.

— Sou a sargento Tomalewicz, da Polícia de Deadwick. Você é Patricia Watts?

— Patty — digo. Meu pai me chamava de Patricia. — É sobre Adam? Ele está doente de verdade.

— Vamos chegar ao bebê em um minuto — diz Tomalewicz. Ela aponta para seu lacaio. Ele nem parece ter idade para dirigir. — Este é o policial Potts.

O policial Potts acena para mim, como se nos encontrássemos em uma festa na praia. Tomalewicz franze a testa e se vira para mim.

— Onde está Rose Gold, Patricia? — Ela me penetra com seus olhos escuros. Me lembra um abutre.

— Patty — corrigi de novo. — E eu não sei. — Minhas mãos tremem, então cruzo os braços.

— Quando foi a última vez que você a viu?

— Eu a deixei no trabalho ontem de manhã. Ela disse que ia correr para casa no final do expediente. Às vezes fazia isso. Mas ela não apareceu. — De algum modo minhas mãos tinham escapado da prisão e se torciam na cintura. Eu as meti nos bolsos de trás, depois tirei, com medo de que a postura fosse petulante demais. Precisava parecer inocente.

Tomalewicz continuou:

— Por que você não procurou a polícia, nem deu queixa do desaparecimento dela?

Agora tenha cuidado, Patty.

— Não tinham passado mais de vinte e quatro horas — falei. — Pensei que ela talvez estivesse espairecendo em algum lugar.

— É costume de Rose Gold "espairecer"? — Tomalewicz faz aspas no ar.

Não, penso.

— Sim — digo. — Às vezes. — Percebo que não pareço muito preocupada com o paradeiro de minha filha, então acrescento: — Ser mãe de primeira viagem é complicado. Eu queria dar algum espaço para Rose Gold.

— Sei — diz Tomalewicz. Não gosto do tom que ela usa. — Tenho um policial na Gadget World conversando com o gerente da loja. Ele disse que Rose Gold não foi trabalhar ontem nem hoje. Disse que a última vez que a viu foi às cinco da tarde de sábado. Já tem cinquenta e duas horas, se a matemática não for o seu forte.

Preciso beber água. Minha garganta dá a impressão de que engoli dois quilos de areia. Engulo em seco.

— Não sei o que vocês querem de mim. Não faço ideia de onde ela está.

Tomalewicz parece despreocupada. Vai a uma cadeira na frente do leito e se senta, as pernas compridas de gafanhoto dobradas em ângulos agudos. Eu me sento na cama, aliviada pelo apoio, de certo modo para esconder o tremor nas pernas.

— Segundo a dra. Soukup, você contou a ela que Rose Gold estava em uma conferência do trabalho. — Tomalewicz me observa, espera por minha resposta, mas não consigo pensar em nenhuma, então fico em silêncio. — Vou tomar o seu silêncio como um sim. Por que não disse a ela o que acabou de me dizer, que não sabe onde está Rose Gold?

Dou um pigarro.

— Eu precisava lidar com um problema de cada vez. O Adam estava... está... muito doente. Não podia cuidar dele e procurar minha filha.

— É para isso que serve a polícia. — Tomalewicz me interrompe, de olhos estreitos. — O policial Potts aqui vai dar uma olhada nas suas coisas.

Dou minha permissão com a cabeça, embora ela não tenha pedido. Para ilustrar o quanto sou cooperativa, que não tenho nada a esconder, entrego minha bolsa e a bolsa de fraldas.

Potts começa pela bolsa de fraldas. A bolsa pesa pelo menos cinco quilos e tem dezenas de pequenos compartimentos, bolsos fechados por zíper ou por botões de pressão. Potts começa retirando cada objeto de uma vez e os colocando em uma pilha na mesa lateral — fraldas, lenços umedecidos, chupeta, tapete portátil de troca, pomada para assadura, desinfetante para as mãos, pijama sobressalente, prendedor de chupeta, gorro, pano para arrotar. Dos bolsos laterais, retira duas mamadeiras, examina e as coloca no chão, separadas das outras coisas.

Ele procura mais fundo na bolsa, tirando lenços de papel e os laços de cabelo de Rose Gold, toda a porcaria que nos faz aguentar o dia. Meu coração bate forte no peito.

A esta altura, Potts está até os cotovelos na bolsa de fraldas, abrindo pequenos bolsos laterais que nunca usamos. Dali ele tira um pequeno retângulo — um iPhone. Eu nem sabia que estava ali.

Acho que vou vomitar.

— Isto é seu? — pergunta Potts. É a primeira vez que fala comigo. Sua voz é muito mais grave do que eu teria imaginado. Ele toca em um botão do celular, mas a tela continua escura — está sem bateria. Potts procura na mesma bolsa e pega um carregador. Procura uma tomada na parede e pluga o telefone. Satisfeito, olha para mim, esperando que o aparelho carregue.

Eu podia mentir. Podia dizer que é meu. Podia dizer que não sei de quem é. Mas aposto que tem um jeito fácil de saber a quem pertence o telefone, e não entendo muito de tecnologia para passar a perna na polícia em um caso desses. Potts parece que nasceu com um iPhone na mão.

— É de Rose Gold — digo em voz baixa. As sobrancelhas dos dois policiais disparam para cima, de surpresa. Os lábios de Tomalewicz começam a subir nos cantos.

— Estive ligando para ela e deixando mensagens frenéticas durante dias — protesto. — Dê uma olhada no registro de chamadas.

— Dias? Pensei que tinha dito que foram vinte e quatro horas — diz Tomalewicz.

— Horas, então — falo. — Talvez tenham parecido dias. Estou muito preocupada — digo, o que agora é verdade. — Estou muito preocupada com os dois.

A esta altura, o iPhone voltou a funcionar. Potts rola a tela, batendo o dedo, buscando. Não consigo ver a tela, então não sei o que ele procura.

— O caso, Patricia — diz Tomalewicz —, é que nós recebemos hoje o telefonema de um morador preocupado. Alguém que recebeu uma carta alarmante de Rose Gold.

Quem? Penso, depois levanto a cabeça, na esperança de não ter falado em voz alta.

Tomalewicz cruza as pernas, colocando o tornozelo direito sobre o joelho esquerdo.

— Na carta, Rose Gold parecia ter muito medo de você. Ficamos com a impressão de que você voltou a maltratá-la.

A acusação de novo. Esta cidade nunca vai superar.

Potts baixa o telefone de Rose Gold e pega a bolsa de fraldas, recomeçando sua busca. Ele procura em cada compartimento, passa as mãos por todos os centímetros do forro. Não faz comentário nenhum, nem mesmo olha para o nosso lado.

Tomalewicz continua falando.

— Ela disse que você *a obrigou* a pegar o bebê.

— O quê? — Meus olhos voam de Potts a Tomalewicz.

— Você a obrigou a fingir que o filho era dela e ameaçou machucá-la se ela não obedecesse. Você disse a ela que estava na hora da vingança, que ninguém larga Patty ou Rose Gold Watts e se safa disso. Rose Gold disse que no início seguiu seu plano. Mas depois ficou com medo de que você começasse a fazer mal a Luke, como fez a ela. Disse que, quando confrontou você... lhe disse que isso precisava acabar... você ameaçou machucar os dois se um dia isso acontecesse.

Minha cabeça rodava.

— Luke?

Tomalewicz enrijece o queixo. Olha para Adam.

— Luke Gillespie.

Ao ouvir esse nome, tenho uma onda de náusea. Vejo estrelas. O quarto começa a escurecer.

Olho para a criança dormindo no leito e pergunto:

— Está me dizendo que este bebê não é meu neto?

— A história de Rose Gold bate — diz Tomalewicz. — Nós ligamos para a polícia de Fairfield. Billy Gillespie... o pai de Rose Gold e seu ex-amante... deu queixa de uma criança desaparecida dois meses e meio atrás. Estiveram procurando por ele vinte e quatro horas por dia em Indiana.

Potts pega um canivete suíço no bolso e corta um pequeno buraco no forro da bolsa de fraldas. Retira um vidrinho marrom com tampa branca.

— Achei — diz ele, triunfante.

Tomalewicz e Potts se viram para mim, olhando. Querem que eu diga alguma coisa, percebo. Eles pensam que o vidro de xarope de ipeca é meu.

Mas não é meu. Eu levei o meu à cidade vizinha esta manhã e o desfiz em pedaços atrás de um Subway. Depois varri os cacos e joguei numa lixeira. Não podia correr risco nenhum, se levaria Adam ao hospital.

— Por que eu traria um bebê envenenado para o hospital? — pergunto.

Tomalewicz dá de ombros.

— Excelente pergunta. Você fazia isso o tempo todo.

Ignoro o comentário.

— Por que eu traria o veneno comigo?

Tomalewicz me fulmina com os olhos.

— Se tenho alguma coisa a esconder, por que não iria a um hospital diferente, onde ninguém me conhece?

Tomalewicz se vira para Potts, gesticulando para as mamadeiras cheias de leite de Rose Gold.

— Vamos empacotar isso e levar para a perícia.

A uma ordem dela, Potts guarda tudo na bolsa de fraldas. Sai do quarto com as mamadeiras e o iPhone de Rose Gold. Eu o observo, sem conseguir acreditar.

— Não falo com Billy Gillespie há vinte e cinco anos — protesto. — Nem tinha noção de que Rose Gold conhecia o nome verdadeiro dele. Eu não sabia de nada disso.

Tomalewicz descruza as pernas e se inclina para a frente, apoia os cotovelos nos joelhos, o queixo na mão.

— Sim, nós sabemos tudo sobre o seu longo histórico de inocência alegada. Você nunca é culpada — diz ela. — É sempre culpa de outra pessoa. Que engraçado, o sistema judiciário não concordaria.

Tenho uma decisão a tomar, mas não há muito tempo para isso. Meu instinto é — sempre foi — negar, negar, negar. Mas entendo a gravidade das acusações que posso enfrentar: sequestro, maus-tratos infantis com agravante por reincidência, e não sei o que mais. Estou acuada. Respiro fundo.

As palavras saem aos borbotões.

— Tudo bem, admito que às vezes maltratei Rose Gold quando era criança — digo.

Espero uma onda de alívio por finalmente falar em voz alta. Estive guardando isso por muito tempo, fingindo que sou inocente, agindo como se não soubesse de nada. Mas só me sinto vazia, derrotada, vencida. Ninguém sequer sorriria para mim, nem me faria um carinho nas costas de novo, ninguém me diria que fui boa, até *ótima* antigamente. A Supermãe é um papel que sei representar. Sem ela, não sou ninguém.

Engulo em seco.

— Mas eu nunca, jamais fiz mal a Adam... quer dizer, Luke. Não sabia que ele tinha sido sequestrado.

A porta do quarto se abre. Mary Stone entra intempestivamente, colérica.

— Eu sabia que a culpa era sua! — ela grita. — Todos nós sabíamos. Sabíamos que você fez mal a Rose Gold na época, e agora está fazendo isso de novo. O que você fez com ela, seu monstro?

Tomalewicz se coloca de pé rapidamente, alarmada com a invasão. Põe a mão no braço de Mary.

— Sra. Stone, eu lhe pedi para esperar no saguão — diz ela calmamente. — Agora terei de lhe pedir que saia.

Mary puxa o braço da mão de Tomalewicz e continua seus delírios, com o dedo apontado para mim.

— Você envenenou os dois e matou a Rose Gold. Você a queria fora do caminho, assim podia estragar a vida deste pobre bebê como estragou a dela. Ela me contou tudo a seu respeito na carta. Quando ela começou a te enfrentar, você a destruiu.

Mary cai em prantos.

Tomalewicz fala no rádio.

— Welch e Mitchell, quarto 16.

— Não vi Rose Gold por um mês depois que o bebê nasceu — gritou Mary. — Ela me disse que precisou ficar em um hospital em Springfield por causa de complicações na gravidez. Onde ela está?

O discurso de Mary acordou Adam. Ele também começa a chorar.

— O bebê — grita ela, estendendo a mão para ele com os olhos vermelhos e muco escorrendo pelo rosto. Tomalewicz se planta na frente de Adam, bloqueando nós duas dele.

— Pobrezinho desse bebê — Mary chora, dobrando-se ao meio, aos prantos.

Outros dois policiais entram no quarto. Seus olhos vão diretamente para Mary. Um deles se vira para Tomalewicz, procurando confirmação. Ela assente rapidamente. O policial segura Mary pelo braço, ajudando-a a se colocar ereta.

— Vamos, senhora — diz ele, empurrando-a para a porta. Ainda consigo ouvir os gritos depois que a porta é fechada.

Tomalewicz dirige-se ao outro policial.

— Chame a dra. Soukup ou uma enfermeira para ver a criança.

O policial assente e sai. Trinta segundos depois, Janet — nossa primeira enfermeira — passa às pressas pela porta.

Tomalewicz assente para Janet.

— Nós suspeitamos de que o bebê tenha sido intoxicado com xarope de ipeca. Não sei que exames nem tratamento devem ser aplicados...

Janet interrompe, tranquila e confiante.

— Vamos cuidar dele.

Ela vai até o leito. Quando pega Adam — Luke — nos braços, meu estômago se revira. Ela sussurra para ele ao seguir até a porta, tentando acalmar seu choro cansado. Passa-o de um braço a outro e abre a porta. Antes de levar meu bebê de mim para sempre, ela me olha com maldade, um olhar cheio de ódio e nojo. Depois vão embora ela e Adam — quer dizer, Luke.

O quarto fica em silêncio.

Eu, entorpecida.

Tomalewicz e eu não esperamos muito pela reentrada dos dois policiais. Vejo as algemas prontamente. Coloco as mãos nas costas enquanto os policiais me algemam.

— Sou inocente — protesto. — Estou dizendo a verdade!

Tomalewicz passa a ler meus direitos, mas não escuto. A acusada não tem direito nenhum. Inocente até prova em contrário? Que monte de bosta.

Tomalewicz continua falando.

— Estes policiais vão escoltar você até a central de polícia. Eu adoraria levá-la eu mesma, mas tenho um telefonema importante a dar ao Departamento de Polícia de Fairfield. Acho que estamos prestes a deixar uma cidade inteira feliz.

Mas Rose Gold me visitou quando estava grávida. Ela bombeou todo aquele leite. Ela pensava que o pai estivesse morto, que o nome dele era Grant. Nunca usei meu vidro de ipeca. Nada disso fazia sentido.

— Você precisa encontrar a minha filha — falei. — Ela tem as respostas que você quer.

De novo, Tomalewicz vira para mim aqueles olhos penetrantes de abutre.

— Acredite em mim, nós vamos encontrá-la.

Ela assente para os outros policiais e sai.

A polícia me escolta na saída do quarto do paciente e pelo corredor. Fico de olhos grudados no piso frio, na esperança de que Tom esteja no intervalo de almoço, ou tenha caído em alguma fenda e fervido em algum lugar no núcleo terrestre. Nós nos arrastamos para a saída. Vejo olhares fixos, mas estou chocada demais para me sentir humilhada.

O nome de Adam é Luke. Meu neto é filho de Billy. Eu não tenho neto.

A viatura policial já está parada na frente das portas do hospital. Um dos policiais me conduz para o banco traseiro enquanto o outro se senta ao volante. Seus rostos são um borrão. Suas palavras são um borrão. Este carro é um borrão. Tudo isso, a cidade toda, é um grande redemoinho indistinto. Tento pensar em um jeito de sair dessa, tento concatenar um pensamento coerente. Só tenho um.

Aquela piranhazinha armou para cima de mim.

28
ROSE GOLD

É claro que armei para ela.
Você ia querer fazer o mesmo. Você ficaria deitado na cama à noite pensando em várias maneiras requintadas de punir a pessoa que o enganou. Você sabe quem é — mesmo agora, seu rosto paira em sua mente. *Quem dera se*, você pensa, sem se atrever a concluir o pensamento.
A diferença entre mim e você está no que veio depois. Eu fiz acontecer.
Quando Úrsula está a ponto de destruir Ariel, o príncipe Eric não faz uma proposta de paz. Ele não divide o oceano, acomodando-se para viver amigavelmente com uma bruxa do mar. Ele enterra um mastro de navio bem em suas entranhas e a mata. Eu sou o príncipe Eric. Salvei a mim mesma.
Uma semana se passou desde que minha mãe foi presa de novo. Ainda sinto o rosto esquentar de vergonha ao dizer isso, mas talvez seja insolação. Cada dia aqui tem sido de céu azul e vinte e um graus.
Espero na fila da padaria para pagar por meu pão doce. As paredes da loja são cobertas de murais coloridos de marcos históricos locais. Os clientes conversam e gesticulam, me ignorando. Sempre volto a esta loja, princi-

palmente porque o caixa daqui é legal comigo. Quando chega a minha vez, entrego o dinheiro. Ele sorri e, por um segundo, me sinto menos sozinha.

Saio da padaria e de novo olho embasbacada para a linda igreja de tijolos aparentes do outro lado da rua. Pela terceira manhã consecutiva, admiro o campanário, encimado por uma coroa de ferro forjado erguida por anjos. Logo tenho consciência do quanto estou exposta, parada aqui, de queixo caído. Continuo caminhando, dando uma mordida no pão doce enquanto vou à rua comercial.

Alguns minutos depois, chego à rua secundária onde estacionei meu carro, um sedã branco e amassado de um famoso fabricante que gostaria que continuasse anônimo. O Google diz que é o carro mais popular nas ruas daqui. Eu me misturo bem. Posso ser ninguém. Não quero ser encontrada. E, cara, a polícia está procurando por mim. Aposto que Vinny King, da *Chit Chat*, agora ficaria de joelhos para me entrevistar.

Abro a porta do carro e me sento ao volante, alisando as mechas de minha peruca pelo retrovisor. O cabelo preto e curto não era minha primeira opção, mas a cor me disfarça bem. Levo outro pedaço de pão doce à boca. Um fedor invade minhas narinas: cecê. Cheiro as axilas — estou fedendo. Vou precisar de um banho logo, ou pelo menos um mergulho no mar. Fica a poucas ruas daqui.

Viajei mais nos últimos sete dias do que em toda a minha vida. Tudo isso faz parte da nova eu. Eu queria um recomeço, o que significava que precisava de um término definitivo.

Na segunda-feira de manhã da semana passada, me arrumei para o trabalho, como em qualquer outro dia. Minha mãe me deixou na Gadget World por volta das oito e cinquenta, como em qualquer outro dia. Mas, ao contrário de qualquer outro dia, dei a volta e fui para casa em vez de ir ao trabalho. Me escondi na casa abandonada e destrancada do outro lado da rua por algumas horas, até que mamãe saiu para levar Luke ao parque. Depois que ela partiu, fiquei um pouquinho ocupada.

Eu tinha de limpar meu armário, colocar xarope de ipeca no leite e enterrar meu telefone e o vidrinho marrom na bolsa de fraldas. Depois de deixar uma carta no correio, eu ficaria feliz da vida.

Tinha planejado mandar a carta à polícia de Fairfield, mas percebi que deixar o destino de mamãe nas mãos de Mary Stone a irritaria de verdade. Um ponto-bônus.

Catorze horas depois, fiz uma parada em uma caixa postal em Denver para pegar meus novos documentos de identidade, cortesia de meu ex-namorado. Não tinha medo de ele me entregar quando meu nome saísse nos jornais: falsificar passaportes garante dez anos atrás das grades.

Depois fui para o sul da fronteira.

Contorno o banco traseiro do carro e dobro meu cobertor (uma toalha velha de praia) e travesseiro (meu casaco de capuz roxo). O chão está tomado de embalagens de fast-food e calcinhas sujas. Talvez eu lave minhas roupas enquanto tomo um banho.

Dou a partida no carro, sem saber para onde ir. Não sei circular nesta cidade. Não estou acostumada a ruas de paralelepípedos, a cabos telefônicos para todo lado, a ficar cercada de montanhas. Nunca vi tantas palmeiras — nunca tinha visto uma palmeira na vida, só esta semana! Quero ir a todo lugar, mas tenho medo de entrar na rua errada. Preciso lembrar insistentemente a mim mesma que não existem ruas erradas, que não tenho destino nenhum em mente.

Estive pensando em arrumar um trabalho de faxineira ou trabalhar na recepção de um resort daqui. Eu podia falar inglês com os hóspedes. Seria bom ter uma conversa, mesmo com estranhos. Não falo com ninguém há sete dias. Não quero sair deste lugar, mas tenho uma sensação ranheta e constante de que devo ir embora.

Será mais fácil me perder em uma cidade grande ou em uma pequena? A cidade grande maior fica onze horas a leste. A presença de milhões e milhões de pessoas nas ruas impediria que meu rosto se destacasse. Mas também deve haver mais policiais por ali. Se eu escolher uma cidade pequena e empoeirada, aposto que não vou ver muita gente da polícia. Mas eu daria muito na vista. Tamborilo os dedos no volante, sem olhar nos olhos de quem passa. Qualquer um deles pode estar atrás de mim.

Pensei que, depois que conseguisse, estaria livre como um passarinho. Não percebi que as maquinações teriam de continuar por sei lá quanto tempo. Dando a ré para sair da vaga, decido pegar a rodovia. Sempre posso voltar. Por enquanto não fico muito tempo em lugar nenhum.

Parece que todo mundo se importa com o bebê. Luke está bem. Ele se reencontrou com papai e Kim. Tive o cuidado de só colocar algumas gotas de ipeca em cada mamadeira. Os efeitos não duram mais que uma infecção gástrica feia. Eu não mataria meu irmão. Não sou louca.

Nem foi tão difícil assim pegá-lo. Eu me debrucei nas contas de redes sociais de Sophie em setembro. E aí, um dia, *bum*, lá estava ele, no mundo. Todos os Gillespie compartilharam fotos dele no hospital: ele passava bem, a mãe passava bem, blá-blá-blá. Esperei algumas semanas, depois fui de carro a Indiana em meu dia de folga e estacionei a van na rodoviária. Depois de andar mais ou menos um quilômetro e meio até a casa dos Gillespie, esperei que papai levasse as crianças à escola e fosse para o trabalho, depois fiquei ouvindo.

Tanta coisa pode ser feita só ouvindo.

Observei Kim subir com Luke, depois entrei furtivamente na casa pela porta lateral e me escondi no armário sazonal minúsculo que papai disse que ninguém usava. Depois que ouvi o chuveiro aberto, entrei de mansinho no quarto de hóspedes — que deveria ser o meu quarto. Tinha sido transformado de novo em quarto de bebê. Aqueles patinhos idiotas ainda estavam nas paredes, como quando eu vinha de visita. E lá estava ele, com um mês, dormindo um sono pesado no berço. Peguei-o no colo cuidadosamente para não perturbar nenhum dos doces sonhos que ele talvez tivesse, com cachorrinhos ou carros de bombeiro. Ele aninhou o corpinho no meu e cada fibra de meu ser doeu de amor.

— Sou sua irmã mais velha — sussurrei. — Prometo que vou cuidar bem de você.

É claro que eu podia ter incriminado minha mãe com um bebê de qualquer maternidade ou parque. Mas esta criança matou dois coelhos com uma só cajadada. Meus pais mereciam pagar por sua crueldade, os dois.

Não tive uma vida fácil naqueles meses. Depois que levei Luke para casa, quase enlouqueci de medo de cometer um lapso e os Gillespie me pegarem. É verdade que dois anos tinham se passado desde que papai me expulsara de sua vida, e não dei a ele nenhum motivo para suspeitar de que eu tinha qualquer má vontade para com sua família. Nunca mais entrei em contato com nenhum deles e não fiz nada além de gaguejar desculpas patéticas naquele dia no campo de futebol. Ainda assim, tinha medo de ter deixado uma pegada na casa, ou outra prova que pudesse ser ligada a mim.

Quando papai me telefonou na noite em que busquei mamãe na prisão, quase desmaiei de pânico. Mas nem precisava. Ele telefonava a todos de sua lista de contatos, pedindo que ficassem de olhos e ouvidos atentos à notícia de seu filho desaparecido. Ele tropeçou nas palavras, sem graça, durante nosso telefonema, e foi quando percebi que ele não tinha a menor ideia. Escorreguei até o chão de alívio e disse as coisas certas nos momentos certos. Até me ofereci para ir de carro ajudá-lo a procurar a criança. É claro que ele de pronto disse não — mesmo nessa hora de necessidade, ele queria me manter longe de sua família. Na manhã seguinte, quando mamãe perguntou se era o pai de Adam que tinha telefonado, assenti. Não estava mentindo.

Sabe como é difícil fingir ser uma nova mamãe? A roupa de gravidez — dá para comprar na Amazon, hoje em dia — foi fichinha, por comparação. Eu precisava guardar uma quantidade enorme de fórmula infantil trancada no quarto. Até colocava a fórmula na bomba mamária três vezes ao dia para que a bomba parecesse usada. Só comecei a colocar ipeca bem no finzinho. Tirando esse pequeno desvio, fui uma mãe exemplar. A vida de Luke foi moleza comparada com a minha.

Sinto muita falta daquele pinguinho de gente. Ele era meu melhor amigo, a única pessoa na minha vida que nunca me abandonou. De certo modo, eu sabia como minha mãe se sentia. Abrir mão dele foi a coisa mais difícil que fiz.

Eu sabia que só seria perdoada pelo meu papel no sequestro se morresse pelo bebê. A polícia procura por mim, mas não acho que espere me encontrar viva. Se encontrarem, o povo vai me crucificar. Vão me julgar e me chamar de má. Mas eu precisava de uma criança para que os maus-tratos parecessem verdadeiros. Uma adulta sendo envenenada pela mãe é uma tola. Mas um bebê indefeso? Nada enfurece mais as massas — ou os jurados — do que maltratar crianças. Eu sei disso. Boa sorte para sair dessa, mamãe.

Dirijo por duas horas, admirando o verde deste lugar, até mesmo da estrada. As montanhas são uma presença constante, sempre se agigantam, grandes, em qualquer lado. São infinitamente mais bonitas do que os milharais. Ligo o rádio, "Sweet Dreams", do Eurythmics, está tocando. Minha mãe adora essa música.

Como será que ela está agora? Desligo o rádio.

Por fim noto que estou com pouca gasolina e saio da rodovia. Preciso de um estimulante. Enquanto paro em um sinal, pego meu celular descartável e revejo o vídeo de Mary Stone falando com a imprensa. Avanço até os quarenta e dois segundos e aperto "play". Lá está ela, parada no pódio, gritando para um buquê de microfones, as lágrimas escorrendo pelo rosto. Seu talento para o drama faz dela a cúmplice involuntária perfeita.

"Ouvi Patty Watts dizer, com meus próprios ouvidos", exclama Mary Stone, "que ela envenenou e deixou Rose Gold ter inanição."

Aperto o "pause" e me recosto no banco. Vejo esse vídeo pelo menos uma dúzia de vezes por dia. O sinal fica verde. Piso no acelerador.

Você pediu isso.

Só o que minha mãe tinha de fazer era assumir a responsabilidade por ter acabado com minha vida, dizer a verdade pelo menos uma vez em sua existência desgraçada. Ela desprezou essa chance. E me subestimou a cada passo do caminho. Mamãe achava que eu não conseguiria — não me atreveria — a passar a perna nela. Recusou-se a abandonar a imagem da pequena Rose Gold que ela criou: fraca, covarde e dependente da mamãe. Supôs que a pateta da filha não era páreo para um cérebro como o dela. Não me faça rir.

Ah, ela agora tenta compensar, dizendo a todo repórter que quiser ouvir que ela foi incriminada injustamente, que eu armei para ela e estou escondida em algum lugar.

Mas ninguém quer ouvir a verdade de uma mentirosa.

Entro no posto de gasolina e estaciono o carro ao lado de uma bomba. Quando o tanque está cheio, vou para dentro e pago ao funcionário em dinheiro. Depois vou ao fundo da loja e me tranco no banheiro. Tiro a peruca e molho a cara na pia.

Quando meu rosto para de pingar, jogo uma água nas axilas. Viro as roupas pelo avesso, assim ninguém poderá ver nenhuma mancha, e fico parada ali um minuto, me abanando.

Meus olhos vagam para o espelho e se fixam no cabelo, enfim comprido, como eu sempre sonhei, as pontas caindo no peito. Jogo o cabelo pelo ombro e percebo com quem me pareço. Alguns anos atrás, eu queria mais que tudo ser a cópia carbono dela — virar Alex Stone. Mas não quero mais ser aquela pessoa. Não sou uma mulher que perde as estribeiras por um pelo que falta. Sou muito, mas muito mais forte que Alex.

Saio do posto de gasolina e paro em um mercadinho. Levo alguns minutos para encontrar o que preciso. Com minha nova compra na mão, volto ao banheiro do posto. Se o funcionário me reconhece ou se surpreende por me ver novamente, não demonstra. Com a porta trancada, pego a máquina na bolsa e passo a trabalhar.

Longas mechas de cabelo louro caem no chão.

Trabalho em toda a minha cabeça. O zumbido da máquina me leva de volta ao pequeno banheiro da casa geminada. Tenho seis anos de novo, sentada de pernas cruzadas na bancada, vestida em um tutu enquanto mamãe raspa minha cabeça, lembrando-me de que meu cabelo vai cair aos cachos se eu não o mantiver curto. Ela me promete que vou ficar melhor assim.

Pela primeira vez, quem tomou a decisão fui eu.

Raspo a cabeça até que ele some — todo o cabelo. Meus pés desapareceram embaixo do cabelo. Adeus, Alex.

Passando as mãos na cabeça felpuda, abro um sorriso. Meu rosto está enchendo, agora que voltei a comer. Meus olhos estão menos fundos. Duas fileiras de dentes estragados sorriem para mim do espelho. Não tento cobri-los há meses. Agora nem me lembro por que eles me incomodavam. Não são assim tão ruins. Podem parecer frágeis, mas têm força suficiente para me alimentar, guardar meus segredos, conter minha fúria.

A maioria das pessoas não gosta de se apegar à raiva. Acham que é esmagadora e as consome, então elas tentam superar. Tentam se esquecer de como foram enganadas.

Mas algumas de nós não conseguem se esquecer e nunca perdoarão. Mantemos os machados afiados, prontos para triturar. Seguramos pedidos de misericórdia entre os dentes, como um quebra-queixo.

Dizem que um ressentimento pesa demais para ser carregado.

Ainda bem que somos superfortes.

AGRADECIMENTOS

A minha deslumbrante agente, Maddy Milburn, que tirou estes originais de sua pilha a ser examinada e se arriscou comigo. Trabalhar com você foi a melhor decisão que tomei em minha carreira. Jamais deixarei de agradecer a você. Aos demais da equipe da MMLA — Anna Hogarty, Georgia McVeigh, Giles Milburn, Chloe Seager, Georgina Simmonds, Liane-Louise Smith, Hayley Steed e Alice Sutherland-Hawes —, obrigada por me ajudarem a não perder a cabeça. Vocês são estrelas.

A minhas geniais editoras, Maxine Hitchcock, no Reino Unido, e Amanda Bergeron, nos EUA. Seus insights e ideias fortaleceram este livro, e a mim como escritora, de maneiras incontáveis. Obrigada por me fazerem parecer mais inteligente do que sou e por compartilharem (ou pelo menos tolerarem) meu amor pelas planilhas. Todo santo dia, sou muito feliz por meus livros e eu termos encontrado um lar com vocês duas.

À equipe da Michael Joseph: Emma Henderson, Rebecca Hilsdon e Hazel Orme, o soberbo esquadrão editorial; Ellie Hughes e Gaby Young, minhas magníficas divulgadoras; Vicky Photiou, Jen Porter e Elizabeth Smith, a equipe de marketing dos sonhos; e aos incrivelmente talentosos designers Lee Motley e Lauren Wakefield. Um milhão de agradecimentos a todos os outros da MJ, inclusive Louise Blakemore, Anna Curvis, Christina Ellicott, James Keyte, Catherine Le Lievre e à equipe mais ampla da Penguin Random House UK.

À equipe da Berkley: Loren Jaggers e Danielle Kier, as melhores divulgadoras da cidade; Bridget O'Toole, a ninja das newsletters; e Jin Yu, mestre de todas as coisas do marketing. Queria morar na mesma cidade, assim podíamos ficar juntas o tempo todo. Emily Osborne e Anthony Ramondo, seu projeto de capa é uma perfeição. Obrigada também aos demais da equipe da Berkley: Craig Burke, Stacey Edwards, Grace House, Jean-Marie Hudson, Claire Zion e todos os outros da Penguin Random House nos EUA.

A Mako Yoshikawa, minha primeira leitora, orientadora de dissertação e minha mentora. Você acreditou neste livro quando só existiam três capítulos dele. Seu feedback deu forma à voz de Rose Gold, você me ensinou a importância da causalidade na ficção e, talvez mais importante, me estimulou a continuar. Este livro deve sua existência a você.

A Rick Reiken, leitor da minha dissertação e ex-professor, que foi além do exigido no workshop, me deu conselhos brilhantes sobre o ofício e me ajudou a me virar no mundo editorial. Se não fosse por você, talvez eu ainda estivesse penando com aquele (medonho) primeiro rascunho. Obrigada por me ajudar gentilmente a perceber que eu tinha de recomeçar.

A Steve Yarbrough, meu primeiríssimo professor de workshop, que continuou me encorajando, apesar de minhas histórias em suas aulas terem sido... toscas. Semana após semana, eu absorvia o máximo possível de sua sabedoria. Espero que pelo menos um pouco dela transpareça nestas páginas.

Ao Emerson College, que apoiou este romance como meu projeto de dissertação de mestrado. Obrigada ao corpo docente por fazer de mim uma escritora melhor; à faculdade, por seu generoso programa de bolsas, que me permitiu focalizar unicamente na escrita; e a meus colegas de turma, em particular Beth Herlihy, que leu os primeiros rascunhos desta história e me deu ânimo.

Às seguintes pessoas e textos, por me ajudarem a compreender a história médica e o impacto psicológico da síndrome de Munchausen por procuração:

Sickened: The Memoir of a Munchausen by Proxy Childhood, de Julie Gregory; o artigo de Michelle Dean no Buzzfeed cobrindo a história de Dee Dee e Gypsy Blancharde; e *Playing Sick?: Untangling the Web of Munchausen Syndrome, Munchausen by Proxy, Malingering, and Factitious Disorder*, de Marc Feldman. Quaisquer erros que tenham sido cometidos são meus.

Ao dr. Jim McKee, cirurgião-dentista, por seu tempo e perícia sobre todas as coisas relacionadas aos dentes.

A Ashley Chase, Ray Ciabattoni, Sarah Coffing, Guy Conway, Maddy Cross, Lauren Hefling, Annie e Todd Hibner, Christy Holzer, Jen e Tristan Kaye, Dave e Sara McCradden, Ali O'Hara, Dave Pfeiffer, Kelsey Pytlik, Shiv Reddy, Tara Reddy e Savs Tan, por seu amor inabalável e apoio a este livro e a tudo o que faço.

A Allison Jasinski, por todas aquelas longas conversas nos sofás azuis de nosso apartamento no Geneva Terrace. Você acendeu meu interesse pela psicologia e minha obsessão pelas discrepâncias da sociedade. Obrigada por sempre acreditar em mim.

Aos Wichrowski: Sheila, Taylor e Paul, por serem alguns de meus primeiros leitores e o primeiro clube do livro a discutir meu romance! Nestes últimos anos, pedi a opinião de vocês muitas vezes — sobre minha pesquisa, a prova da sobrecapa, o projeto de capa, a lista é interminável — e vocês sempre estavam prontos com os comentários mais inteligentes. Sua empolgação durante esse processo significou o mundo para mim. Tenho mais do que sorte por fazer parte de sua família.

A meus avós, Pat e Jim Soukup. Obrigada por sempre me amarem e por fomentarem meu gosto pela leitura. Por mais de trinta anos, sempre que ia à casa de vocês, um ou os dois estavam com um livro na mão. Tenho muito orgulho de ser sua neta.

Aos Malich: Jackie, Matt e Cadence, por seu estímulo infatigável. Jackie, obrigada por ser uma de minhas primeiras leitoras. Obrigada pelas horas que passamos discutindo reviravoltas — as boas, as ruins e as previsíveis. Obrigada por responder a centenas de perguntas desagradáveis sobre gravidez, sobre ser mãe de primeira viagem e sobre cada aspecto da maternidade. Você ainda me deixa feliz com sua força e seu amor. E obrigada, Cadence, por nos agraciar com sua presença — você é o bebê mais meigo que já conheci. É uma das grandes honras da vida ser sua tia. Por favor, demore muito, mas muito tempo mesmo, para ler este livro.

A Vicky Wrobel, por me ajudar a entender direito a geografia do Colorado; por ponderar todas as coisas, grandes e pequenas; por me fazer rir e me apoiar, sempre. Obrigada também por acreditar que viu uma Toys R Us na barriga da mamãe — você oficialmente nunca viveu essa história. Tenho muita sorte por ter você como irmã.

A meus pais. Vocês sabiam, muito antes de mim, que um dia eu escreveria um livro, então é justo declarar, para que fique registrado: vocês tinham razão. De *The Girl Who Got Lost in the Zoo* a Leitura Dinâmica, *Adventures of Misty Creek* e mais, ninguém estimulou meu amor pela leitura e a escrita mais do que vocês dois. Seu apoio constante facilitou o processo de escrita deste livro, mas a criação que vocês me deram dificultou a gênese da personagem de Patty — porque não sei como é ter pais que sejam qualquer coisa além de amorosos, altruístas e que me apoiam inteiramente. Pai, obrigada por ser a única pessoa que achou uma boa ideia escrever um livro e treinar para uma maratona ao mesmo tempo! Seu ímpeto me fez trabalhar com mais afinco e fazer melhor. Quando eu era criança, você me disse mil vezes que não custa nada sonhar mais alto. Acho que você enfim conseguiu. Mãe, eu seria irremediável sem você. Você imprimiu, mandou por FedEx e procurou blusas em tom de pedras preciosas — nenhuma tarefa era grande demais para lhe pedir (e foram muitos pedidos). Você nunca nem piscou para as dezenas de perguntas estranhas que fiz durante a pesquisa para o livro. Sinto seu amor mesmo a um oceano de distância. Amo vocês dois, muito.

A Moose. As pessoas às vezes perguntam se me sinto isolada trabalhando sozinha o dia todo, mas não tenho estado solitária desde o dia em que trouxemos você para casa. Dito isso, eu não detestaria se você parasse de peidar embaixo da minha mesa.

A Matt. Por ser meu parceiro. Por se mudar para Boston para que eu pudesse fazer o mestrado. Por sustentar nós dois enquanto eu estudava. Por pensar que este romance era uma boa ideia. Por indiscutivelmente dar a melhor piada do livro. Por pegar leve (a única vez que você vai ver isso por escrito). Por me fazer gargalhar. Por celebrar os pontos altos e suportar os baixos. Por ser a primeira pessoa a quem eu quero contar tudo, mesmo depois de todos esses anos. Em nosso primeiro encontro, nos idos de 2011, confessei que tinha o sonho louco de um dia escrever um livro. Seus olhos se iluminaram e você se inclinou para mim, querendo saber mais. Você tem se inclinado para mim todo dia desde então.

Impresso no Brasil pelo Sistema Cameron da Divisão Gráfica da
DISTRIBUIDORA RECORD DE SERVIÇOS DE IMPRENSA S.A.